D0586152

Juliette Pomerleau

Données de catalogage avant publication (Canada)

Beauchemin, Yves, 1941–

Juliette Pomerleau

(Collection Littérature d'Amérique).

ISBN 2-89037-442-4

I. Titre. II. Collection

PS8553.E28J84 1989 C843'.54 C88-096616-5
PS9553.E28J84 1989
PQ3919.2.B42J84 1989

Les situations décrites dans ce livre sont fictives ; à l'exception de quelques personnalités connues, les personnages le sont également.

La citation musicale au début du présent ouvrage est tirée du quatrième mouvement de la *Troisième sonate pour violon et piano* de Bohuslav Martinū, éditée par *Associated Music Publishers*, New York, London © 1950.

ÉDITION DU CLUB QUÉBEC LOISIRS INC.

Dépôt légal :
1er trimestre 1989
Bibliothèque nationale du Québec
ISBN-2-89037-442-4

Juliette Pomerleau

Yves Beauchemin

roman

Je tiens à remercier tous ceux qui m'ont aidé de leurs conseils et de leur support dans la rédaction de ce roman et en particulier ma femme, Viviane, de même que Diane Martin, Liliane Michaud, Phyllis Préfontaine et Jean Dorion.

À mes fils Alexis et Renaud

Elle était énorme, mais avait l'esprit fin ; elle adorait les clémentines, l'opéra russe, Buster Keaton et, en général, tout ce qui lui permettait d'oublier son infirmité.

Blaise Cendrars, *Lettres à moi-même*.

La compassion est la loi fondamentale et peut-être l'unique loi de l'existence de tout le genre humain.

Dostoïevski, *L'Idiot*.

1

— On y va ? fit une voix légèrement oppressée.

Dans le silence de la nuit tiédissante, le piano se mit à jouer doucement. Les notes s'égrenaient avec une solennité un peu mélancolique, s'échappant par la fenêtre grande ouverte. La petite cour obscure et déserte aux pavés encore tout chauds se remplit d'une atmosphère grave et recueillie. Soudain, des lentes vagues de la musique qui se succédaient paisiblement et allaient mourir aux abords de la rue, surgit comme un message énigmatique. Quelque chose d'important allait se produire. C'est alors que le violon se joignit au piano :

La douceur de son chant était si poignante que Juliette Pomerleau ouvrit les yeux, souleva sa tête moite de l'oreiller et regarda dehors. À travers le feuillage des framboisiers, on apercevait, au-dessus de la cour minuscule que formait le U de l'édifice, une fenêtre illuminée au premier étage où se découpaient deux silhouettes presque immobiles ; l'une était assise et légèrement courbée, l'autre, debout, tenait un violon. « Monsieur Martinek vient de terminer sa sonate », pensa-t-elle.

Se tournant péniblement sur le dos, elle poussa un soupir et se mit à écouter, ravie.

Dans la chambre voisine, Denis venait de se réveiller à son tour. Assis dans son lit, il écoutait lui aussi la musique, remué par une étrange émotion qui lui serrait la gorge.

Juliette Pomerleau se souleva sur les coudes et le sommier poussa un petit jappement ridicule.

— C'est vraiment très beau, se dit-elle à voix basse, un peu essoufflée. C'est une des plus belles choses que j'ai entendues de lui jusqu'ici.

La musique s'arrêta. Un murmure de voix parvint de la fenêtre du premier étage, puis un rire de femme fusa.

— Non, à partir du début plutôt, ordonna Martinek.

Le piano reprit son introduction, puis le violon se joignit à lui et de nouveau ceux qui entendirent cette musique — un passant venait de s'arrêter sur le trottoir et tendait l'oreille, le souffle suspendu — eurent l'impression que leurs tracas, leurs projets, les maisons qui se dressaient autour d'eux et la ville tout entière n'étaient plus que choses négligeables face à la beauté déchirante de cette musique qui montait dans la nuit.

Denis se recoucha, serra contre lui l'orignal en peluche à culotte rouge qui partageait ses nuits depuis des années et continua d'écouter, l'œil dilaté, balançant doucement les pieds.

Dans l'air immobile et pesant, les feuilles et les brins d'herbe de la cour semblaient figés et celle-ci en paraissait curieusement agrandie. Denis fronça tout à coup les sourcils : sa grand-tante avait marmonné quelque chose dans la chambre voisine et le charme avait failli être brisé.

— Quelle chaleur, murmura Juliette Pomerleau en passant sa main potelée sur son front couvert de sueurs. Je ne fermerai plus l'œil de la nuit... Pourvu qu'ils jouent encore un peu...

Un petit claquement mouillé se fit alors entendre sur le rebord de la fenêtre, suivi d'un autre, puis d'un autre encore. Le buisson de framboisiers se mit à frémir doucement et les feuilles jetèrent des lueurs jaunes et vertes.

— La pluie. Enfin, la pluie, soupira Juliette.

Elle n'avait pas terminé sa phrase qu'un déluge s'abattait sur Longueuil. Denis sauta en bas de son lit et s'approcha de la fenêtre ; la rumeur immense de l'averse enterrait presque la musique. Il regarda les framboisiers tout luisants d'eau, puis la fenêtre illuminée du premier étage dont le rectangle jaunâtre était un peu terni par les raies de la pluie, et se sentit soudain extraordinairement triste et heureux.

De l'autre côté du mur de parpaings qui séparait l'appartement de Juliette de celui de sa sœur Elvina, cette dernière, assise devant son téléviseur, un casque d'écoute sur la tête, ignorait l'orage. Tout à coup, elle aperçut une petite flaque d'eau sur le rebord de sa fenêtre. La flaque s'apprêtait à couler le long du mur sur le papier peint. Elle arracha son casque, bondit sur ses pieds et ouvrit les volets avec fracas. Denis darda un regard courroucé à travers le mur, puis se pencha un peu par la fenêtre dans l'espoir d'extirper quelques notes du tapage qui régnait dehors. Ses orteils bougeaient lentement sur le plancher tiède. La pluie augmenta alors, noyant totalement la musique ; l'obscurité prit une teinte grisâtre et inquiétante et le buisson de framboisiers, ployant sous l'averse, disparut dans la tourmente.

* * *

La masse de nuages qui venait de crever avec tant de violence s'étendait sur une cinquantaine de kilomètres carrés. À son extrémité est, près de Saint-Hyacinthe, un camion-remorque fonçait sur l'autoroute 20, chargé de quincaillerie. Il pénétra dans l'orage comme une balle de fusil dans un banc de sable. Le camionneur, surpris, actionna aussitôt les essuie-glace et ralentit son allure. L'aiguille du compteur tomba à quatre-vingts, puis à soixante, puis enfin à quarante. Penché au-dessus de son volant, l'œil écarquillé, l'homme ne voyait pas à vingt mètres. Les essuie-glace s'agitaient désespérément, mais ne parvenaient pas à déchirer la couche d'eau ruisselante. Simoneau lâcha un juron, actionna de nouveau les freins et immobilisa son véhicule sur l'accotement.

— Chienne de pluie ! je vais encore rater mon film, lança-t-il. T'aurais pas pu tomber ailleurs, toi ? Y'a des gens qui seraient prêts à donner la lune pour que t'arroses un peu leur poussière. Va les trouver !

Il allongea les jambes et prêta l'oreille au crépitement furieux sur la tôle de la cabine. Puis, glissant la main droite dans la poche de sa chemise, il sortit un paquet de cigarettes. Il tira deux ou trois bouffées, toussa, ouvrit la radio, mais la referma aussitôt, car il n'en sortait que des grésillements. La pluie parut diminuer. Il jeta un coup d'œil à sa montre : « Onze heures et quart... Avec un peu de chance, j'aurai peut-être le temps... »

Il démarra, jeta un long regard dans le rétroviseur latéral, puis relâcha la pédale d'embrayage. Le camion s'ébranla en diagonale le long de la route et Simoneau vit aussitôt qu'il était trop tard.

Le choc fut si violent que sa nuque alla frapper un des montants de l'armature du dossier. Pendant quelques secondes, il demeura immobile, la tête vidée, contemplant l'obscurité d'un œil hagard. Le moteur ronronnait paisiblement, comme si de rien n'était, mais la cabine avait pris une forte inclinaison vers la gauche et, sous l'impact, la portière s'était ouverte. Il déboucla sa ceinture de sécurité et se laissa glisser dehors. La pluie lui fouetta le visage et cela lui fit du bien. Ce ne fut qu'à ce moment qu'il se rendit compte avec netteté de la situation. Le camion-remorque qui venait d'emboutir le flanc droit de sa remorque et un coin de la cabine s'était arrêté à une trentaine de mètres devant lui sur l'accotement.

Roger Simoneau fixa pendant quelques secondes la lueur rouge des feux de position, entourée d'un halo sinistre, puis il se mit à claquer des dents, tandis qu'une violente envie d'uriner le saisissait. Debout devant son camion, les jambes écartées, ses vêtements plaqués sur la peau, il ouvrit sa braguette d'une main tremblante, la tête tournée vers le véhicule qui l'avait frappé et dont il n'avait encore vu personne sortir. La pluie ne le rafraîchissait plus maintenant, mais le glaçait et sapait ses forces. Soudain une ombre apparut au milieu de la route et se dirigea vers lui.

— Es-tu blessé ? fit un homme grisonnant et trapu, sans paraître remarquer son occupation.

— Non. Toi ?

— Ça a donné un christ de coup ! poursuivit l'autre comme s'il ne l'avait pas entendu. J'ai une aile en compote et mon pare-chocs est à moitié arraché. Y'a pour au moins mille piastres de dommages. Viens voir.

Ils se rendirent au camion et contemplèrent la tôle froissée et déchirée. Simoneau avait décidé de limiter ses commentaires au minimum, car sa gorge et ses mâchoires tremblaient trop.

— Le motel *Beau Repos* est à un kilomètre par là-bas, reprit l'autre en indiquant la direction d'où ils venaient. Je vais aller téléphoner. J'ai bien le goût d'y passer la nuit. Après un choc de même, je me sens pas d'équerre pour conduire en plein orage. Tu devrais faire comme moi.

Ils rebroussèrent chemin et vinrent examiner la remorque de Simoneau. L'avant avait été enfoncé sur une largeur d'environ un mètre et le réservoir, éventré, achevait de se vider.

— Un peu plus, fit le quinquagénaire, et je t'écrabouillais comme une coquerelle, et moi avec.

Chaque fois qu'il ouvrait la bouche, Simoneau avait l'impression qu'elle se remplissait de pluie et les paroles de son compagnon lui parvenaient dans un chuintement mouillé qui les rendait à peine audibles.

— On présentait un maudit bon film au canal 10 ce soir, dit-il tout à coup, sans trop savoir pourquoi.

L'autre se mit à rire :

— Eh bien, tu pourras le voir tout à l'heure au *Beau Repos*. On va allumer nos clignotants et sacrer le camp d'ici avant d'attraper notre coup de mort : encore cinq minutes de pluie comme ça et les os vont me fondre !

Simoneau se tourna vers la cabine de son camion et un frisson d'horreur le traversa ; il se vit le corps à demi broyé, plié d'une façon grotesque dans un amas de tôle tordue, en train de pisser le sang de partout. Il sauta sur le marchepied, ouvrit la portière, actionna les feux d'urgence, puis alla rejoindre son compagnon qui s'éloignait déjà à grandes enjambées.

L'orage avait repris toute sa violence. Simoneau sentait son paquet de cigarettes se ramollir doucement contre sa poitrine. Il glissa la main dans sa poche et le jeta dans le fossé.

Une auto les dépassa lentement. Un gros visage d'homme aux yeux écarquillés les regarda une seconde, mais le véhicule n'arrêta pas. Quelques minutes passèrent. Son compagnon commençait à traîner de la patte et soupirait de temps à autre. Ils s'engagèrent dans une courbe et soudain, la lueur verte et rouge des néons du *Beau Repos* apparut au loin. Roger Simoneau la contemplait dans une sorte d'hébétude émerveillée. De toute sa vie, il n'avait rien vu de si féerique. Son envie de voir *Les Rescapés de la Sierra* s'était envolée ; il n'aspirait plus qu'à prendre un bon gros gin chaud, affalé dans un fauteuil du bar, en contemplant par la fenêtre la lueur des néons.

Son compagnon se tourna vers lui avec un sourire douloureux :

— J'ai hâte d'arriver en christ. Mon arthrite vient de se réveiller... Je vais te l'assommer au cognac, la chienne, elle saura même pas ce qui lui est arrivé !

Simoneau le regarda ; l'affaissement de ses traits le frappa.

Ils entrèrent dans le bar désert. La fraîcheur crue du système de climatisation glaça leurs vêtements. Une blonde grassouillette que la jeunesse abandonnait se tenait accoudée derrière le comptoir, les deux mains sous le menton, la tête levée vers un téléviseur suspendu dans un coin près du plafond.

Ils s'avancèrent et, curieusement, se raclèrent la gorge en même temps. Elle se tourna vers eux et, de saisissement, porta la main à son cou.

— On vient d'avoir un accident, expliqua Simoneau en s'efforçant d'affermir sa voix frêle et tremblante. Un gros gin chaud et un cognac double, vite !

Tandis qu'ils enfilaient leur consommation, elle appela la police. Une heure plus tard, deux policiers pénétraient dans le bar. Ils ressortirent presque aussitôt pour se rendre sur les lieux de l'accident, accompagnés des camionneurs, revinrent pour rédiger leur rapport, fumèrent une cigarette en échangeant des plaisanteries avec la barmaid, puis s'en allèrent.

La pluie avait un peu diminué. Le compagnon de Simoneau avala un troisième cognac, laissa échapper un rot, puis, se levant :

— Eh bien, bonsoir, la compagnie, moi, je vais me coucher. Il faut que je sois au garage à six heures demain matin.

— La réception est au bout à gauche, fit la barmaid et elle reporta aussitôt son regard sur le téléviseur où un des rescapés de la Sierra était plongé dans une discussion des plus animées avec une jeune Mexicaine au sujet d'un coup de poignard donné par inadvertance à un conducteur de diligence affligé d'un goitre.

Deux minutes plus tard, Simoneau se levait à son tour.

— Vous donnez un bon tour de clef à gauche, lui recommanda l'employé de la réception, la serrure est un peu capricieuse.

Aussitôt glissé sous les draps, le camionneur comprit qu'il ne dormirait pas. En pénétrant dans sa chambre, il avait d'abord été accueilli par des bruits d'éructation et de crachements. Son compagnon, installé dans la chambre voisine, semblait avoir des ennuis avec monsieur Courvoisier. Cela avait duré dix bonnes minutes. Puis il y avait eu une longue série de soupirs, le bruissement de la douche, des martèlements de pieds nus sur le plancher, qui résonnait comme un tambour, et enfin, de longues minutes de marmonnements où revenait l'expression « chienne de jambe ».

L'orage cessa à une heure dix. Malgré les deux couvertures de laine qu'il était allé chercher dans la commode, Simoneau grelottait toujours. L'image de son corps sanglant déchiré par la tôle ne le quittait pas.

Vers deux heures trente, il se leva, s'habilla et se dirigea vers le bar, qu'il trouva fermé. Alors il sortit dans la cour et prit la route en direction de son camion. Ses vêtements à demi séchés lui collaient encore un peu à la peau. Il gardait les yeux rivés au sol afin d'éviter les flaques d'eau et s'efforçait de penser à sa journée du lendemain pour chasser de son esprit une vague appréhension, car l'endroit, à cette heure, faisait un peu sinistre. Un vent humide et tiède essayait péniblement de libérer le ciel de la masse de nuages lourds et tourmentés qui continuait de l'encombrer. La lueur des feux d'urgence apparut de chaque côté de la route, entourée d'une vapeur rougeâtre.

— On dirait les portes de l'enfer, murmura-t-il avec un sourire crispé.

Il accéléra le pas, repris par ses frissons et ses claquements de dents, sauta sur le marchepied de son camion, ouvrit la portière, se glissa sur le siège et tendit la main vers la boîte à gants. Il en sortit un petit flacon de rhum, le mit dans la poche de sa veste de toile et reprit le chemin du motel.

Une demi-heure plus tard, il eut le plaisir de constater, affalé dans un fauteuil près de son lit, que ses mollets commençaient à se détendre et que les muscles de son dos tressaillaient de moins en moins. Il vida le flacon en deux gorgées, le laissa tomber sur le tapis, pencha la tête en avant et s'endormit.

Il se réveilla presque aussitôt, tout en sueur. Pendant un instant, il essaya de se rappeler le rêve qu'il venait de faire, mais les vapeurs de l'alcool l'empêchaient de ramasser ses esprits. Il se dirigea en titubant vers la fenêtre, écarta violemment les rideaux, puis consulta sa montre ; il était quatre heures du matin. Pivotant lourdement sur lui-même, il se rendit à la salle de bains prendre un verre d'eau, car sa langue lui donnait l'impression de vouloir faire corps avec son palais.

Et cela se produisit de nouveau, au moment où il déposait son verre vide sur le lavabo. Depuis quelques mois, cela lui venait presque chaque fois qu'il prenait un coup. Comme une huile nauséabonde, le cafard s'infiltrait peu à peu sous sa peau, diluant ses tripes, liquéfiant ses muscles et le plongeant dans un état proche du désespoir. Il retourna au fauteuil, s'y laissa choir, bras et jambes écartés, et fixa le tapis d'un air stupide. Sa vie lui apparut de nouveau comme une longue traînée d'ordures qui puait l'ennui.

— Rien ! rien ! j'ai rien fait de bon en trente-huit ans. Juste écœuré tout le monde ! songea-t-il en s'efforçant de pleurer.

Mais il n'y parvenait même pas. C'était un cafard insoulageable, une rage de dents sans médicaments ni dentiste, un mal de ventre comme s'il venait d'avaler une bûche.

— Quinze ans de camionnage... vendu la maison de mes parents pour deux pets... en train de perdre tous mes cheveux... une trâlée de blondes que j'ai aimées juste pour leur cul et qui m'auraient toutes vendu pour deux piastres... rien devant moi, rien derrière... on m'a fait cent mille saloperies et j'ai répliqué par des pires... Pauvre minable, tu vaux même pas tes vieux souliers... et puis, plus une christ de goutte de rhum et le bar est fermé, hostie !

Il se tournait dans son fauteuil, assailli par sa vie devenue comme une boule d'épines tournoyante qui s'amusait à lui arracher des morceaux de peau. Le fait même d'avoir respiré, dormi et mangé pendant toutes ces années lui paraissait ignoble et abject. Il contemplait ses cuisses et ses jambes avec une sorte d'horreur. Une voix pressante lui souffla qu'il devait se racheter. Immédiatement. Cette sensation d'être un déchet vivant suffoqué par sa propre puanteur ne pouvait durer une seconde de plus.

— Adèle... il faut que je rejoigne Adèle, murmura-t-il en se levant avec effort.

Voilà des mois que son image venait le tourmenter dès qu'il se mettait à boire. Il prit le téléphone, s'adressa aux renseignements et demanda le numéro d'une certaine Adèle Joannette — il ignorait son adresse — domiciliée sans doute à Montréal ou dans les environs ; c'était la jolie fille un peu cinglée qu'il avait laissé tomber dix ans plus tôt en apprenant qu'elle était enceinte. Parmi ses fautes innombrables, c'était celle qu'il sentait le besoin de réparer en premier.

— Eh bien, je pense qu'on a fait le tour, monsieur, fit la préposée au bout de quelques minutes. Vous avez une Adèle et huit A. Joannette. Bonne nuit.

Il contempla le combiné comme si la préposée venait de s'y engouffrer et soupira. Sa faute envers son ancienne maîtresse lui causait un tourment intolérable. Il se mit à composer les numéros obtenus. Mais après une quatrième bordée d'injures, il s'arrêta, perplexe. Ses efforts pour rétablir la justice et l'amour ne faisaient qu'attiser la haine. Et puis l'ébriété n'avait pas totalement neutralisé son penchant à la parcimonie et les frais d'interurbains, malgré le tarif de nuit, commençaient à peser sur son esprit :

— Mais oui ! mais oui ! j'aurais dû y penser, tabarouette... Sa tante ! sa tante pourra me dire où elle se trouve, la petite démone !

2

Bohuslav Martinek et Rachel reprirent plusieurs fois un passage difficile dans le dernier mouvement, où le tempo passait de *largo* à *vivace*, puis ils allèrent se coucher dans un état de profonde euphorie, à peine conscients du violent orage qui venait de s'arrêter.

Quand Juliette Pomerleau vit s'obscurcir la fenêtre du premier étage, elle poussa un grand soupir, se retourna lentement sur le côté gauche et essaya de trouver le sommeil. Ses oignons élançaient cruellement, comme c'était le cas chaque fois que le temps était humide. Et les transports dans lesquels l'avait plongée la musique de son locataire se combinaient à la douleur de ses pieds pour maintenir son esprit dans un état de surexcitation de plus en plus pénible. Elle repassa dans sa tête une discussion qu'elle avait eue la veille avec son patron au sujet d'une prétendue erreur dans le bilan hebdomadaire de la compagnie. Finalement, monsieur De Carufel, quinquagénaire jovial et sans façon, mais quelque peu Jos Connaissant, avait reçu en plein visage la preuve accablante qu'il était dans les patates. Puis, les souliers de Denis remplacèrent dans l'esprit de Juliette la déconfiture du pédégé de *Virilex*; les deux paires que possédait son petit-neveu touchaient à la fin de leur carrière et, la veille, en se rendant au travail, elle avait aperçu dans une vitrine l'annonce d'une vente de fins de série qui semblait prometteuse. C'est en essayant de faire surgir dans sa mémoire la façade et le nom du magasin qu'elle ferma peu à peu les yeux et s'endormit.

La sonnerie du téléphone réveilla Denis en sursaut. Il sauta de son lit et se précipita vers la cuisine. Un homme bredouillait au bout du fil.

— Quoi ? fit l'enfant. Je ne comprends pas.

— Attends, j'arrive, lança Juliette Pomerleau dressée dans son lit.

Le sommier poussa de nouveau son jappement ridicule ; une masse blanchâtre en émergea et s'avança bientôt en se dandinant dans le corridor.

— Donne, fit-elle en enlevant prestement le combiné des mains de Denis. Allô ! qui parle ? Roger qui ? Je vous entends mal... Simoneau. Ah bon ! Non, je ne me rappelle pas vous avoir jamais rencontré, monsieur Simoneau. Savez-vous quelle heure il est ? Quatre heures et demie du matin ! Oui, je dormais, figurez-vous... Ça m'arrive assez souvent la nuit. Auriez-vous un peu bu, par hasard ? Vous essayez de rejoindre ma nièce Adèle Joannette ? Attendez, je crois vous replacer, là... Vous êtes déjà venu chez moi avec elle il y a très longtemps, durant l'été 76 ou 77, quelque part par là... Quoi ? Je vous entends mal, vous ne parlez pas très clairement... Eh bien, non, figurez-vous qu'il y a une mèche que je n'ai pas vu ma nièce... Depuis... depuis 77, en fait... Pardon ? Non, je n'ai pas la moindre idée où elle niche. Écoutez, mon cher monsieur, ne trouvez-vous pas que le moment est mal choisi pour faire des enquêtes ? Je dois me lever à sept heures, moi, et j'ai une dure journée qui m'attend... C'est ça, allez vous coucher vous aussi, ça va vous faire du bien... Espèce d'ivrogne, marmonna-t-elle en raccrochant, le cerveau lui flotte dans la bière.

Elle se tourna vers l'enfant resté près d'elle et, lui caressant les cheveux :

— Va te coucher, bobichon... C'était juste un pauvre type qui a pris un coup de trop.

Denis s'éloigna sans un mot, tandis que sa tante retournait lentement à sa chambre en grommelant. Sa conversation avec le camionneur éméché l'avait mise en nage.

— Adèle Joannette, murmura-t-elle en levant pesamment ses jambes pour s'allonger dans son lit. Je me demande bien ce qu'elle est devenue, celle-là...

* * *

— J'aurais dû serrer ma bicyclette dans la remise hier soir, pensa Denis le lendemain matin, attablé devant sa tante pour le déjeuner. Je suis sûr qu'elle l'a aperçue dans la cour tout à l'heure. Elle va me chicaner.

L'obèse avait à peine ouvert la bouche depuis son lever. Le teint cendreux, l'air abattu, elle étendait mélancoliquement sur sa rôtie le quart de cuiller à café de beurre que son régime lui permettait pour la journée et jeta un regard haineux sur la demi-pomme et la tasse de café noir posées devant son assiette qui, avec cette ignoble tranche de pain sans sel, constitueraient sa seule nourriture jusqu'au dîner.

Elle leva les yeux sur l'enfant qui saupoudrait ses céréales de cassonade, et son regard s'adoucit :

— As-tu entendu Rachel et Bohu la nuit passée en train de faire de la musique ?

— Elle n'a pas vu la bicyclette, se dit l'enfant, soulagé. Oui, ma tante. Je les ai écoutés jusqu'à la fin, fit-il avec fierté. C'était très beau.

— Très beau ? J'en avais presque les larmes aux yeux. C'était bien la fameuse sonate à laquelle il travaille depuis deux semaines ?

Denis porta une cuillerée à sa bouche et hocha la tête :

— Il l'a donnée en cadeau à Rachel hier, pendant ma leçon de piano, pour fêter leur quatrième anniversaire de rencontre.

— Ah bon. Il faut que je leur demande de me rejouer ça.

— Ma tante ?

Juliette, qui mâchait un morceau de pomme, lui fit signe de poursuivre d'un petit mouvement de menton.

— Est-ce qu'ils vont se marier, un jour, Rachel et Bohu ?

— Ah ça, je n'en sais rien, cher. Pose-leur la question. Allons, il faut que je parte. Essaye d'être gentil avec ta tante, veux-tu ? Je sais qu'elle n'a pas toujours le caractère facile, mais dans la vie, mon garçon, il faut s'habituer à prendre les gens comme ils sont. Ça risque d'être ainsi jusqu'au Jugement dernier.

Elle s'arc-bouta des deux mains sur la table, fit quelques pas dans la pièce et saisit son sac à main :

— Si tu t'ennuies trop chez Elvina, monte voir Bohu. Tu lui diras combien j'ai aimé sa musique la nuit passée.

Elle se dirigea vers la sortie, suivie de son petit-neveu, et secoua d'un mouvement rapide de la main droite ses cheveux blond miel frisés par une permanente, qui arrondissaient encore davantage sa figure lourdement empâtée.

— Une autre journée tropicale, soupira-t-elle en se penchant pour embrasser Denis, qui fila aussitôt dans la cuisine terminer son déjeuner. À ce soir, bobichon ! N'oublie pas d'apporter le pâté chinois chez ta tante vers onze heures.

En posant la main sur le bouton de la porte, elle se tourna machinalement vers une photo encadrée fixée au mur au-dessus d'un petit guéridon. On y apercevait un groupe d'adultes debout au grand soleil dans une posture un peu guindée au milieu d'une pelouse torréfiée. La coupe des vêtements et des coiffures situait la scène quelque part dans les années 60. À leurs pieds, deux adolescentes étaient assises sur le gazon, les jambes relevées, les mains jointes devant les genoux. Le regard de madame Pomerleau s'arrêta sur une des jeunes filles. Potelée, les traits agréables, les cheveux ramenés en queue de cheval, elle portait une blouse à col ouvert, une jupe de tweed, des flâneurs de daim et des bas de coton blanc à mi-mollet ; elle riait à pleines dents, comme habitée par une jeunesse inépuisable.

— Je me demande bien où elle a fiché le camp, murmura Juliette Pomerleau en ouvrant la porte.

Et elle sortit dans le hall.

Denis achevait son bol de céréales lorsqu'il entendit démarrer bruyamment l'auto. Un léger crissement de pneus s'éleva dans la rue, puis le bruit du moteur décrut rapidement. Du bout de sa cuiller, il alla cueillir un flocon de *Spécial K* amolli par le lait, le porta à sa bouche et sourit. Il taquinait souvent sa tante en lui disant qu'elle conduisait comme un coureur automobile. Mais en fait, il admirait au plus haut point son habileté que Bohuslav Martinek et Clément Fisette avaient un jour déclarée incomparable, et d'autant plus qu'il s'agissait d'une femme de 57 ans.

Il se leva, rinça son bol dans l'évier, tourna un peu dans la pièce en bâillant, rempli d'une langueur délicieuse à la pensée des deux longs mois de vacances qu'il entamait ce matin-là et qui lui paraissaient infinis. Que ferait-il de son avant-midi ? À cette heure, Yoyo dormait sûrement et Vinh devait aller chez le dentiste. Lire ? Il venait de terminer son roman, et *Les Malheurs de Sophie* qu'il avait emprunté à la bibliothèque lui semblait tout à fait gnangnan. Il sortit à son tour dans le hall et frappa trois coups discrets à la porte d'en face.

Le rez-de-chaussée comptait deux appartements, occupés, l'un par Juliette Pomerleau et son petit-neveu, l'autre par sa sœur Elvina, célibataire et commis des douanes à la retraite. Le premier étage était habité par le dentiste Adrien Ménard, un original aux façons compassées, mais d'une courtoisie exquise, qui en avait loué les deux appartements. Au deuxième et dernier étage, logeaient, côté sud, le compositeur Bohuslav Martinek et, côté nord, un photographe nommé Clément Fisette. C'était le locataire le plus récent. Malgré ses sourires narquois et son allure vaguement cauteleuse, il s'était rapidement lié d'amitié avec tout le monde.

L'édifice appartenait depuis longtemps à Juliette Pomerleau, comptable, obèse et veuve d'un certain Rosaire Chaput, homme d'affaires. Quelques années auparavant, elle avait décidé de reprendre son nom de fille, n'ayant sans doute pas tellement envie de perpétuer la mémoire de son défunt mari.

La porte s'ouvrit et Elvina Pomerleau apparut, portant un tablier et des gants de caoutchouc :

— Ah, c'est toi. Entre.

Elle referma précautionneusement la porte, enfila sans mot dire le corridor, puis le salon, et retourna dans la cuisine. Une forte odeur de décapant flottait dans l'air, malgré les fenêtres ouvertes.

Denis s'avança jusque dans l'embrasure et la regarda un instant ; elle était assise devant une vieille table de chevet vert olive, l'air sévère et appliqué, en train de badigeonner une porte avec un pinceau.

Un long bâillement se fit entendre sous la table, un pan de la nappe se souleva et la tête d'un braque imposant apparut. L'animal s'avança vers Denis pour quêter une caresse.

— Couche, Noirette, ordonna Elvina d'une voix tranchante. Elle m'a renversé un pot de décapant sur le plancher hier. Heureusement que ça n'a pas traversé les journaux. Mais j'en ai eu mal à la tête toute l'après-midi.

La peinture du meuble se mit à se rider et à boursoufler, puis de petites crevasses apparurent. Elvina saisit alors un grattoir et commença à travailler à coups rapides, les lèvres serrées, le regard fixe.

L'enfant alla s'asseoir dans le salon, feuilleta un journal d'un air ennuyé, se leva, puis après avoir observé un moment sa tante silencieuse et absorbée, quitta l'appartement sur la pointe des pieds.

— Denis ? entendit-il au fond de la cuisine en mettant le pied dans le hall.

Il referma doucement la porte, grimpa l'escalier quatre à quatre, puis, rendu au premier étage, se faufila dans un coin d'ombre. La porte d'Elvina Pomerleau s'ouvrit. Quelques secondes passèrent. Puis il y eut un léger claquement et les pas de sa tante s'éloignèrent. Une deuxième porte s'ouvrit alors, mais juste en face de lui cette fois. Un petit homme propret au teint rose vif et à la chevelure de neige apparut, vêtu d'un élégant complet gris perle.

— Ah ! bonjour, jeune homme. Je vois que vous venez de prendre encore une fois la poudre d'escampette. Est-ce que par hasard cette chère Elvina...

L'enfant rougit, mit un doigt sur ses lèvres et gagna rapidement l'escalier qui menait au deuxième. Le dentiste secoua l'index d'un air faussement menaçant et descendit l'escalier, visiblement enchanté de la petite malice que Denis venait de faire à sa tante.

Parvenu au deuxième, l'enfant, indécis, contempla alternativement la porte de Martinek et celle de Fisette, qui se faisaient face. Un bruit d'eau et de brassement de vaisselle lui apprit que le compositeur était debout. Mais une voix de femme, claire et joyeuse, s'éleva soudain. Mademoiselle Rachel avait encore passé la nuit chez son ami. Denis, que la beauté de la violoniste plongeait immanquablement dans un obscur malaise, tourna les talons et alla frapper à la porte du photographe. N'obtenant pas de réponse, il entra. L'appartement, tout ensoleillé, était modeste, mais propre et fraîchement peinturé de blanc. De la cuisine parvenaient les glouglous d'un percolateur.

— Clément ?

— Je suis dans la chambre noire, répondit une voix étouffée. Va m'attendre dans la cuisine. Il y a du jus d'orange dans le frigidaire.

La pièce était meublée d'une table à cartes, de deux chaises pliantes, d'un poêle, d'une poubelle jaune pâle et d'un minuscule frigidaire glissé dans l'espace entre le comptoir et les armoires qui le surplombaient. Denis se versa du jus d'orange, puis, agenouillé sur une chaise, les coudes posés sur la table, ouvrit *Le Journal de Montréal* et chercha la section des mots croisés. Un crayon était placé en permanence dans un verre pour l'accomplissement de ce rite quotidien. Le percolateur cessa tout à coup ses éructations.

— Clément, lança l'enfant, ton café est prêt.

— J'arrive, j'arrive, répondit la voix.

Denis prit une gorgée de jus, fronça les sourcils et s'attaqua aux mots croisés.

Un pas sautillant s'avança dans le corridor et Clément Fisette apparut, grand, mince, châtain, les cheveux plats et très fournis séparés par une raie presque au milieu du crâne, l'œil globuleux, le regard malicieux et un peu fuyant, le nez en trompette avec des narines trop grandes, les lèvres minces et longues, légèrement dissymétriques. Quelque chose d'à la fois fourbe et enfantin émanait de sa personne. Il tenait à la main une liasse d'épreuves photographiques.

— Regarde-moi ça, fit-il en s'approchant. J'en suis vraiment fier.

Il disposa les photos sur la table. Denis les examina en silence. Elles représentaient toutes la même scène, prise manifestement au téléobjectif. Seule la position des personnages variait un peu. On voyait Elvina Pomerleau en robe de chambre, le visage convulsé de colère, un journal roulé dans la main, battant sa chienne accroupie à ses pieds. Une des photos laissait voir sur le plancher une petite flaque scintillante, qui pouvait être de l'urine. La série se terminait sur un gros plan du visage courroucé de la vieille fille, qui ne manquait pas d'une certaine grandeur.

L'enfant leva la tête vers le photographe :

— Faudra pas montrer ces photos à ma tante Juliette.

— Oh ! ne crains rien, gloussa l'autre, je suis bien trop cachottier pour ça. En fait, je prépare une exposition posthume.

On frappa à la porte.

— C'est moi, fit Elvina Pomerleau. Je veux parler à Denis. Je sais qu'il est chez vous.

— Entrez, répondit Clément Fisette en rassemblant prestement les photos.

Et, tout souriant, il s'assit dessus.

3

À une mauvaise nuit avait succédé une mauvaise journée. Malgré toutes ses bonnes résolutions, Juliette Pomerleau s'était de nouveau querellée avec Ronald Rouleau, l'aide-comptable que monsieur De Carufel lui avait adjoint deux mois auparavant. Ronald semblait constitué d'un alliage particulièrement coriace de culot et d'incompétence ; sa principale qualité, selon Juliette, était un vague lien de parenté avec le patron ; il avait confondu deux séries de factures et les avait diligemment mêlées en une seule liasse, dont les données avaient été avalées par l'ordinateur, ce qui avait causé un embrouillamini de fin du monde. Juliette avait perdu deux heures à remettre les choses en ordre et avait laissé entendre à son adjoint qu'il serait beaucoup plus utile à la compagnie en allant faire de la planche à voile en Australie. Ronald avait répondu à l'obèse qu'il n'avait fait que suivre ses instructions, que ses méthodes comptables étaient dépassées et qu'une femme de son âge, avec des problèmes de santé aussi *gros*, devrait songer à exercer un métier moins fatigant.

Agnès avait dû venir les apaiser ; cela lui avait pris dix bonnes minutes. Puis, le sourire triomphant, elle était vitement retournée à son bureau afin d'inscrire dans un calepin cette nouvelle bonne action (Agnès ne faisait que de bonnes actions, c'en était presque une infirmité, disait Juliette).

Vers la fin de l'avant-midi, monsieur De Carufel s'était amené pour lui parler encore une fois d'un grandiose et vague projet de restructuration de sa compagnie (monsieur De Carufel dirigeait la compagnie *Virilex*, spécialisée dans la fabrication de sous-vêtements masculins) ; depuis six mois, il en avait élaboré au moins dix versions, toutes remarquables par leur imprécision. Madame Pomerleau, qui détenait le privilège unique de les connaître toutes (elle était la confidente attitrée du patron), émit prudemment, à la demande expresse de ce dernier, quelques petites réserves, qu'il balaya de son geste habituel de la main droite. Et l'heure du dîner arriva.

Juliette Pomerleau sortit en soupirant de son sac à main une pomme, six raisins verts et un petit contenant de fromage cottage et commença son repas solitaire. La semaine d'avant, trois secrétaires, qui adoraient sa compagnie, l'avaient entraînée au *Piémontais* (son restaurant favori) où on lui avait servi une superbe lasagne (son mets favori). C'est après avoir ingéré toutes ces calories traîtresses qui ne faisaient qu'alourdir sa taille et empâter son menton qu'elle avait décidé de se remettre au régime encore une fois.

— Quelle vie, soupira-t-elle. Crever de faim ou gonfler, voilà mon destin.

L'appel nocturne de Roger Simoneau se remit à la hanter, comme il l'avait fait une partie de la nuit. Et soudain, le souvenir de sa dernière rencontre avec Adèle lui revint à l'esprit avec une netteté saisissante.

C'était en 1976 — il y avait douze ans — lors de la vente aux enchères qui avait suivi la mort de Joséphine Deslauriers, sa tante, son amie, sa véritable mère. La vente se tenait au 2302 du boulevard Dorchester, Ouest — maintenant René-Lévesque — dans la magnifique maison que Joséphine avait habitée si longtemps avec son frère Honoré. Cherchant à lutter contre la peine qui l'accablait, ce dernier avait décidé de disperser aux quatre vents tout ce qui lui rappelait le souvenir de sa sœur. La vaisselle de porcelaine et d'argent, les livres anciens, le magnifique mobilier (certaines pièces avaient appartenu à Louis-Joseph Papineau, le chef du Soulèvement de 1837), les innombrables bibelots et presque tous ses effets personnels étaient tombés entre les mains de cinquante-six acheteurs avides et pressés. Juliette, horrifiée par ce sacrilège, mais taisant sa désapprobation par égard pour son oncle, s'était amenée pour sauver quelques pièces du naufrage. En pénétrant dans le grand salon, elle était arrivée face à face avec sa nièce (qu'elle n'avait pas vue depuis six mois), accompagnée du jeune et prospère épicier Bourdage, son amant de l'époque. Ils s'étaient dit quelques mots rapides, puis Juliette s'était hâtée vers la chambre à coucher de sa tante pour tenter d'attraper le mobilier. Adèle, qui avait alors vingt ans, et que Joséphine avait souvent aidée (elle aidait tout le monde), se promenait toute pensive dans la maison qu'on était en train de vider ; elle avait obligé Bourdage à remplir sa fourgonnette de meubles, de livres, de vieux tableaux et d'un peu tout ce qui lui tombait sous la main. Juliette était bientôt revenue dans le salon ; le mobilier venait de lui échapper. Elle n'avait pu sauver qu'une photographie encadrée de sa tante et une glace biseautée. Elle jetait de temps à autre un coup d'œil furtif et attristé sur sa nièce en discussion avec l'épicier, qui commençait à trouver la note lourde.

— Pourvu qu'elle n'aille pas bazarder tout ça un beau jour chez un antiquaire, marmonna-t-elle.

C'était chose bien connue que les amants d'Adèle constituaient une denrée des plus périssables ; la cadence à laquelle ils se succédaient semblait d'ailleurs avoir tendance à augmenter depuis quelque temps. Soudain, Adèle était venue la trouver devant la cheminée de marbre blanc orné d'un mascaron, terreur nocturne de tous les enfants qui avaient vécu dans la maison (Juliette, petite fille, avait eu sa part de frissons) et lui avait pris les mains en retenant ses larmes :

— Ah ! ma tante, qu'est-ce que nous allons faire sans elle ? Jamais personne ne pourra la remplacer.

La comptable, qui avait toujours estimé que sa nièce avait une boîte de tôle en guise de cœur, eut peine à cacher son étonnement. Elles avaient causé quelques instants à voix basse dans le va-et-vient des acheteurs et des curieux, puis Bourdage s'était approché, maussade, tenant dans ses bras une petite pendule de bronze que sa maîtresse l'avait supplié d'acheter, et avait annoncé qu'il s'en allait, car il ne lui restait plus un sou. Après avoir longuement enlacé sa tante, Adèle était partie. Et Juliette ne l'avait plus jamais revue.

Elle avala un dernier quartier de pomme à contrecœur. Les remords lui tiraillaient l'estomac. Douze ans de négligence! Voilà la façon dont elle s'était acquittée de la promesse faite à Joséphine, deux jours avant sa mort, de veiller sur la jeune écervelée que la malheureuse avait recueillie chez elle huit mois plus tôt et qui fuguait sans cesse. Oh ! il y avait bien eu deux ou trois petites tentatives de recherche en 1979, l'année où elle avait dû recueillir Denis chez elle, puis une autre en 1982, mais rien de vraiment sérieux. Quelle égoïste indifférence! Oui, bien sûr, depuis neuf ans, c'est tout de même elle et personne d'autre qui s'était chargée d'élever l'enfant, et à ses propres frais encore, mais où se trouve le mérite quand on se fait forcer la main?

Elle ouvrit son contenant de fromage cottage, en avala une cuillerée en grimaçant, puis se mit à feuilleter l'annuaire téléphonique. Dix minutes plus tard, elle le refermait avec une moue découragée. Les pages se rabattirent avec un bruit de gifle. L'épicerie Bourdage n'existait plus et elle avait oublié depuis longtemps le prénom de son propriétaire. Alors, reprenant l'annuaire, elle plongea courageusement dans les trois colonnes de Bourdage, appelant chacun pour s'enquérir s'il avait déjà possédé une épicerie ou connaissait un Bourdage qui en avait possédé une; vingt minutes plus tard, elle raccrocha, dépitée.

C'est à ce moment que Ronald entra dans le bureau, le menton en l'air, les oreilles toutes rouges, et lui annonça qu'il venait de demander un changement d'affectation, car l'atmosphère irrespirable dans laquelle on le forçait à travailler l'empêchait de donner sa vraie mesure.

— Ah oui ? Et sur quelle planète se trouve-t-elle, l'atmosphère qui te convient, mon cher ? Je suis prête à te noliser une fusée.

Une nouvelle engueulade commença. Agnès, plus angélique que jamais, s'amena pour l'accomplissement d'une autre bonne action (elle devait posséder chez elle des monticules de calepins, tous remplis de ses gestes charitables), mais, à son grand désappointement, la querelle s'apaisa très vite et elle dut quitter la pièce. Juliette se remit au travail. Il consistait, cette fois-ci comme tant d'autres, à vérifier celui de son assistant et, au besoin, à le corriger. Ce dernier, affalé sur une chaise, l'air désinvolte, étouffant des bâillements, examinait un registre posé sur ses genoux relevés, lorgnant toutes les trente secondes à travers la cloison vitrée les secrétaires qui travaillaient dans le bureau contigu (monsieur se croyait irrésistible et arrivait, de temps à autre, à faire partager son opinion à une jeune fille).

Au bout d'un moment, Juliette releva la tête, appuya son menton dans ses mains et dut se rendre à l'évidence : elle plierait encore une fois sous le joug de la migraine. Sur dix engueulades avec Ronald, deux se terminaient par une migraine, longue ou brève, et il semblait impossible de modifier cette proportion. Elle passa le reste de l'après-midi dans un état semi-somnambulique, sous les regards amusés du jeune homme, enchanté de voir souffrir sa patronne sans avoir même à plisser une paupière.

À quatre heures trente, elle posa les mains sur son bureau et annonça :

— Je m'en vais.

— Salut, montagne, répondit l'autre intérieurement, et il se mit aussitôt à chercher un prétexte pour téléphoner à la petite Josette, absorbée cinq mètres plus loin dans la dactylographie d'un rapport.

* * *

Elvina entendit la *Subaru* de sa sœur freiner devant la maison ; elle s'approcha de la fenêtre et regarda Juliette s'extirper du véhicule :

— Oh ! oh ! murmura-t-elle, mauvaise mine... Mais je ne peux pas attendre.

La porte d'entrée grinça. Elvina ouvrit prestement la sienne et s'avança :

— Écoute, Juliette, il faut absolument que je te parle de Denis qui vient encore une fois de...

— Après le souper, veux-tu ? La tête va m'exploser.

Et elle disparut dans son appartement. Sa sœur resta immobile un moment, les lèvres pincées. Soudain, se tournant vers la chienne :

— Mais veux-tu bien rentrer, toi, espèce, cria-t-elle en levant un bras menaçant au-dessus de l'animal, planté sur le seuil, le nez craintivement avancé dans le hall.

— Enfin, soupira Juliette en s'écrasant dans un fauteuil, je croyais que je n'arriverais jamais...

Elle inclina la tête vers l'arrière et ferma les yeux. Dans la salle à manger, on entendait Denis faire ses exercices au piano. Il s'arrêta, apparut dans l'embrasure et observa sa tante qui dormait la bouche entrouverte, le teint blafard, respirant par saccades.

— Encore ? fit l'enfant. C'est la deuxième fois cette semaine.

Il se rendit à la cuisine, remplit la bouilloire électrique, puis alla chercher une bouillotte à la salle de bains.

— Apporte-moi les aspirines, veux-tu ? demanda Juliette d'une voix mourante.

— Va te coucher, ma tante, je vais m'occuper du souper, fit Denis en arrivant avec la bouillotte, les aspirines et un petit verre de lait.

Juliette essaya de sourire :

— C'est gentil. Tu n'auras qu'à réchauffer le bœuf aux carottes, mon amour. Je ne mangerai pas.

À sept heures, il vint la trouver dans sa chambre :

— Je m'en vais pour ma leçon chez Bohu, annonça-t-il à voix basse.

Elle souleva à demi les paupières :

— N'oublie pas de prendre l'argent sur la desserte, marmonna-t-elle. Je lui dois un mois.

Elle s'assoupit de nouveau, mais ouvrit les yeux presque aussitôt, les referma, puis les rouvrit et constata, chose extraordinaire, que sa migraine venait de la quitter.

— Mon Dieu, m'auriez-vous fait une petite gâterie ? murmura-t-elle en s'assoyant précautionneusement dans le lit.

Son regard se promena lentement dans la chambre, s'arrêtant sur la coiffeuse, les deux commodes à tiroirs ventrus, la photo de tante Joséphine qui souriait d'un air amusé et confus, comme pour se faire pardonner l'énorme encadrement de chêne ouvragé qui l'entourait. L'ondulation subtile et nauséeuse qui semblait avoir saisi toutes choses depuis quelques heures avait disparu. Disparu aussi le lutin sadique qui s'était assis à califourchon sur ses épaules, armé d'un ciseau à froid pour creuser un sillon de la base de son crâne jusqu'à l'œil gauche.

Elle se rendit au frigidaire, se remplit un verre de jus d'orange, puis arrangea sa coiffure devant un miroir.

— Il faut que je retrouve Adèle, décida-t-elle soudain.

Elle prit son sac à main et sortit. Un rideau de mousseline bougea légèrement à la fenêtre du salon d'Elvina.

— N'a pas le temps de me parler, mais trouve bien le temps d'aller se barauder en ville, maugréa la vieille fille en se grattant rageusement le sourcil droit, qu'elle avait tout gris, épais et broussailleux, entouré d'une zone de rougeur qui lui donnait un air farouche.

4

L'ancienne demeure de Joséphine Deslauriers était une superbe maison de brique à deux étages construite en 1887 par Télesphore Latourelle au coin du boulevard René-Lévesque et de la rue Lambert-Closse. Les corniches, les cordons d'étage, l'arc des fenêtres, leur appui et leur pied-droit étaient de granit ouvragé, les angles extérieurs de l'édifice soulignés par un bossage vermiculé. L'entrée principale, surmontée d'un arc plein cintre orné en son milieu d'une tête de lion, était flanquée de colonnes de grès rose, encastrées dans la façade et du plus bel effet. La maison comptait vingt-deux pièces, celles du dernier étage mansardées, mais spacieuses et bien éclairées. Le terrain, autrefois immense, avait été morcelé peu à peu à partir des années 30 et se réduisait désormais à une minuscule cour arrière asphaltée où finissait de crouler une remise, et à un petit jardin en façade ombragé par deux peupliers assez mal en point. Les maisons voisines qui subsistaient — car on démolissait beaucoup dans le secteur — avaient encore belle allure, malgré leur délabrement, mais la demeure de Joséphine Deslauriers les surpassait toutes. Depuis un an, un terrain vague couvert de briques fracassées bordait son côté gauche.

Debout devant son auto, Juliette Pomerleau contemplait avec mélancolie les splendeurs fanées des lieux qui avaient abrité son enfance et sa jeunesse. Devant la destruction qui faisait rage partout, elle avait le sentiment étrange et douloureux que les années heureuses qu'elle avait passées auprès de sa tante collectionneuse de porcelaine et de son bizarre d'oncle entomologiste étaient elles-mêmes menacées et qu'on s'apprêtait à lui arracher une partie de sa vie.

— Mon Dieu... voilà des années que je n'étais pas venue ici... J'avais peur et je comprends pourquoi... L'épicerie Bourdage se trouvait sur Atwater, tout près d'ici, se dit-elle après avoir contemplé un moment la masse imposante de l'Hôpital de Montréal pour enfants, qui dressait sa laideur de l'autre côté du boulevard.

Elle avança sur le trottoir en se dandinant lourdement, tourna le coin et descendit l'avenue Atwater vers le fleuve. La chaleur avait un peu diminué depuis la veille, mais au bout d'une dizaine de mètres, elle fut toute en sueur ; l'eau de Cologne dont elle s'aspergeait chaque matin les aisselles et les cuisses se mit à émettre des vapeurs piquantes qui l'étourdirent un peu. Elle poussa une exclamation déçue : l'épicerie Bourdage avait été démolie elle aussi, remplacée par un poste d'essence qui avait dévoré trois autres maisons. Elle rebroussa chemin, agitant sa main devant son visage pour tenter de dissiper les vapeurs.

De l'autre côté de la rue, un homme en gilet de coton s'était arrêté sur le trottoir avec cet air à la fois intimidé et impudent qu'elle avait vu tant de fois chez les amateurs de curiosités humaines. Elle s'approcha de son auto, ouvrit la portière puis, se ravisant, tourna lentement sur elle-même, poussa une barrière rongée par la rouille et s'engagea dans l'allée qui menait à l'ancienne demeure de la tante Joséphine. En gravissant les trois marches de pierre du perron, elle aperçut, vissé à la porte, un petit rectangle de plastique noir où se lisait, gravé en lettres blanches :

L'OASIS
chambres au mois et à la semaine

Elle sonna, attendit un moment, sonna de nouveau, puis entra. Le vestibule aux sombres boiseries de chêne n'avait pas trop souffert et elle reconnut avec attendrissement le papier peint à motif de fougère, déchiré maintenant à plusieurs endroits, que sa tante avait posé elle-même quelques semaines avant sa mort. Un des battants de la porte vitrée qui donnait sur le vaste hall était entrouvert. On entendait des voix au premier étage, mêlées à la musique d'une radio. Les vapeurs d'eau de Cologne commençaient à devenir vraiment incommodantes. La vitre d'un des battants, autrefois biseautée et ornée en son centre d'une tête d'ange couronnée de lierre, avait été brisée et remplacée par une vitre ordinaire. Elle s'avança dans le hall sombre, attristé par un papier peint brunâtre boursouflé ici et là, et fixa le plancher déverni, couvert d'éraflures, mais encore ferme et silencieux sous les pas.

— Il y a quelqu'un ? demanda-t-elle, un peu intimidée.

— J'arrive, fit une voix de femme avec un accent étranger.

Une porte s'ouvrit au fond, près de l'escalier en courbe, et une petite femme boulotte, un tablier serré à la taille, les cheveux poivre et sel coupés en balai, s'avança d'un pas traînant. À la vue de Juliette, elle s'arrêta une seconde, étonnée, puis, reprenant vitement contenance :

— Oui, madame. Que puis-je faire pour vous ?

— Une Belge, pensa Juliette. Je désirerais parler au propriétaire, dit-elle.

— Pour vous servir, madame.

— Je passais devant votre maison, par hasard, continua l'autre en se troublant un peu, et je me suis demandé tout à coup... Vous savez, j'ai déjà habité ici il y a plusieurs années...

— Ah bon, fit l'autre avec une indifférence polie.

— Oui, j'ai vécu ici toute ma jeunesse. La maison appartenait à une de mes tantes, Joséphine Deslauriers.

— Nous ne l'avons malheureusement pas connue, répondit son interlocutrice en réprimant un début d'impatience.

— Eh bien, voilà : je ne suis pas venue ici pour vous ennuyer avec mes souvenirs, mais plutôt pour obtenir un petit renseignement. Je suis présentement à la recherche de... enfin, pour couper court, j'aimerais savoir si vous avez déjà connu un épicier du nom de Bourdage, qui tenait commerce il y a quelques années sur l'avenue Atwater. Il doit être au début de la quarantaine maintenant.

Le visage de la femme s'éclaircit et, d'une voix presque chaleureuse :

— Félicien Bourdage ? Bien sûr que nous l'avons connu. Mais il est décédé, le pauvre. Il est décédé il y a deux ans. D'un cancer de l'estomac. Il a bien souffert, allez. Ce qu'il a pu lutter contre la mort ! Elle a quand même fini par l'avoir. C'est dommage. Nous l'aimions bien.

Elle recula d'un pas :

— Est-ce qu'il y a autre chose ? reprit-elle de son petit ton impersonnel.

— Non, c'est tout... je regrette que...

— Oui, c'est une histoire bien malheureuse. Au revoir, madame.

— Eh bien ! ma première piste mène au cimetière, bougonna Juliette en descendant les marches du perron. Beau début !

Elle se glissa dans son auto, abaissa le volant et démarra.

— Ma foi, murmura la femme au tablier en laissant retomber un coin de rideau, de toute ma vie, je ne crois pas avoir jamais vu quelqu'un d'aussi corpulent... Ce qu'elle doit souffrir, la pauvre...

Elle se retourna vers son mari. Assis à table en camisole, son chapeau derrière la tête, la ceinture détachée et ses souliers jetés sous une chaise, il alignait des colonnes de chiffres dans un cahier.

— Vraiment, dit-elle, j'avais l'impression de parler à une montagne. À une véritable montagne !

* * *

En pénétrant chez elle, Juliette eut la surprise d'entendre jouer du piano dans la salle à manger.

— Qu'est-ce qu'il fait ici ? se demanda-t-elle en consultant sa montre. Sa leçon n'est pourtant pas terminée.

Elle pénétra dans la pièce.

— Ah ! bonjour, madame Pomerleau, fit Bohuslav Martinek en venant à sa rencontre. Vous me pardonnerez, j'espère, mon intrusion dans votre appartement. C'est Denis qui m'a supplié de lui donner sa leçon ici pour ne pas déranger Rachel, qui est en train de me transcrire une partition.

Denis avait cessé de jouer ; tourné sur son banc, il les écoutait.

— Allons, faites comme chez vous, monsieur Martinek, répondit Juliette en souriant. Quelle chaleur ! Les oiseaux vont cuire dans le ciel !

Elle s'appuya contre un mur, sortit un mouchoir de son sac à main et s'épongea le visage :

— Voulez-vous un verre de limonade ?

— Je vous remercie, madame, fit-il en retournant près de l'enfant. Je viens d'en prendre un chez moi.

Bohuslav Martinek était un homme assez grand, un peu bedonnant, parvenu au milieu de la cinquantaine, avec des cheveux encore très noirs et fournis mais repoussés au milieu du crâne par une calvitie qui avançait en ligne droite. Son front lisse et bombé, un long nez aquilin et de grands yeux myopes donnaient à son visage une allure à la fois hiératique et naïve qui surprenait au premier abord d'une façon presque désagréable. Mais on était tout de suite conquis par sa bonhomie. Il parlait posément, d'une voix un peu étouffée, le sourire aux lèvres, en fixant ses interlocuteurs d'un regard à la fois timide et perçant, comme s'il était mû par une curiosité incontrôlable. C'était un homme paisible, travailleur infatigable sous des airs indolents, assez négligé de sa personne, avec un intérêt plutôt limité pour les réalités quotidiennes et qui menait une vie des plus frugales, tirant ses principaux revenus de leçons de piano et de commandes occasionnelles d'arrangements musicaux. À part la musique, son amie Rachel — qu'il avait rencontrée à Chicoutimi quatre ans plus tôt — et un étroit cercle d'amis, tout l'indifférait, si on ne tenait compte d'une étrange passion pour les fusils à eau, qu'il collectionnait avec frénésie.

Denis s'était remis à son exercice de Cramer. De temps à autre, Martinek, debout derrière lui, donnait une indication, faisait reprendre un passage ou manifestait son contentement par un « Bien bien bien » chantonné d'une voix fluette. Puis, il alla s'asseoir près de l'obèse qui écoutait l'enfant, accoudée à la table, son mouchoir chiffonné dans le creux de la main.

— Il faudrait faire accorder votre piano, madame Pomerleau, conseilla-t-il à voix basse. Ce n'est pas bon pour son oreille, qu'il a fort juste. Ce serait dommage de la lui gâcher. Il a fait beaucoup de progrès ces derniers temps, mais Rachel continue de l'intimider. Ce qui explique notre présence chez vous aujourd'hui. Voulez-vous mon avis ? ajouta-t-il avec un sourire malicieux et attendri. Je crois qu'il en est amoureux. Et je le comprends ! *Fa* dièse, *fa* dièse, mon ami ! lança-t-il en se levant prestement. Il n'y a aucun *sol* là-dedans. Allons, reprends-moi ce passage...

Juliette se rendit à sa chambre à coucher, enfila sa robe de nuit et s'étendit sur le lit afin de réfléchir à l'aise aux moyens de retracer Adèle Joannette, sa folle et aventureuse nièce qui aimait tellement courir la galipote. Le piano cessa tout à coup, une porte se referma et on entendit des pas dans l'escalier du hall : Martinek remontait à son appartement. Denis apparut dans la porte de la chambre :

— Comme elle a l'air fatigué, pensa-t-il après avoir contemplé sa tante qui dormait.

Il sortit de la maison, arpenta le trottoir un moment d'un air désœuvré, puis se planta sous un lampadaire qui venait de s'allumer et s'amusa à faire des ombres avec ses mains. Une voix familière cria son nom au coin de la rue. Il tourna la tête et reconnut la silhouette de Jean Paquin, surnommé Yoyo, son meilleur ami, qui descendait de l'auto paternelle, tout frais arrivé de chez son grand-père.

— Hé ! le cave ! viens ici, cria Denis d'une voix frémissante de joie.

Et il se mit à galoper sur le trottoir en agitant les bras.

* * *

La jeune fille était assise toute droite sur sa chaise, les jambes croisées, les coudes écartés et suspendus en l'air ; elle trouvait sa posture suprêmement ridicule, mais une étrange paralysie l'empêchait de bouger. « Ma tante, dit-elle calmement, vous devriez venir me secouer un peu. Qu'est-ce que vont dire mes amies ? »

C'est à ce moment que Joséphine se pencha au-dessus de la cuisinière à gaz pour prendre la théière de tôle émaillée. Une mèche de sa longue chevelure châtaine toucha la couronne de flammes bleues du brûleur à gaz et sa tête se transforma aussitôt en torche. Elle tourna un instant sur elle-même au milieu de la cuisine en poussant des cris perçants, ses mains crispées essayant frénétiquement d'étouffer les flammes, puis partit en courant dans la pièce (qui était devenue immense), buta contre une table et tomba par terre. La jeune fille essayait désespérément de quitter sa posture mais n'y arrivait pas. Le feu s'attaquait maintenant aux vêtements. Sa tante se roulait en hurlant sur le plancher ; ses talons frappaient le linoléum avec un bruit sourd, effrayant. La couronne de flammes bleues continuait d'ondoyer avec un doux sifflement, que la jeune fille percevait distinctement malgré les cris de la malheureuse.

Soudain, une sorte de grondement sourd emplit la cage de l'escalier qui menait au premier, comme si quelqu'un venait d'y déclencher une avalanche. Honoré apparut dans la porte, les yeux agrandis d'horreur et cria : « Qu'est-ce qui se passe ? », puis ajouta, inexplicablement : « Et qu'est-ce qui ne se passe pas ? », tandis que le feu continuait son affreux ravage. Il tira sur la nappe (toute la vaisselle s'écrasa sur le plancher), courut la tremper dans l'évier et réussit à étouffer les flammes. La mort dans l'âme, la jeune fille s'était accroupie pour ramasser les tessons de porcelaine, maudissant la pulsion irrésistible qui l'empêchait de se porter là où elle aurait dû. Une odeur atroce emplissait la pièce. Le visage contre le sol, Joséphine gémissait d'une voix grave, profonde et continue, comme si elle était en train d'accoucher. Honoré se leva, l'œil égaré, et hurla : « Sauvage ! » à l'intention de sa nièce, puis courut au buffet et en revint avec une grosse pile de draps blancs qu'il jeta pêle-mêle sur sa sœur. « Pour guérir ! hurla-t-il d'une voix assourdissante. Joséphine, lève-toi ! »

La femme se leva lentement et tourna vers la jeune fille son visage difforme et souriant. Puis tendant vers elle un bras rougeâtre et gonflé, d'où pendaient des lambeaux de tissus carbonisés : « Viens me conduire à l'hôpital », ordonna-t-elle avec un calme suprême.

La jeune fille se pencha au-dessus du lit, pleurant à chaudes larmes : « Vous voyez, ma tante, disait-elle à la mourante, je ne suis plus ridicule, à présent : je pleure, parce que je sais que c'est le moment de pleurer. »

L'autre gardait le silence. Une grande pièce de gaze montée sur des cerceaux de bois l'enveloppait complètement et empêchait de voir distinctement ses traits. Soudain, une main écarta la toile et la jeune fille se retrouva dans les bras de sa tante, la couvrant de baisers passionnés. Au bout d'un moment, celle-ci la repoussa doucement, afin de lui faire admirer son visage qui venait de retrouver toute sa beauté, puis avec ce sourire gracieux et bon auquel personne n'avait jamais pu résister : « Promets-moi, mon ange, de t'occuper d'Adèle, dit-elle d'une voix suave. De la *pauvre* Adèle... »

Et elle se remit à pousser ces gémissements insupportables qui pénétraient l'oreille comme une fine et longue aiguille.

* * *

Juliette ouvrit les yeux et se retrouva à demi assise dans son lit, haletante, draps et couvertures rejetés à ses pieds. Elle porta la main à sa tête ; ses cheveux étaient trempés de sueur ; sa robe de nuit collait à sa peau.

— Mon Dieu, qu'est-ce qui m'arrive ? murmura-t-elle, terrifiée, en posant les pieds sur le tapis.

Son regard tomba sur le cadran lumineux du réveille-matin placé sur la table de chevet. Il indiquait une heure vingt-deux. Ce message précis et objectif la calma un peu. Son cauchemar commença à se dissiper. D'une main tremblante, elle se mit à tâtonner sur la table de chevet, trouva le commutateur de la lampe et une douce lumière rose se répandit dans la chambre.

— Qu'est-ce qui m'arrive ? murmura-t-elle de nouveau en se passant la main sur la nuque. Je vais aller prendre un verre d'eau... Quel cauchemar abominable ! Ah ! j'ai cru mourir.

Elle pénétra dans la cuisine, fit de la lumière et son cœur se remit à battre à toute allure à la vue des brûleurs de la cuisinière à gaz, celle-là même qui, dans son rêve, venait de transformer Joséphine en torche.

— Allons, se morigéna-t-elle à voix basse, mets un peu d'ordre dans tes idées, ma fille. Joséphine est morte en juillet 1976. Je venais d'avoir 45 ans. Elle en avait 66. Et je ne demeurais plus là depuis belle lurette.

Elle ouvrit le frigidaire, saisit un pichet de limonade, attrapa un verre sur le comptoir et alla s'asseoir à la table. La limonade tomba dans son estomac comme une pelletée de neige et ses frissons devinrent des tremblements.

— Quand Joséphine a eu son accident le 6 juillet 1976, je me trouvais en vacances à Mont-Laurier avec Gilberte... et Adèle, que ma tante avait prise chez elle au début de l'hiver, le jour de ses dix-neuf ans. Honoré a bien essayé de lui porter secours, mais c'est leur pensionnaire, le vieux monsieur Pratley, qui a réussi à éteindre les flammes et s'est occupé de la faire transporter à l'hôpital. Honoré m'a téléphoné vers la fin de l'après-midi, mais il pleurait tellement que je n'arrivais pas à le comprendre et monsieur Pratley a pris l'appareil pour me dire de descendre au plus vite, car les médecins ne donnaient pas deux jours à vivre à Joséphine. Je l'ai vue le soir même, puis le lendemain avant-midi.

Une grimace douloureuse tordit ses traits :

— Et c'est alors qu'elle a trouvé la force de me parler d'Adèle, qui l'inquiétait beaucoup depuis quelque temps, pour me demander de veiller sur elle après sa mort.

Une sorte de sanglot monta dans sa gorge :

— Je me suis mise à lui faire des promesses comme une cheminée fait de la fumée, mais trois semaines après l'enterrement, comme une grosse sans-cœur, je laissais la belle Adèle partir à Mont-Laurier avec son vieux mécanicien, sans même lever le petit doigt pour la retenir ; je m'imaginais qu'en lui envoyant par-ci par-là une petite lettre avec un peu d'argent et beaucoup de morale, j'aidais Joséphine à dormir en paix. Ah ! je mériterais que le diable vienne me tirer toutes les tripes du corps.

Elle se mordilla les jointures, le regard dans le vague, puis se dressa lentement, saisie par une résolution subite.

— Où est-ce qu'il m'a dit qu'il avait fait son accident, l'animal ? marmonna-t-elle en se dirigeant vers le téléphone. Saint-Hyacinthe... c'est ça, il me téléphonait d'un motel à

Saint-Hyacinthe. Avec un peu de chance, je finirai bien par le retracer. Il faut que je le rencontre, ce Roger Simoneau, et qu'il me déballe tout ce qu'il sait sur Adèle. Sait-on jamais ? Ça pourra peut-être m'aider à la retrouver.

Et, la voix fébrile, elle demanda au service des renseignements le nom et le numéro de téléphone de tous les motels de Saint-Hyacinthe.

Le préposé de nuit au motel *Beau Repos* ronflait sur un canapé derrière le comptoir, une couverture de laine sur les jambes. C'était un petit vieillard sec et nerveux, un peu chagrin, qui continuait de travailler par nécessité, malgré une santé en ruine et une profonde envie de passer le reste de sa vie à jouer aux cartes près d'un poêle chauffé à blanc. La sonnerie du téléphone le fit bondir comme si on venait de lui verser un filet d'eau bouillante sur la nuque.

— Vous dites ? Monsieur Roger Simoneau ? Hier soir ? Mais qui êtes-vous, madame ? Ah bon... c'est urgent... Un instant, grogna-t-il d'une voix encore tout ensommeillée.

Il enfila ses pantoufles :

— N'aurait pas pu téléphoner le jour, comme tout le monde, la vache...

Penché sur le comptoir, il feuilletait le registre avec une vigueur qui en tirait des craquements inquiétants.

— Oui, madame, j'ai une inscription ici au nom de Roger Simoneau, mais il n'a pas indiqué d'adresse, seulement le nom d'une compagnie, je crois... Heu... quelque chose comme *Bilotin Transport*... ou plutôt *Blondin*, je crois... Non, la ville n'est pas indiquée... Écoutez, madame, si vous voulez en savoir plus long, téléphonez à la patronne demain matin, moi, je vous ai dit tout ce que je savais. Bonne nuit.

Il raccrocha, s'assit sur le canapé et resta immobile un moment, les mains sur les genoux, contemplant d'un air abattu ses pantoufles de tapisserie aux pointes élimées, cadeau de sa femme, décédée douze ans plus tôt.

Juliette feuilletait maintenant l'annuaire téléphonique à la recherche de la compagnie *Blondin Transport*. Mais aucune compagnie de ce nom n'y figurait.

— Il a peut-être mal lu, soupira-t-elle, ou l'autre a peut-être griffonné n'importe quoi.

Elle composa de nouveau le numéro des renseignements, puis raccrocha au bout d'un moment, dépitée.

Debout près de son lit, Denis l'observait par la porte entrouverte de sa chambre. Il s'avança sans bruit dans la cuisine :

— Qu'est-ce qui se passe, ma tante? demanda-t-il timidement.

— Mon Dieu ! que tu m'as fait peur, toi ! fit l'autre en se retournant d'un coup.

Elle sourit :

— Il ne se passe rien, bobichon, tout va très bien. Mais j'ai fait un cauchemar tout à l'heure et je n'arrive plus à me rendormir. Alors j'en ai profité pour faire quelques appels.

— En pleine nuit? s'étonna l'enfant.

— Hé ! pourquoi pas? Le service de renseignements fonctionne vingt-quatre heures par jour, non? répliqua-t-elle avec une pointe d'humeur. Allons, va te coucher, mon chou, je te suis dans deux minutes.

— Qu'est-ce qu'elle peut bien lui vouloir, à ce monsieur Simoneau ? se demanda Denis en remontant la couverture à son menton.

La lumière de la cuisine faisait une tache brillante sur la porte et le reflet se transforma en tête de chevalier. Il se mit à la détailler avec plaisir, puis s'endormit tout doucement.

5

Le lendemain avant-midi, 22 juin, Juliette fit plusieurs tentatives pour retracer la compagnie de camionnage qui employait Simoneau, mais sans succès. Dans l'après-midi, sa migraine reprit de plus belle.

— Allons, qu'est-ce qui se passe ? grommela-t-elle. Je n'ai pas dit deux mots de toute la journée au grand nigaud. Est-ce que sa présence deviendrait toxique ?

Pendant la pause-café, elle se souvint que Simoneau, lors d'une de ses rares visites avec Adèle, lui avait mentionné qu'un de ses frères avait un atelier de carrosserie à Montréal. Elle se remit à fouiller dans l'annuaire téléphonique, mais ne trouva rien.

Ce soir-là, en arrivant à la maison, elle servit une omelette au jambon à son petit-neveu et alla se coucher sans souper. Sa dernière bouchée avalée, Denis s'approcha du lit :

— Est-ce que tu veux que je remplisse ta bouillotte, ma tante ?

— Ça serait gentil, bobichon. Je l'aurais bien fait moi-même, mais j'avais l'impression que le plafond me tombait sur la tête à chaque respiration.

Denis fit chauffer l'eau, porta la bouillotte à sa tante, puis sortit jouer dehors en se disant que même la migraine avait ses bons côtés, car il trouvait que depuis deux jours le visage de sa tante s'était aminci. Yoyo l'attendait sur le trottoir dans la magnifique boîte à savon vert et jaune que son père lui avait construite en s'inspirant de la *Ferrari* de Gilles Villeneuve.

À cause de sa physionomie très particulière, Yoyo ne passait jamais inaperçu. On aurait dit qu'il se retenait continuellement pour ne pas rire ; mais ses yeux, très grands, très bleus, avaient une expression éplorée qui contredisait en permanence celle de sa bouche. Cela lui faisait un visage étrange, que certains trouvaient attachant, d'autres laid. Pour Juliette, c'était tout l'un ou tout l'autre, selon son humeur. Denis, qui connaissait Yoyo depuis longtemps et savait ce qu'il valait, ne s'intéressait pas à ce genre de questions. Il fit part à son ami de ses observations sur sa tante.

— Peut-être que si elle prenait des remèdes pendant un mois ou deux pour avoir mal à la tête, suggéra ce dernier, elle pourrait perdre trente ou quarante kilos. Après ça, personne ne rirait plus jamais d'elle dans la rue, même pas Bob Langevin.

* * *

— Ma foi, madame Pomerleau, est-ce que je me trompe ? On dirait que vous maigrissez, remarqua monsieur De Carufel en passant près de son bureau le lendemain matin.

Elle leva vers lui un visage pâle et un peu affaissé, aux pommettes rougies depuis quelque temps par de petites varicosités :

— Eh oui, je viens de me remettre au régime, figurez-vous. Chaque fois, je trouve ça un peu plus dur. Mais cette fois-ci, c'est pire que tout : j'ai l'impression de mourir.

— Lâche pas, ma grosse, tu es sur la bonne voie, pensa Ronald Rouleau en levant le nez au-dessus de sa calculatrice.

Monsieur De Carufel éclata de son rire incroyablement grave, qui rappelait le grognement d'un hippopotame :

— Mourir ? Pas de faim, tout de même ? Avec les réserves que vous avez, ça prendrait bien cent ans. Excusez-moi. Je ne sais pas vivre.

Juliette secoua la tête :

— Riez si ça vous amuse. Mais ce matin j'ai failli ne pas venir. Je suis rongée de fatigue et mon système est sens dessus dessous. Jusqu'ici, quand je suivais un régime, je devais me battre contre la faim même dans mon sommeil. Mais depuis deux jours, la nourriture ne me franchit plus le gosier. J'ai mal au cœur à voir une tranche de pain. Je vis de bouillon de légumes, je me couche à l'heure des poules et, pour compléter le bouquet, mes jambes se sont mises à grossir, comme si c'était encore possible.

L'hilarité de monsieur De Carufel était tombée.

— Vous devriez aller voir un médecin, fit-il en reniflant (signe chez lui d'inquiétude), et il s'éloigna lentement, les deux pouces enfoncés derrière la ceinture, songeant avec tristesse que sa comptable commençait à se faire vieille et qu'il faudrait un jour la remplacer.

Virilex fermait le lendemain, fête de la Saint-Jean-Baptiste, qui tombait cette année-là un vendredi. Juliette put donc se reposer durant trois jours. Mais le lundi suivant, elle téléphona au bureau pour annoncer qu'elle devait garder le lit.

Vers midi, Denis arriva d'une promenade en vélo à la Base de plein air en compagnie de Yoyo, avec l'intention de l'inviter à dîner. Il entra dans la chambre de sa tante, l'observa un moment, puis sortit en flèche et courut chez Elvina.

Cinq minutes plus tard, celle-ci avait pris en main l'appartement.

— Si c'est Dieu possible ! grommela-t-elle en apportant un bol de bouillon à sa sœur, assise dans son lit. Se faire crever de faim comme ça ! Accepte-toi donc comme tu es, ma pauvre. Tu ne seras jamais ballerine, aussi bien te faire à l'idée. Tiens, regarde-toi le visage, fit-elle en braquant un miroir devant son nez. On dirait un ballon dégonflé. À force de te maltraiter le corps ainsi, tu vas te ramasser au cimetière.

— Sottises, répondit faiblement Juliette. Voilà cinq ans que mon médecin me conseille de perdre du poids.

— Pfft ! ton médecin, tu sais ce que j'en pense, répliqua l'autre en haussant les épaules avec mépris.

Le lendemain, à son réveil, Juliette se sentit un peu mieux et décida d'aller travailler. Vers dix heures trente, l'estomac soulevé par la nausée, elle était en train de dicter une lettre à sa secrétaire Agnès lorsque le téléphone sonna.

— Madame Pomerleau, s'il vous plaît, fit une voix compassée. Bonjour, madame. Je suis votre locataire du premier, Adrien Ménard. Vous allez bien ? Désolé de vous déranger dans vos occupations, mais j'y suis obligé, madame, par un cas de force majeure. Je crois qu'un bris de tuyau s'est produit, hélas, chez mon voisin d'au-dessus, monsieur Fisette, et la moitié du plafond de ma salle à manger vient de s'effondrer... Oui... un dégât épouvantable, et qui s'étend... Oui, oui, bien sûr... je vais immédiatement chez votre sœur... elle sait où se trouve le robinet d'arrêt général ? Non ? Alors, je l'aiderai, madame, c'est la moindre des choses.

Le dentiste Ménard raccrocha, contempla avec découragement ses souliers maculés de plâtre mouillé, déplaça deux autres caisses pour les soustraire à la douche blanchâtre qui tombait d'entre les lattes du plafond et descendit vitement chez Elvina Pomerleau.

Juliette arriva sur les lieux en même temps que le plombier, appelé par sa sœur. Après quelques minutes de recherche, le dentiste Ménard avait réussi à fermer le robinet, puis avait filé vers son bureau de la rue Cherrier à Montréal où son assistante, presque en larmes, tentait de calmer une demi-douzaine de patients. Juliette gravit pas à pas l'escalier qui menait au premier, pénétra dans l'appartement du dentiste (que les locataires, par plaisanterie, avaient surnommé « l'entrepôt ») et poussa un cri de désespoir en entrant dans la salle à manger. On aurait cru qu'une équipe de pompiers venait d'y faire un exercice de simulation d'incendie. La plus grande partie du plafond était réduite à son squelette de lattes. Afin de contenir ce déluge, le dentiste avait roulé un tapis devant les deux portes de la pièce, mais un léger bruit de ruissellement indiquait que la nappe d'eau, profonde de cinq centimètres, avait trouvé une autre issue.

— J'ai un aspirateur dans ma fourgonnette, fit le plombier avec un air de commisération qui semblait davantage inspiré par la rotondité de sa cliente que par les dégâts qu'elle venait de subir.

Et il descendit l'escalier quatre à quatre.

Juliette s'avança au milieu de la pièce et s'accroupit péniblement pour ramasser un morceau de rosette de plâtre tombé du plafond. Elle se relevait lorsque sa bouche se remplit tout à coup d'un liquide âcre et salé.

— Qu'est-ce qui vous arrive, madame ? s'exclama le plombier en la voyant sortir de la pièce, un mouchoir ensanglanté contre la bouche.

Elle lui jeta un regard affolé, trouva la force de se rendre jusqu'à une chaise près de l'entrée, s'affala dessus et ferma les yeux. Une sorte de vapeur chaude l'enveloppa. Les bruits s'estompèrent peu à peu, mais elle ne perdait pas conscience. Elle entendit des pas précipités dans l'escalier, qui montaient, montaient interminablement, puis la voix aiguë de sa sœur éclata, hystérique :

— Bon Dieu de ma vie ! je te l'avais bien dit que ça t'arriverait un jour !

— Qu'est-ce qui m'arrive ? se demanda-t-elle intérieurement. Elle ne le sait pas plus que moi. Quelle sotte !

Et elle essaya de sourire. Mais les forces lui manquaient. Un peu de temps s'écoula. Le silence se fit. Son hémorragie avait cessé. Elle se concentrait sur ce fait réconfortant, happée à tous moments par des accès de sommeil, puis une sensation de froid lui fit ouvrir les yeux.

— C'est moi, ma tante, fit Denis avec un sourire misérable en pressant sur son front une débarbouillette d'eau glacée qui lui dégoulinait dans le visage.

Elle sourit, lui serra longuement la main, puis bascula dans le noir.

6

Le docteur Bellerose se tenait assis devant le lit, les coudes relevés, les mains posées à plat sur les cuisses, ses gros yeux bienveillants fixés sur la malade, attendant qu'elle finisse de se réveiller.

— Eh bien ! s'exclama-t-il joyeusement lorsqu'elle tourna enfin la tête vers lui, vous nous avez fait toute une peur, vous, là !

Elle le fixa un instant, puis son regard se posa sur le sac de soluté jaunâtre suspendu à une tige à trépied au-dessus de sa tête, suivit le tube transparent qui dispensait le liquide et s'arrêta sur l'aiguille enfoncée dans son avant-bras et maintenue par un diachylon. Elle fronça les sourcils et répondit :

— Ne me parlez pas comme à une mourante.

Le visage du docteur rosit légèrement et la blancheur de sa grosse moustache en brosse sembla augmenter :

— Eh bien, votre réponse, madame, prouve que vous n'en êtes pas une ! Vous semblez même avoir le moral solide ! Bonne chose, ça. Vous allez en avoir besoin.

Juliette le regardait d'un œil froid, presque méchant.

— Qu'est-ce que j'ai ? demanda-t-elle enfin.

Le docteur hésita une seconde, mais le regard de sa patiente lui enleva toute velléité de mensonge :

— Ma chère madame, vous n'allez pas très bien. Vous venez de faire une hémorragie œsophagienne. Oh, toute petite... On l'a très vite contrôlée, sans avoir été obligé de prendre les grands moyens. Permettez ?

Il se leva, souleva les couvertures, rabattit la jaquette de la malade et se mit à lui percuter le ventre. Puis au bout d'un moment :

— Il y a longtemps que vous faites de l'embonpoint comme ça ?

— Depuis l'âge de 23 ans.

— Avez-vous remarqué si vos jambes s'étaient mises à enfler dernièrement ?

— Oui, depuis quelques jours.

— Et ces petites veines éclatées sur vos bras et votre abdomen, c'est apparu quand ?

Juliette souleva son bras, l'examina, puis :

— Je ne les avais pas remarquées. Dites-moi ce que j'ai.

Le docteur Bellerose eut un haussement d'épaules et se rassit, perplexe. Mais curieusement, cette perplexité n'atténuait pas son expression joyeuse, qui semblait faire partie de son visage :

— Hé... c'est que ce n'est pas aussi facile à diagnostiquer qu'on pense... Nous avons bien notre petite idée, mais...

— « Nous » ? se dit Juliette. Ils sont plusieurs à s'occuper de moi. Mon état est donc grave.

— ... il faudra procéder à des examens, ma chère madame, à beaucoup d'examens. Vous n'êtes pas sans savoir, bien sûr, que les personnes comme vous qui souffrent d'un embonpoint aussi... important... se maganent la machine, comme on dit. Pour elles, chaque année qui passe en vaut deux. Buvez-vous ? demanda-t-il avec un grand sourire, comme s'il s'agissait d'une chose extraordinairement plaisante.

Elle réussit à se soulever sur les coudes et, l'œil méchant :

— Est-ce que j'ai l'air d'une ivrognesse ?

— Couchez-vous, couchez-vous, ma bonne dame. Ne faites pas d'efforts inutiles. Ça ne vaut rien pour vous.

Elle se laissa retomber sur l'oreiller et ses yeux s'emplirent de larmes.

— Allons, déballez votre marchandise, murmura-t-elle d'une voix tremblante. Je suis assez vieille pour avoir le droit de savoir ce qui m'arrive, sueur de coq !

— Sueur de quoi ? Drôle de juron. Jamais entendu encore. Allons, madame Pomerleau, reprit-il d'une voix peinée en se frottant nerveusement les genoux, comment voulez-vous que je pose un diagnostic valable avant d'avoir obtenu les informations suffisantes ? Vous voulez me faire dire n'importe quoi ? Ce n'est pas sérieux.

— Vous avez dit tout à l'heure que vous aviez votre petite idée.

— Je l'ai, bien sûr. Quand je me suis permis de vous demander tout à l'heure si vous buviez...

— Je ne bois pas, coupa-t-elle sèchement. J'ai cinquante-sept ans et je suis une femme honorable.

— Eh bien, tant mieux ! Vous m'en voyez ravi. Mais n'importe. Si je vous ai posé cette question... un peu délicate, c'est que vous présentez les symptômes d'une personne souffrant d'une affection du foie. C'est souvent le cas des alcooliques, comme vous le savez. Mais pas exclusivement, bien sûr.

— Il y a cinq ans, j'ai fait une hépatite, fit Juliette d'une voix égale.

— Ah bon. Une hépatite infectieuse ?

— Oui. Et depuis, j'ai toujours eu le foie fragile.

— Tiens, tiens, tiens, s'exclama intérieurement le docteur. Hépatite latente active. Très intéressant.

Il s'avança un peu sur sa chaise :

— Est-ce que vous avez été bien malade ?

— Malade comme un chien. Durant trois mois. Ah ! ce qu'on m'en a fait manger, de la confiture ! Le cœur me lève maintenant à la seule vue d'un pot. Docteur, fit-elle d'un ton suppliant, qu'est-ce qui vous fait dire que mon hépatite a récidivé ?

— Oh, différents petits signes... l'enflure de vos jambes... le blanc de vos yeux qui est un peu citron... et puis cette petite hémorragie que nous venons d'arrêter en criant lapin... sans compter que je crois avoir détecté chez vous un peu de rétention de liquide... ce qu'on appelle de l'ascite dans notre jargon... Trouvez-vous que votre ventre a un peu enflé, ces derniers temps ?

— Oui, un peu. C'est sa façon de me récompenser pour mes régimes amaigrissants, répondit-elle avec un sourire navré.

Pendant une seconde, l'expression du médecin rappela celle d'un amateur de mots-croisés qui vient de faire une trouvaille :

— Vous avez perdu beaucoup de poids, dernièrement ?

— Je ne fais que ça depuis deux semaines. Mais je ne m'en sens pas mieux pour autant, hélas.

Le docteur se leva, tapota gentiment le bras de sa patiente :

— Allez, reposez-vous... essayez de vous détendre... on s'occupe de votre foie... et de tout le reste ! Dans dix jours, vous serez une femme toute neuve qui enverra promener les docteurs avec leurs questions désobligeantes.

— Vraiment, se dit Juliette en voyant s'éloigner le colosse souriant, je n'aime pas du tout ses façons : il me parle comme si j'étais sur le point de déménager six pieds sous terre.

Juliette Pomerleau passa trente-deux jours à l'hôpital où elle connut toutes les délices de l'inquisition médicale : analyses de sang et d'urine, radiographies, cartographies hépatiques, spléno-portographies, biopsies, repas barytés, laparoscopies et le reste. Tous les examens convergeaient vers le même diagnostic implacable : loin de se résorber, l'hépatite infectieuse dont elle avait souffert cinq ans plus tôt avait dégénéré au contraire en une cirrhose insidieuse qui avait accompli un tel travail de destruction que ses chances de survie s'avéraient presque nulles. On lui fit des ponctions et on décida de la soumettre à un traitement aux corticoïdes. Mais son état d'affaiblissement extrême persistait. Elle demanda à retourner chez elle, « afin, dit-elle avec un sourire cynique et désabusé, de pouvoir crever en bonne compagnie ».

Le docteur Bellerose, après s'être assuré que sa patiente bénéficierait de soins à domicile appropriés, lui donna son congé.

— Dommage, confia-t-il à un interne, c'était une bonne nature. Elle ne connaîtra pas une fin facile.

* * *

Malgré l'insistance d'Elvina, Juliette refusa l'ambulance et revint chez elle dans sa *Subaru*, conduite pour l'occasion par Clément Fisette. Joseph Plourde, son voisin retraité qui habitait un petit cottage de brique dont le jardin jouxtait celui d'Elvina, se préparait à peinturer son perron au terme d'une discussion de trois jours avec sa femme sur le choix de la couleur, qui les avait conduits aux frontières de l'apoplexie ; pinceau en main, il fixait avec une haine concentrée la chaudière de peinture gris souris qu'on lui avait imposée lorsque, levant la tête, il aperçut Juliette qui sortait péniblement de son auto, soutenue par Elvina et Clément Fisette. Une violente inspiration d'air lui assécha la bouche instantanément et son pinceau tomba sur le trottoir avec un petit claquement. Sa conseillère en placements, la confidente avisée de ses chicanes conjugales, autrefois si énergique et pétulante qu'on l'aurait crue indestructible comme une montagne, était devenue en quelques semaines cette vieille femme au corps dévasté, aux chairs pendantes, au dos voûté, souriant avec peine et promenant sur les choses un regard mou et comme fondu. Il la fixait, les larmes aux yeux, tandis qu'elle contemplait la boîte à logements si terne et si banale qu'elle s'était achetée en 1956 à la mort de son mari et que seul un jardin ombragé d'érables sauvait de la laideur totale. C'était là que, un mois plus tôt, elle régnait en maternelle impératrice sur ses locataires, réglant leurs petits problèmes, prêtant marteaux et tournevis, servant le café et les biscuits à tous moments de la journée, bougonnant pour la forme quand on lui demandait une réparation mais ravie, au fond, de se sentir indispensable.

Joseph Plourde s'avança vers l'auto, essayant de cacher son désarroi :

— Eh bien, dites donc ! de la grande visite ! Bienvenue chez vous, madame Pomerleau. Attendez, je vais vous ouvrir la porte.

— Comment se porte votre femme ? fit Juliette avec un sourire malicieux.

Une forte envie saisit Joseph Plourde de résumer brièvement à l'intention de sa voisine les discussions survenues entre lui et son épouse dans les trente-deux derniers jours, mais un signe d'Elvina attira son attention sur le tremblement qui s'était emparé des jambes de la malade :

— Pas si mal, mais pas si bien, répondit-il précipitamment et, l'œil picoté d'émotion, il courut ouvrir la porte.

Rachel et Denis s'avançaient à la rencontre de Juliette.

— Tiens, fit cette dernière en souriant à l'enfant, tu as mis ton beau pantalon de gabardine pour me recevoir ?

— C'est une idée de Rachel, répondit Denis, atterré par l'aspect de sa tante, et il se mit à fixer le sol.

— Tu ne m'embrasses pas ?

Il se haussa sur la pointe des pieds, posa un baiser rapide sur sa joue, puis s'effaça devant elle, mais Juliette demeurait immobile, contemplant les alentours d'un air pensif.

— Nous sommes contents que vous soyez de retour, fit Rachel en l'embrassant à son tour.

Elvina empoigna sa sœur :

— Allons, entre, tu ne tiens plus sur tes jambes.

— Nous avons une belle surprise pour toi, reprit Denis, jouant l'entrain.

Il ouvrit toute grande la porte de l'appartement :

— C'est une idée de Rachel, dit-il fièrement.

— Vous êtes fous, murmura Juliette, les larmes aux yeux en apercevant les gerbes de fleurs dans le salon.

— J'espère que l'odeur ne te fatiguera pas trop, fit Elvina d'une voix quelque peu aigre.

— Et pourquoi me fatiguerait-elle ? rétorqua Juliette avec un haussement d'épaules.

— Vieille vache, pensa Rachel en fixant la célibataire droit dans les yeux.

— Je veux m'asseoir quelques minutes au salon, décida Juliette en tournant la tête vers Clément Fisette. Ah ! qu'ils embaument, ces freesias, fit-elle en se laissant glisser dans un des fauteuils éléphantesques et plutôt hideux qui meublaient la pièce. Ça me repose des senteurs d'éther et d'alcool.

— C'est Rachel qui est allée les acheter tout à l'heure chez *Smith*, annonça Denis en posant un regard admiratif sur la jeune violoniste debout devant la fenêtre, en train de corriger la disposition d'une gerbe dans un vase.

— Et comme Bohu n'avait pas la tête à sortir, poursuivit cette dernière, Clément s'est offert à m'accompagner.

— C'est-à-dire qu'elle m'a tiré du lit comme avec un câble d'acier, ricana le photographe.

Le silence se fit soudain dans le salon. Affalé sur le canapé, Fisette fixait Rachel avec un petit sourire, détaillant avec plaisir son corps vif et menu, auquel des épaules un peu larges donnaient un caractère de force qui se mariait d'une façon piquante avec la joliesse de sa personne. Elle l'avait toujours un peu intimidé.

Malgré sa beauté, Rachel n'avait aucune propension à la coquetterie. C'était une femme énergique et travaillante, un peu sèche, dévorée par l'ambition, ancienne élève du Conservatoire de Chicoutimi. Il n'était pas sûr qu'une des causes de sa liaison avec Martinek et de l'intérêt actif qu'elle manifestait pour ses œuvres n'ait pas été le désir de se faire une place dans le monde musical montréalais, puis ailleurs. Elle le suppliait depuis un an de lui composer un concerto pour violon. Deux semaines plus tôt, elle avait décidé de fonder un quatuor à cordes avec des amis. Quand Charles Dutoit avait lancé son enregistrement de la *Fantastique*, elle l'avait abordé pendant une séance de signatures chez le disquaire *Archambault* avec l'espoir vague et un peu futile de favoriser son engagement dans l'orchestre ; ils avaient échangé d'aimables banalités pendant quelques minutes mais leur entretien n'avait pas eu de suite. Elle vivait de bourses et de leçons, travaillait son violon six heures par jour, le plus souvent à son appartement de Côte-des-Neiges (elle ne demeurait chez Martinek que par intermittence), prenait des leçons d'Eleonora Turovsky au Conservatoire et préparait une audition pour une place de violoniste dans l'Orchestre symphonique de Montréal, impatiente de quitter la vie d'étudiante un peu laborieuse qu'elle menait depuis quatre ans.

Juliette allongea lentement les jambes, étouffa un soupir et promena son regard dans la pièce avec un sourire douloureux.

— L'infirmière du CLSC devrait arriver d'une minute à l'autre pour installer ton soluté, fit Elvina en posant sur sa sœur un regard de pesante sollicitude. Tu devrais aller t'étendre.

Celle-ci redressa brusquement le menton :

— Laisse-moi le temps de souffler, grogna-t-elle.

Quelqu'un frappa à la porte. Fisette alla ouvrir :

— Ah, c'est toi, Bohu. Elle vient tout juste d'arriver.

Bohuslav Martinek s'avança, dégingandé, légèrement voûté, un début de bedon comprimé par une ceinture craquelée, et tendit à sa propriétaire un paquet orné d'un ruban rose :

— Oh ! ce n'est rien, un minuscule petit cadeau pour fêter votre retour.

Juliette le regarda un instant, les traits comme figés, puis, avalant sa salive :

— Vous êtes tellement gentils avec moi, vous tous, fit-elle d'une voix rauque. Allons, voilà que je pleure encore. Cette maudite maladie m'a transformée en aqueduc !

Rachel s'approcha et, la prenant par les épaules :

— Nous allons nous en occuper, de votre maladie, annonça-t-elle avec une fermeté souriante. N'est-ce pas, Bohu ?

— Oui. Et par pur égoïsme, d'ailleurs, ajouta-t-il en riant, car nous avons tous besoin de vous ici, figurez-vous.

Assise un peu à l'écart près d'un guéridon sur lequel trônait un gros vase bleu rempli d'œillets et de marguerites qui répandait son efflorescence presque dans son visage, Elvina, la tête penchée de côté, fixait la violoniste d'un air pincé :

— Occupe-toi donc plutôt de faire le ménage un peu plus souvent chez ton grand dadais de musicien, lança-t-elle intérieurement, au lieu de venir nous étourdir avec tes fleurs.

— Comme c'est joli, s'écria Juliette en retirant l'emballage.

Elle tenait dans ses mains une petite gravure encadrée d'une simple baguette noire et l'examinait au bout de ses bras tendus en tâchant de cacher sa perplexité.

— J'ai pensé que vous l'aimeriez, fit Martinek d'un air transporté. Voyez-vous, j'ai grandi avec ce *Portrait de jeune homme* de Rembrandt ; c'était la seule œuvre d'art que mes parents possédaient. Il m'a toujours émerveillé par sa beauté, sa vie si intense, si émouvante. Ce jeune homme est devenu pour moi comme un ami, une sorte de confident.

Juliette lui tendit la main, qu'il serra gauchement. Denis, rencogné dans le canapé, gardait l'œil fixé sur sa tante. Soudain, il eut l'impression que le visage de la malade se creusait, que ses lèvres s'amincissaient. Allait-elle s'évanouir ? Juliette inclina légèrement la tête et, d'une voix presque inaudible :

— Je... suis un peu fatiguée... Vous allez m'excuser...

On frappa de nouveau à la porte.

— L'infirmière ! s'écria Elvina en se levant.

Rachel bondit sur ses pieds et alla ouvrir :

— Ah ! monsieur Ménard, bonjour ! Entrez donc.

— Vous êtes sûre que je ne dérange pas ? s'enquit le dentiste de sa voix soyeuse et mesurée où chaque mot donnait l'impression d'être un objet fragile et précieux qu'un simple haussement de ton aurait fait voler en miettes.

— Mais non, entrez.

— Je peux revenir plus tard, insista l'autre.

— Entrez, entrez, on vous attend, on se meurt de vous voir, répondit l'autre en riant.

— De toute façon, je ne faisais que passer, fit-il en essuyant longuement ses pieds sur le paillasson. J'ai toujours dit que l'élément premier d'une bonne convalescence, c'est le repos, un repos absolu. J'étais venu vous porter une petite chose, annonça-t-il à Juliette en pénétrant dans le salon, afin de fêter votre retour parmi nous.

Elvina se pencha à l'oreille de sa sœur :

— Tu tombes en morceaux, ma pauvre. Viens te coucher, je t'en supplie.

— Ne craignez rien, mademoiselle Elvina, reprit le dentiste, je m'en vais sur-le-champ. Tenez, fit-il en déposant sur les genoux de Juliette une boîte enveloppée de papier rose. Vous regarderez cela plus tard, une fois bien reposée. Ce n'est qu'une petite chose de rien du tout, mais je crois qu'elle pourra vous être utile.

Il fit un léger salut de la tête à la compagnie :

— Allez, à bientôt. Soignez-la bien.

La porte se referma doucement derrière lui.

Martinek et Elvina aidèrent Juliette à se lever.

— Des fleurs dans ma chambre... et jusque dans la salle de bains ! fit la malade en s'avançant dans le corridor, soutenue par sa sœur. T'es folle, Rachel !

— Allons, ne fais pas cette tête-là, disait la violoniste à Denis, toujours rencogné dans le canapé.

Elle se pencha sur l'enfant et lui caressa les cheveux. Il leva vers elle un regard lugubre :

— Elle va mourir, hein ?

Rachel fronça les sourcils et posa un doigt sur ses lèvres :

— Tut tut tut. Nous allons tout faire pour qu'elle vive. Et elle vivra. Tiens, va donc lui porter ses cadeaux, petit ange aux ailes noires.

7

Malgré le soutien de ses amis et le zèle d'Elvina — grognonne mais surprenante de dévouement —, malgré les visites presque quotidiennes du docteur Bellerose, qui l'avait prise en amitié et avait décidé de la soumettre à un coûteux traitement à l'albumine humaine, Juliette Pomerleau comprit un soir qu'elle allait bientôt mourir.

Il suffisait d'avoir des yeux pour le constater. Après un court répit, son ventre et ses jambes s'étaient remis à grossir ; des saignements de nez étaient apparus, laissant craindre une autre de ces terribles hémorragies œsophagiennes. Son dégoût de la nourriture était tel qu'il lui fallait des heures pour avaler une demi-pomme cuite.

Depuis quelques jours, elle avait parfois de courtes absences qui lui causaient des trous de mémoire humiliants. Elle réclamait son châle alors qu'on venait de lui en recouvrir les épaules, oubliait le nom des gens, le moment de la journée, ou alors, se réveillant en sursaut, promenait un regard hébété dans sa chambre et demandait avec effroi où elle se trouvait. Deux semaines après son retour à la maison, le docteur Bellerose, tout en lançant des plaisanteries de commis voyageur, l'avait soumise à un test de réflexes qui l'avait laissé songeur — et elle n'avait pas été sans remarquer son malaise. Aussitôt après son départ, elle demanda à Denis de lui apporter un dictionnaire médical, l'ouvrit à l'article *cirrhose* et médita une bonne demi-heure devant le paragraphe consacré au coma hépatique.

Le 17 août au soir, Adrien Ménard, après s'être assuré qu'elle était en état de le recevoir, pénétra dans sa chambre et, après les préambules d'usage, lui demanda si le purificateur d'air à filtre de charbon activé qu'il lui avait donné en cadeau contribuait, ne fût-ce qu'un peu, à soulager ses malaises. Elle se trouvait dans un de ses bons moments et se mit à badiner avec lui, prenant un malin plaisir — la question plongeait toujours le dentiste dans le plus grand embarras — à lui demander ce que diable il pouvait bien faire avec toutes ces masses de caisses qu'il apportait chez lui depuis des années à pleine camionnette pour les retransporter quelque temps plus tard Dieu sait où, faisant jaser interminablement le voisinage, sans que personne ait jamais réussi à trouver la clef de l'énigme.

— De grâce, madame Pomerleau, je vous le répète encore une fois, il faut éviter de me questionner là-dessus, fit le dentiste en s'agitant sur sa chaise. Je vous le demande au nom de notre amitié et aussi de...

Il chercha dans sa tête la phrase polie qui lui permettrait de prendre congé. Juliette s'arc-bouta sur les talons et les coudes afin de remonter sa tête sur l'oreiller, mais, n'y parvenant pas :

— Aidez-moi un peu, voulez-vous ? Voilà, merci, je respire mieux...

— Je vois que vous commencez à vous fatiguer. Il vaut sans doute mieux que...

— Tut tut. Vous ne partirez pas aussi facilement que ça, mystérieux dentiste, répondit Juliette gaiement. Saviez-vous que dans le voisinage on vous surnomme justement le *mystérieux dentiste* ?

— Je l'ignorais.

— Eh oui. Comment un homme aussi original et cachottier que vous aurait-il pu éviter un surnom pareil, dites-moi ? Évidemment, on aurait pu également vous surnommer le *nippophile*, mais personne ne comprendrait ce mot, et votre passion pour le Japon est beaucoup moins spectaculaire que celle que vous avez pour le transport des marchandises en camionnette. Rappelez-moi... Combien de temps avez-vous vécu à Nagasaki ?

— Six ans, madame. J'ai quitté le Japon en 1977, à la mort de ma femme.

— C'est vrai, vous aviez épousé une Japonaise... Je l'oublie toujours... À vrai dire, sans vouloir vous offenser, j'ai de la misère à vous imaginer en ménage... Est-ce que je vous ai offensé ?

Le dentiste eut un sourire résigné :

— Du tout, madame.

— Et comment se sent-on à pratiquer l'art dentaire au Japon ?

— Très bien, madame. Les Japonais adorent les Occidentaux.

— Malgré les fameuses... radiations ?

— Malgré elles, madame.

— Dieu que c'est difficile de vous faire causer ! On a l'impression de vous tirer les tripes du ventre. Vous portez bien votre surnom.

Elle eut un clignement d'œil :

— Aussi, je ne vous laisserai pas partir sans que vous me fassiez une promesse...

Les traits d'Adrien Ménard se raidirent légèrement :

— Laquelle ? demanda-t-il avec une trace d'appréhension dans la voix.

— Elle sera facile à remplir, croyez-moi... Approchez-vous un peu. Je veux... je veux savoir avant de mourir — mais n'attendez pas que j'aie complètement perdu la carte, tout de même — je veux savoir à la fin des fins... ce que vous fricotez depuis quatre ans avec votre camionnette et vos montagnes de caisses. En échange, je vous promets d'emporter votre secret avec moi dans l'autre monde. Considérez cela comme un caprice d'agonisante, quoi.

Le dentiste se releva, l'air grave :

— Cela vous ferait plaisir ?

— Cela me comblerait. Voyez-vous, je ne suis pas tout à fait sûre de pouvoir satisfaire ma curiosité là où je m'en vais.

— Dans ce cas, je vous le promets, fit le dentiste en souriant. Mais je ne m'engage pas à grand-chose : vous allez guérir.

— Croyez-vous ? Dans une semaine, mon cher, vous risquez de me trouver les pattes raides et les mâchoires serrées. Je baisse de plus en plus. Ce soir, vous me voyez dans un de mes bons moments. Mais demain matin, vous me trouverez peut-être avec un regard de bûche, incapable de me rappeler votre nom. Que voulez-vous ? Je suis en train de mourir, mon cher. C'est très incommodant, mais je n'y peux rien. Non non non, taisez-vous, je connais tous vos mensonges. Je les ai déjà servis moi-même à d'autres. Laissez-moi au moins le plaisir, sueur de coq, de parler de ma mort comme je l'entends. C'est à peu près tout ce qui me reste. Non seulement ça me soulage, mais ça rapièce un peu ma fierté. Bon. Je vous ai fait assez souffrir, vous pouvez vous en aller. Minute, se ravisa-t-elle aussitôt, saisie par une inspiration subite.

— Oui, madame ? fit le dentiste, incapable de cacher la tristesse qui venait de s'abattre sur lui.

— Dites... à ma sœur de venir me trouver, demanda Juliette d'une voix soudain affaiblie. J'ai à lui parler.

Le dentiste transmit le message à Elvina, puis monta lentement à son appartement :

— J'espérais que ce purificateur d'air l'aiderait un peu... Mais tout n'est pas qu'une question d'air, bien sûr... Ce docteur suisse était un peu toqué.

— Tu voulais me voir ? dit Elvina en apparaissant dans l'embrasure, les mains enfarinées.

— Oui. Va te laver les mains et apporte-moi une plume et du papier. Je veux faire mon testament. Eh bien, vieille bête, qu'est-ce qui te prend ? Cesse de mouiller ton tablier, tu sais bien que je ne suis pas éternelle. Il faut en profiter, ma pauvre : il y a longtemps que je ne me suis pas sentie aussi bien. Je veux expédier cette affaire avant de me mettre à radoter pour de bon.

Elvina retourna à la cuisine, s'épongea longuement les yeux et revint avec une liasse de feuilles et deux stylos.

— Tu veux m'apporter mon plateau de lit ? Voilà, merci. Mon griffonnage fait, je dormirai mieux. Mais cesse de renifler, voyons. On finit tous un jour par accrocher ses patins. Qu'est-ce que ça donne de pleurnicher ?

Elle écrivit une quinzaine de minutes, relut le texte et tendit les feuilles à sa sœur, qui attendait, silencieuse, la fixant avec une mine atterrée.

— Va me relire ça tranquillement dans la cuisine, ordonna-t-elle en se laissant retomber sur ses oreillers, exténuée. On s'en reparlera demain, puis on fera venir le notaire. À présent, il faut que je dorme.

* * *

Juliette Pomerleau partageait ses biens entre son neveu Denis et sa sœur Elvina, qui devenait tutrice de l'enfant. Mais pour avoir droit à son héritage, la vieille fille devait s'occuper de celui-ci jusqu'à sa majorité. Un montant annuel assez important avait été prévu pour assurer l'instruction de Denis jusqu'à l'âge de vingt-cinq ans, si tel était son désir. Dans le cas où il déciderait d'arrêter ses études plus tôt, l'argent inutilisé devrait échoir à un organisme de bienfaisance. Juliette Pomerleau laissait derrière elle une fortune d'environ 700 000 $, constituée à moitié de placements et d'obligations. S'y ajoutaient la maison de rapport de Longueuil, évaluée à 350 000 $, plus 20 000 $ de liquidités. Une partie de ces biens lui venait de son mari, promoteur immobilier d'une rare voracité, décédé en 1956 ; au cours des ans, elle avait fait fructifier cet avoir avec une remarquable habileté.

Dans les jours qui suivirent, l'état de la malade recommença à se dégrader. La cachexie s'annonçait ; les moments de semi-conscience devenaient de plus en plus fréquents et prolongés, ses nuits n'étaient plus que de longues périodes de torpeur morbide traversées de cauchemars qui lui faisaient pousser des cris à tous moments et la mettaient en nage. On dut engager une deuxième infirmière pour assurer des soins constants, car Elvina n'y suffisait plus. Le médecin lui annonça que la fin approchait ; il s'agissait d'une question de semaines. On s'attendait à une mort brusque, causée par une hémorragie du système digestif, car des saignements de nez et de bouche provoqués par l'hypertension portale étaient réapparus depuis quelques jours, malgré tous les soins prodigués. Réfugiée dans la cuisine, loin des oreilles de sa sœur, Elvina passait de longs moments à se moucher dans son tablier, au grand étonnement de Denis et des amis de Juliette qui n'avaient jamais cru que des entrailles aussi sèches pussent cacher une telle fontaine. L'amour qu'elle portait à sa sœur semblait grandir avec la maladie de celle-ci.

Cela ne l'avait pas empêchée d'informer tout le monde — et d'abord Denis — des prérogatives que lui accordait le testament. Elle songeait déjà furtivement à certaines rénovations pour l'immeuble : changement de la tuyauterie et du fenêtrage, subdivision de l'appartement de sa sœur en deux logements plus petits, mais d'un bien meilleur rapport, etc. Quelques jours auparavant, elle avait demandé à Denis de venir habiter chez elle, afin d'assurer la plus grande paix possible à la malade.

Clément Fisette, qui la détestait (en fait, elle n'était guère aimée de quiconque), se mit à songer sérieusement à déménager. Il en parla un soir à Rachel, afin qu'elle convainque le musicien de faire de même.

— Garde tes projets pour toi, sans cœur, s'écria la violoniste, indignée. Je n'aime pas qu'on la pousse dans sa tombe pendant qu'elle respire encore.

Dans les premiers jours de septembre, Juliette Pomerleau connut ce que le docteur Bellerose appela son mieux d'avant la fin. Un samedi vers deux heures, après avoir déjeuné avec un appétit surprenant, elle était assise dans un fauteuil au pied de son lit, un livre posé à l'envers sur les genoux, l'esprit emporté dans une vague songerie, attendant qu'on vienne l'aider à se recoucher. De temps à autre, une branche de framboisier agitée par le vent venait frotter doucement contre la vitre et il lui semblait que c'était son jardin, où elle n'avait pas mis les pieds depuis si longtemps, qui lui envoyait un salut amical et plein d'espoir. Dans l'obscurité impénétrable de ses viscères, parcourus de secousses rythmiques, de mouvements capricieux et glougloutants, engagés dans une multitude d'échanges infimes et fondamentaux ; dans ce magma vivant accroché à son squelette, elle sentait avec une acuité effrayante la fabrication minute après minute de son destin. Une partie invisible se jouait dans sa propre chair — elle était d'une certaine façon cette partie elle-même, consciente de son propre déroulement, mais incapable de l'orienter, semblable à une sorte de météore doué de conscience, projeté dans l'espace à une vitesse vertigineuse, impuissant à modifier sa trajectoire et pénétré d'horreur à l'idée de la collision finale qui l'émietterait à tout jamais.

Elle soupira, remit le livre à l'endroit sur ses genoux et reprit sa lecture. Il s'agissait d'une monographie somptueusement illustrée sur l'histoire de la *Rolls-Royce* ; Denis, connaissant sa passion pour les automobiles, la lui avait remise la veille. Garde Doyon, son infirmière, prenait un café à la cuisine et Juliette l'entendait chuchoter avec Elvina.

Un léger grattement se fit entendre à la porte.

— Entrez, fit-elle. Ah, c'est vous, Clément ? Vous ne travaillez pas cette après-midi ?

Le photographe mit un doigt sur ses lèvres, referma la porte et s'avança vers le fauteuil d'un pas rapide et silencieux, avec un sourire énigmatique. Il se pencha à son oreille :

— Chut... il faut absolument que votre sœur ignore que je suis ici. J'ai quelque chose à vous montrer, fit-il en plongeant sa longue main osseuse dans une enveloppe de papier brun.

Puis, se ravisant tout à coup, l'œil anxieux :

— Comment allez-vous, aujourd'hui ?

— Oh, vous savez, fit-elle avec un geste désabusé. Disons que c'est plutôt passable. Que voulez-vous me montrer ?

— J'ai beaucoup hésité à venir vous trouver, car ce que vous allez apprendre ne vous fera pas de bien. Mais je me suis dit finalement, ajouta-t-il avec une sorte d'exaltation joyeuse, que c'était injuste de continuer à vous le cacher.

— Allons, allons ! Cessez de tourner autour du pot et montrez-moi ce qu'il y a dans cette enveloppe.

Clément Fisette eut un petit ricanement et sortit une liasse de photos de 30 sur 20 centimètres :

— Depuis quelque temps, je m'amuse à espionner votre sœur. Est-ce que cela vous fâche ?

Il avait un sourire étrange, où on aurait dit que la fourberie, dans un élan d'amitié, acceptait de s'affirmer ouvertement. Juliette saisit les photos et se mit à les examiner les unes après les autres avec des gestes de plus en plus fébriles :

— Mon Dieu ! gémit-elle d'une voix brisée, il ne manquait plus que ça !

Cinq photos étaient datées du 25 juillet 1988, quatre du 12 août et les trois dernières de la veille, le 2 septembre. Chacune d'elles montrait Elvina et son neveu Denis, que Fisette avait pris sur le vif dans la cuisine — visible de son appartement — et dans le salon, qui avait vue sur le jardin (ces dernières témoignaient d'une adresse et d'une audace extraordinaires). Dans chacune, Elvina présentait un visage crispé de colère, et Denis pleurait à chaudes larmes ou faisait la lippe. Trois d'entre elles montraient Elvina, la main levée, prenant son élan pour donner une taloche et sur deux autres elle secouait l'enfant par les épaules à lui faire tomber tous les cheveux de la tête.

— Vous savez, il y a beaucoup de travail derrière tout ça, confia le photographe, et une énorme quantité de rejets.

Il observait Juliette Pomerleau avec une expression où la pitié de voir souffrir une vieille femme acculée à la mort se mêlait à la fierté d'avoir réussi un extraordinaire coup de filet visuel.

— Pourquoi ne m'en a-t-il jamais parlé ? répétait tout bas la malade, les yeux pleins de larmes, la tête penchée en avant. Ah ! mon Dieu ! qu'est-ce que je vais faire ? Qu'est-ce que je vais faire ? Je ne suis même plus capable de marcher en ligne droite et...

On entendit un raclement de chaises dans la cuisine. Fisette saisit les photos, les glissa dans l'enveloppe, fit un petit salut de la main et disparut. Un moment plus tard, la grosse tête blonde de garde Doyon apparut dans l'embrasure avec ses joues couperosées et son regard éteint (il ne fallait pas s'y fier, car malgré son air absent, garde Doyon détectait une variation de pouls à dix mètres et devinait les caprices les plus fantasques de ses patients avec une sûreté ahurissante).

— Vous devez commencer à être tannée de votre fauteuil, hein ? fit-elle de sa petite voix flûtée. Je vais vous aider à monter dans votre lit.

Son gros corps de phoque terminé par de disgracieux souliers blancs s'avança dans la chambre et elle saisit Juliette sous les épaules pour l'aider à se lever. Celle-ci laissa tomber sa tête sur l'oreiller, attendit que son étourdissement s'atténue, puis, d'une voix un peu haletante :

— Seriez-vous assez bonne d'aller demander à Denis de venir me trouver ?

— Tout de suite, madame. Vous voulez lui parler... dans le particulier ?

Juliette fit signe que oui.

— Qu'est-ce que je vais faire avec ce pauvre enfant ? soupira-t-elle après le départ de la garde. Maudite Elvina !

elle n'a jamais eu bon cœur, celle-là... À cinq ans, elle volait mes jouets et s'amusait à me pincer les doigts dans les portes... Mais de là à être une batteuse d'enfants ! Non ! jamais ! je n'accepte pas ! Il ne restera pas trente secondes de plus chez elle, il n'y restera pas !

Elle posa une main tremblante sur son front en sueur :

— Ah ! quelle pitié d'arriver dans la vie sans père ni mère...

Garde Doyon réapparut dans l'embrasure :

— Il jouait dans le jardin près de la maison. Je lui ai demandé de venir dans un petit quart d'heure, le temps que je vous refasse une toilette. Il n'y a rien qui vous tracasse, j'espère ? fit-elle d'un air soigneusement inexpressif en promenant une débarbouillette mouillée d'eau froide sur le visage de la malade.

Juliette ne répondit rien.

— Bon, fit garde Doyon après avoir recoiffé sa patiente et l'avoir assise dans son lit, la tête et le dos calés par des oreillers, je vais aller faire reposer mes vieilles jambes dans le salon. Ne reste pas trop longtemps avec ta tante, ordonna-t-elle tout bas à Denis en le croisant dans le corridor, elle ne va pas très bien.

L'enfant serra les lèvres, ses mains devinrent moites et la greffe de rosier qu'il s'occupait à faire sur un plant de lilas recula à une vitesse foudroyante dans les profondeurs de son esprit. Il poussa doucement la porte, s'avança dans la chambre et, d'une voix mal assurée :

— Tu voulais me voir, ma tante ? Elle n'a pas l'air si mal, pensa-t-il aussitôt, et il sentit un peu de soulagement.

— Oui, je voulais te voir, répondit Juliette en tournant la tête vers lui. Assieds-toi.

Elle garda silence un moment, puis :

— Qu'est-ce que tu faisais ?

— Je suis avec Vinh et Yoyo ; on est en train d'installer un rosier dans le gros lilas au fond de la cour.

— Je ne comprends pas.

— C'est facile à comprendre. Je suis en train de faire une greffe. Je veux des roses-lilas. Penses-tu que ça peut marcher, ma tante ?

— Pourquoi pas ? fit l'autre en s'efforçant de sourire. C'est une très bonne idée, ça... Où l'as-tu prise ?

— Dans ma tête, répondit l'autre avec fierté. Ma tante, reprit-il aussitôt, sais-tu où je pourrais me trouver une paire de gants très épais ? J'ai beau faire attention, je me pique beaucoup les doigts.

— Dans la cave, près de la chaudière électrique, sur la deuxième tablette du bas. Le printemps dernier, quand j'ai voulu décaper le vaisselier, je me suis acheté une paire de gros gants de caoutchouc jaunes. Mais n'oublie pas de les remettre à leur place quand tu auras fini.

Elle le regarda en souriant :

— Dis-moi, bobichon, comment te trouves-tu chez Elvina ?

— Bien, fit-il et il se mit aussitôt à fixer ses pouces couverts de petites meurtrissures.

— Tu ne regrettes pas trop de ne plus rester ici ?

— Un peu, ma tante, mais j'aime autant revenir quand tu auras pris du mieux.

— Et si je n'en prenais pas ?

L'enfant tenta sans succès de réprimer une grimace angoissée, continua de contempler ses pouces, puis, relevant le regard :

— Mais tu vas guérir, ma tante, dit-il avec un sourire courageux. Pourquoi me parles-tu comme ça ?

Juliette soupira :

— Mon pauvre lapin, je suis comme un vieux bateau qui coule de toutes parts. On a beau m'enfoncer des chevilles partout dans la carcasse et me goudronner à tour de bras, je continue d'enfoncer. Il va falloir que tu t'habitues à l'idée que je peux mourir bientôt.

Denis la regardait avec un visage inexpressif. Seul son pied droit, appuyé sur un des barreaux de la chaise et tordu vers l'intérieur, permettait de deviner la tension qui l'habitait. Juliette le fixa un instant d'un air apitoyé, puis, très doucement :

— Je viens d'apprendre que ma sœur te bat. Pourquoi ne m'en as-tu jamais parlé ?

Il cligna précipitamment des yeux, éberlué :

— Qui t'a dit ça ?

— Laisse, ça me regarde. Pourquoi ne m'en as-tu jamais parlé, bobichon ? reprit-elle en fronçant les sourcils dans un vain effort pour paraître sévère.

— Parce que ce n'est pas vrai, lança l'enfant, et il fondit en larmes.

Juliette mit un doigt sur ses lèvres et, d'un geste impératif, lui fit signe d'approcher :

— Chut ! il ne faut pas qu'elle t'entende, souffla-t-elle en lui passant le bras autour des épaules. Mets ton visage dans l'oreiller. Allons, allons, fit-elle, alarmée devant les sanglots de l'enfant, tu ne m'aides pas du tout, là, tu ne m'aides absolument pas. Veux-tu revenir tout à l'heure ?

Il fit signe que non, renifla fortement deux ou trois fois, puis releva la tête, les traits bouffis, le teint écarlate, mais un peu rasséréné.

Juliette l'embrassa sur la joue, puis chuchota d'une voix fébrile et saccadée :

— Écoute, il nous reste à peine quelques minutes avant qu'elle ne vienne dans la chambre ou qu'elle n'envoie l'infirmière. Il faut que tu me dises absolument toute la vérité, parce que j'aurai à prendre des décisions capitales à ton sujet et je n'ai pas cinq ans pour le faire.

L'enfant hésita une seconde, puis brusquement, avec un calme étonnant, il se mit à raconter ses deux semaines avec Elvina. Malgré tous les ménagements qu'il employait, Juliette devina sans peine la vie d'enfer que menait son petit-neveu. Elvina Pomerleau n'exerçait pas de sévices graves contre lui, mais dans le but de le « redresser » et de le « reprendre en main » afin de réparer les erreurs « de sa sœur beaucoup trop molle », elle pratiquait à son égard un régime de harcèlement à peu près continuel : durant la semaine, il lui était défendu de voir ses amis plus d'une heure par jour (en fin de semaine, trois) ; le reste du temps, elle le confinait dans la cour ou la maison ; la quantité de petites corvées qui s'abattaient sur lui ne cessait d'augmenter ; une semaine après son arrivée, des « devoirs supplémentaires » avaient fait leur apparition pour le « désignorantiser » ; l'heure du coucher avait été ramenée de neuf heures à huit heures trente, « car il était en période de croissance » ; les sucreries et friandises avaient été presque totalement bannies (elle-même en consommait sans se priver quand elle se croyait à l'abri des regards, mais « sa vie était faite »). Clément Fisette avait dû faire preuve d'une patience et d'une haine extraordinaires pour prendre ses instantanés, car Elvina Pomerleau utilisait rarement les gifles et bourrades pour se faire obéir, se contentant plutôt de soumettre l'enfant au grognement continuel de ses remontrances, nées le plus souvent des choses les plus futiles. C'était comme si, voyant que Denis ne l'avait jamais aimée, le dépit l'avait poussée à occuper par la crainte la place qu'elle ne pouvait occuper dans son cœur par l'affection, comme ces enfants cruels qui, incapables d'obtenir les faveurs d'un chat, vengent leur amour blessé en lui tranchant la queue avec un couteau à pain.

Pendant ce temps, garde Doyon, affalée sur le canapé devant le téléviseur, avait allongé ses grosses jambes engourdies, que la circulation dédaignait de plus en plus, et contemplait avec un petit sourire douloureux l'ayatollah Khomeiny en train de clamer en sourdine (depuis la maladie de sa sœur, Elvina faisait régner dans l'appartement un silence de trappe) son intention de doter l'Iran d'armes atomiques pour contrer le *Grand Satan américain*, ouvrant et refermant sa grande bouche sévère devant un hérissement de micros qui prenait aux yeux de la quinquagénaire une apparence vaguement maléfique. La tête d'Elvina apparut dans l'embrasure :

— Elle dort ?

— Non, répondit la garde en ramenant précipitamment ses jambes, elle jase avec Denis.

Une secousse traversa le corps de la vieille fille :

— Je vous avais pourtant bien dit, siffla-t-elle, que je ne voulais pas le voir seul avec elle dans sa chambre. Il la fatigue sans bon sens.

Et elle se précipita dans le corridor. Garde Doyon poussa un soupir navré :

— Allons, la voilà en train de chialer encore une fois... La fatiguer ! il ne fait pas plus de bruit qu'une plume de moineau.

Elle se leva et la suivit. Elvina, la main sur le bouton de la porte, se retourna brusquement vers elle :

— Restez au salon, je vous prie. Je vous appellerai quand j'aurai besoin de vous.

Elle poussa la porte. Dans la chambre silencieuse, Denis, encore tout rouge, feuilletait le livre de sa tante, assis dans le fauteuil, tandis que cette dernière semblait dormir, couchée sur le côté.

Elvina ne fut pas dupe une seconde de cette mise en scène. Mais la colère lui fit commettre un faux pas.

— Qu'est-ce que je t'avais dit, toi ? martela-t-elle sourdement en se dirigeant vers l'enfant. Va-t-en dans ta chambre. J'irai te rejoindre.

Juliette ouvrit les yeux :

— Et moi, fit-elle d'une voix forte (Denis frémit avec délices en reconnaissant la voix « des beaux jours »), je veux qu'il reste ici, parce que j'ai à vous parler à tous les deux.

Elvina s'immobilisa au milieu de la chambre, promenant son regard de Juliette à Denis, essayant de deviner ce qui s'était passé.

— Que me veux-tu ? demanda-t-elle enfin d'une voix neutre.

— Ce que je te veux ? J'aimerais savoir quel plaisir tu trouves à maltraiter ce pauvre enfant.

— Je m'en doutais bien, ricana-t-elle en dardant sur celui-ci un regard meurtrier. Tu es allé pleurnicher dans les bras de ta tante malade, alors que tu sais fort bien qu'elle n'est pas en état de juger si...

— Tais-toi. Tu dis des sottises. Malade ou en santé, je sais fort bien ce que tu vaux. Je le sais depuis que je suis petite fille. Il m'a tout raconté. En fait, tu as raison. Il fallait que je sois bien malade pour te le confier. Mon pauvre cerveau devait être plein de bile. J'avais oublié combien tu pouvais être méchante. Tais-toi, je te dis. Heureusement, je m'aperçois de mon erreur à temps. Je te retire tous les droits que tu avais sur cet enfant. Et je veux voir mon notaire tout de suite !

— Tu délires, siffla Elvina en essayant de masquer son effroi. Je n'ai rien à me reprocher. Au contraire ! Je me tue à aider ce petit ingrat. Mais il me rejette, voilà ! Et pire que ça : il prend plaisir à me calomnier !

Juliette fit signe à son neveu de quitter la pièce :

— Mais ne t'éloigne pas trop, je veux te revoir tout à l'heure.

Livide, les yeux baissés, Denis passa devant Elvina et referma la porte. Juliette attendit que ses pas s'éteignent au bout du corridor, puis :

— Ce n'est pas lui qui a vendu la mèche, ma chère, reprit-elle durement. Au contraire, j'ai dû le forcer à parler.

— Ah bon. Qui donc, alors? reprit l'autre, sarcastique.

Juliette hésita un moment.

— Clément Fisette.

Elvina resta d'abord impassible. Mais les efforts qu'elle déployait pour retenir la grimace de haine que faisait naître ce nom abhorré se montrèrent bientôt impuissants.

— Si c'est sur lui que tu te reposes pour te faire une opinion de moi, ricana-t-elle, je ferais mieux de quitter la maison tout de suite. Jamais personne ne m'a détestée comme lui.

— Il m'a montré des photos, répondit doucement Juliette.

— Des photos ? Quelles photos ?

— Est-ce que par hasard vous auriez besoin de moi ? demanda timidement garde Doyon derrière la porte (l'expression de Denis, qui venait de traverser précipitamment le salon, l'avait alarmée au plus haut point).

Elvina se tourna brusquement vers la porte, voulut parler, mais se ravisa.

— Non, garde, tout va bien, je vous remercie, répondit Juliette. Je vous appellerai tantôt.

— Quelles photos ? reprit sourdement Elvina au bout d'un moment.

— Des photos de toi, ma chère, en train de talocher Denis à lui faire sortir le sang par les oreilles. Il y en a douze. Et elles sont datées.

— Pauvre folle ! Des photos, ça se truque.

— Et les aveux d'un enfant aussi ?

Elvina serra les lèvres, puis alla s'asseoir dans le fauteuil et, l'air absent, se mit à frapper de la pointe du pied sur le plancher avec un sourire étrange.

— Chère petite sœur, reprit Juliette, tu mens avec une ténacité admirable... c'est une qualité que je ne te connaissais pas...

Sa tête retomba sur l'oreiller. Un étourdissement venait de la saisir ; elle en avait le souffle coupé. Elvina la regardait avec une expression indéfinissable.

— Ne te fais pas d'illusions, haleta Juliette au bout d'un moment, je vais vivre assez longtemps pour réparer ma bévue... Je te le répète : je te... démets comme tutrice... Et je refais mon testament... cette après-midi...

Le silence régna dans la chambre un moment. La vieille fille regardait toujours devant elle, un petit sourire aux lèvres :

— Pour cela, il faut une plume et du papier, murmura-t-elle enfin.

Juliette l'observa un instant ; une expression horrifiée apparut soudain sur son visage.

— Je me plaindrai à garde Doyon ! articula-t-elle avec difficulté.

— Pour cela, il faut une garde.

— Je me plaindrai à mes amis !

— Pour cela, il faut les voir.

— J'enverrai Denis les chercher ! Je leur téléphonerai !

Elvina souriait à sa sœur en frappant de la pointe du pied sur le plancher.

— Je raconterai tout à mon médecin ! cria Juliette, à bout de forces.

Elle ferma les yeux un moment, les mains crispées sur ses draps. Des tressaillements parcouraient son visage.

— Tu es folle, balbutia-t-elle enfin, tu es devenue complètement folle... Penses-tu vraiment pouvoir transformer ma chambre en cachot ?

Elvina se dressa tout à coup. L'audace du stratagème qu'elle était en train de monter l'enthousiasmait et l'effrayait à la fois. Le visage écarlate, l'œil fiévreux, elle se pencha au-dessus de sa sœur :

— À partir d'aujourd'hui, c'est *moi* qui vais te soigner... *moi seule*... Il ne sera pas dit que je vais être déshéritée pour avoir donné trois ou quatre taloches à un petit morveux. Je vais dormir dans ta chambre. Je vais m'occuper de toi jour et nuit... de mon mieux... et jusqu'à la fin.

— Monstre... tu viens de perdre la tête. Prends garde à toi... Tu vas te retrouver en prison... ou à l'asile...

Elvina, tremblante mais animée par une résolution farouche, grimaça un sourire :

— Ne te fais pas de soucis pour moi : j'ai l'habitude de me débrouiller toute seule.

Elle pivota sur elle-même, quitta la pièce et ferma la porte à clef. Juliette essaya de se lever, mais en vain ; ses forces l'abandonnaient ; son étourdissement tournait au vertige.

— C'est l'énervement, balbutia-t-elle en retombant sur le matelas. Garde Doyon va sûrement... revenir... Je lui raconterai tout... exactement tout... Et ça sera fini... grâce à Dieu.

Malgré son bourdonnement d'oreilles, elle entendait un vague murmure dans le salon.

— Qu'est-ce que vous me dites ? s'exclama tout à coup garde Doyon.

L'expression « soins inadéquats » revint deux ou trois fois dans la bouche d'Elvina. Le son confus de sa voix pressée, haletante, était coupé à tous moments par les exclamations incrédules de l'infirmière.

— Venez dans la cuisine, ordonna Elvina.

Le silence se fit. Juliette s'était mise à pleurer. Au bout de plusieurs minutes, elle entendit le pas de sa sœur dans le corridor. La porte s'ouvrit. Elvina traversa la chambre sans lui jeter un regard, saisit le sac à main de l'infirmière et un exemplaire de *Tropiques sensuels* de Peggy Dwindle et ressortit en prenant soin de verrouiller de nouveau la porte. Après plusieurs essais, Juliette réussit à se hisser à mi-corps le long de la tête du lit, juste à temps pour apercevoir par la fenêtre le visage hagard de son infirmière, qui s'éloignait à pas pressés sur le trottoir, de l'autre côté de la haie.

Elvina, les lèvres palpitantes, marmonnant des mots sans suite, faisait les cent pas dans le salon, terrifiée par son audace mais incapable de résister à la pulsion sauvage qui s'était emparée d'elle. Puis, faisant le tour des pièces, elle chercha Denis. Elle sortit dans le jardin, l'appela plusieurs fois, contourna la maison, pénétra dans l'édifice et voulut monter chez Martinek. À la troisième marche, ses jambes fléchirent. Elle redescendit lentement l'escalier, appuyée à la rampe, et se retira chez elle.

— C'est trop injuste, à la fin, bredouilla-t-elle en se laissant tomber sur une chaise. Se faire déposséder pour... une dizaine de gifles... Comme si les autres enfants... Allons, calme-toi, pour l'amour, le cœur va te sortir par la bouche...

Elle ferma les yeux et prit une inspiration si profonde que son sternum émit un petit craquement.

— Il est peut-être ici, pensa-t-elle tout à coup. Denis ! lança-t-elle d'une voix éteinte.

Un claquement de griffes sur le plancher lui répondit et sa chienne surgit de la cuisine et vint glisser sa tête entre ses genoux. Elle posa la main dessus, mais ne trouva pas la force de lui faire une caresse. Le visage exsangue de sa sœur en train de sangloter entortillée dans ses couvertures lui broyait les entrailles. Soudain, elle repoussa la chienne, se donna une retentissante claque sur la cuisse, bondit sur ses pieds et se rendit à la salle de bains. Elle fit sauter le bouchon d'un tube de *Valium* et avala deux comprimés avec un grand verre d'eau froide. Mais le médicament n'avait pas encore atteint son estomac qu'elle avait retrouvé son calme et sa présence d'esprit.

— Occupons-nous maintenant du petit-neveu, dit-elle à voix haute.

Et pendant que Denis, marchant dans la rue aux côtés de Clément Fisette qui allait faire des courses en ville, lui racontait d'une voix frémissante la scène dont il avait été témoin, Elvina Pomerleau, penchée au-dessus de la table de la salle à manger, feuilletait le bottin à la recherche d'un pensionnat, de préférence éloigné de Montréal. Au même moment, quelques mètres plus loin, Martinek et Rachel descendaient l'escalier, main dans la main, s'enveloppant des regards alanguis qui suivent habituellement les ébats amoureux particulièrement réussis.

— Si on arrêtait dire bonjour à madame Pomerleau ? proposa Rachel en mettant le pied dans le hall.

Martinek eut un sourire bon enfant :

— Pourquoi pas (dans l'état où il se trouvait, il serait allé saluer un boa constricteur) ?

Rachel frappa, attendit un moment, puis frappa de nouveau. À son troisième essai, elle se tourna vers Martinek, l'air inquiet :

— J'espère que... On nous aurait avertis, hein, Bohu, si on avait dû la transporter d'urgence à l'hôpital ?

— Oui, sûrement, répondit l'autre, soudain nerveux.

Il alla frapper à la porte d'Elvina.

— Non, non, ne vous inquiétez pas, répondit celle-ci en avançant la tête dans l'entrebâillement, ma sœur va bien ; elle est en train de dormir. Je retourne chez elle dans la minute.

— La garde n'est pas là ? s'étonna Rachel.

— Je viens de la congédier. La fameuse garde ne gardait personne.

— Que me dites-vous là ? Juliette l'adorait !

— Ah oui ? fit l'autre en plissant les lèvres. Eh bien, elle ne l'adore plus. Bonne journée.

Elle inclina la tête et ferma la porte.

Denis venait de terminer son récit, un peu honteux de s'être tant épanché. Clément Fisette lui sourit, puis, passant lentement sa main sur son visage :

— Hum... J'aurais préféré que la vieille fille n'entende pas parler de mes photos. Elle va me faire la vie dure. Et puis, ça devient beaucoup plus délicat de compléter ma collection. Quant à toi, il faut absolument que tu retournes vivre chez madame Pomerleau en attendant qu'elle te trouve un autre tuteur.

Les yeux de l'enfant s'emplirent de larmes :

— Je n'en veux pas. Je veux ma tante.

— Mon pauvre vieux, que veux-tu qu'on y fasse ? soupira le photographe en levant les mains avec un air d'impuissance.

— Alors, ce sera toi, décida gravement Denis.

Fisette sourit :

— Désolé. Je t'aime bien, mais je n'ai pas une âme de tuteur. Tu devrais pourtant mieux me connaître. Je suis un drôle de pistolet, tu sais.

— Moi aussi, quand je serai grand, je veux être un drôle de pistolet.

Fisette s'esclaffa et, lui ébouriffant les cheveux :

— Petit flatteur, va ! Allons, sacre-moi ton camp et va vite retrouver ta tante avant que la vieille Draculatte te saute à la gorge. Mais promets-moi une chose.

— Quoi ?

— De me tenir au courant de tout. Je comprends que tu aies voulu ménager ta tante malade. Mais j'ai les nerfs solides, moi. Et puis, je suis curieux ! Elle n'arrêtera pas ses vacheries, la vieille. Je veux tout savoir !

* * *

— Enfin, te voilà, fit Elvina en voyant apparaître son petit-neveu dans la cuisine de Juliette. Je te cherchais partout. Où étais-tu passé ? Chez ton espion, je suppose ? Viens avec moi, j'ai à te parler.

L'enfant obéit, une subtile expression de défi aux lèvres. Ils passèrent à son appartement. Elle l'amena au salon et lui fit signe de s'asseoir.

— Puisque tu détestes tant vivre chez moi, je vais te faire un grand plaisir. Je viens de t'inscrire au pensionnat Saint-Jean-Baptiste à Philipsburg dans les Cantons de l'Est. Tu pars demain matin. J'irai te reconduire à la station de métro Longueuil, d'où tu prendras l'autobus. Quelqu'un du collège va t'attendre là-bas.

— Je ne veux pas y aller, répondit l'enfant à voix basse. Je veux rester chez ma tante.

— Il n'en est pas question. Elle est beaucoup trop malade pour supporter ta présence. Moi-même, j'y arrive à peine. Je ne veux plus que tu la revoies, m'entends-tu ? Elle peut mourir d'un jour à l'autre.

— Je ne veux pas aller à ton maudit collège de cul ! hurla soudain Denis en bondissant sur ses pieds.

Et il courut se réfugier dans sa chambre. Elvina Pomerleau le suivit, mais se buta à une porte fermée.

— Sors de là. Je t'emmène avec moi. Je veux t'avoir à l'œil. Et je te conseille de ne pas me tomber sur les nerfs, ajouta-t-elle en voyant apparaître l'enfant qui faisait des efforts inouïs pour retenir ses larmes.

Ils quittèrent l'appartement et pénétrèrent de nouveau dans celui de Juliette.

— Va dans le salon, lui ordonna la vieille fille à voix basse, je te rejoins dans cinq minutes. Pas de bruit, tu m'entends ? Et surtout qu'il ne te prenne pas l'idée de te sauver, je mets la police après toi.

Elle se dirigea vers la chambre de sa sœur.

Après avoir pleuré un long moment, puis s'être épuisée en vains efforts pour se lever et se rendre jusqu'au téléphone, Juliette avait sombré dans une demi-torpeur où son chagrin s'était fondu en une confuse rêverie aux frontières de l'hallucination. Lorsqu'elle entrouvrait les yeux, sa chambre lui apparaissait comme une sorte de réduit étouffant et grisâtre qui semblait rapetisser de minute en minute. Le papier peint à motif de corbeilles de roses qui recouvrait les murs, sans vraiment changer d'apparence, avait pris une allure étrange et menaçante ; l'espace d'une seconde, les corbeilles lui faisaient penser à des gueules armées de dents aux formes bizarres et cruelles ; un léger frémissement semblait alors les saisir, comme si elles étaient sur le point de quitter le mur pour se jeter sur elle et la mordre, et l'idée de ces morsures s'alliait peu à peu dans son esprit à une sensation de lourdeur incommensurablement profonde qui venait de se réveiller encore une fois dans son côté droit, où commençaient à fourmiller des milliers de petits élancements qui se promenaient en zigzag dans ses entrailles, pris graduellement d'une sorte d'enthousiasme féroce et désordonné qu'il faudrait bientôt mater avec des calmants. Juliette se débattait parmi ces sensations confuses et angoissantes, essayant de repousser l'ombre qui gagnait son esprit, mais sentant venir le moment où les corbeilles, les gueules dévorantes, sa chambre, le réduit grisâtre et les élancements formeraient un tout que la médecine n'arriverait plus à dissoudre afin de faire entrer un peu de calme et de clarté dans sa tête, et qu'un jour, demain peut-être, cet épouvantable amalgame l'entraînerait à tout jamais dans le noir.

Elle entrouvrit encore une fois les yeux et aperçut au-dessus d'elle, baignant dans une brume légère, le visage de sa sœur qui l'observait gravement.

— Tu es là ? murmura faiblement Juliette.

— Oui, c'est moi. As-tu besoin de quelque chose ?

— Je veux voir Denis.

Elvina se redressa, allongea le bras vers la table de nuit et lui présenta une capsule :

— C'est l'heure de ton médicament.

Elle souleva sa tête, lui fit boire une gorgée d'eau, puis :

— Je l'envoie pensionnaire à Philipsburg, ajouta-t-elle doucement. Pourquoi me fais-tu ces yeux-là ? Je n'ai pas le choix, ma pauvre fille : tu ne veux plus que je m'en occupe et toi-même tu es trop malade pour le faire. Plus tard, si tu prends du mieux, il pourra peut-être revenir.

Juliette la fixa un instant. Elle semblait faire d'énormes efforts pour rassembler ses idées.

— Où est garde Doyon ? demanda-t-elle enfin d'une voix rauque.

Le dos tourné, Elvina lissait le couvre-pied :

— Oh, je l'ai renvoyée, répondit-elle négligemment. C'était une paresseuse, toujours affalée dans le salon. Et puis, elle te coûtait une fortune! J'ai téléphoné tout à l'heure à la clinique de santé communautaire et j'ai demandé qu'on nous envoie une infirmière le matin pour ta toilette et tes injections.

Juliette tourna la tête vers le mur. Sa sœur resta debout à ses côtés un moment. Un imperceptible frémissement s'était emparé de ses mains. Elle s'approcha de la grosse commode de chêne à tiroirs ventrus qui se dressait près de la fenêtre et dont le dessus était encombré de livres, de flacons et d'objets de toutes sortes, et se mit à faire du rangement. Un tube de médicaments tomba sur le plancher et répandit son contenu jusque sous le lit. Elle s'accroupit et ramassa les comprimés. Juliette s'était retournée vers elle et la fixait. Son visage jaunâtre aux traits affaissés était l'expression même du désespoir :

— Tu es aussi méchante que papa... Jamais je n'aurais cru... Tu as pourtant souffert autant que moi... Si c'est mon argent que tu veux, prends-le, je te le donne... mais laisse-moi finir mes jours au milieu des miens...

Elvina s'était relevée et lui tournait le dos, poursuivant son rangement :

— C'est toi qui m'y as forcée, chère... J'agis par précaution... Tu as beau me faire de belles promesses... personne n'est à l'abri de tes fameux coups de tête.

Juliette se tordait les mains, haletante :

— Mais puisque je te jure de ne pas t'enlever un sou si...

— Est-ce que je demeure la tutrice de Denis ?

— Non, non, pas ça, fit l'autre en fermant les yeux, épuisée. Il sera trop malheureux chez toi... Va-t-en, laisse-moi dormir... Je te verrai tout à l'heure.

Elvina la contempla un instant, les bras ballants, se mordillant les lèvres. Juliette semblait avoir oublié sa présence et respirait pesamment. Elle ouvrit soudain les yeux, croisa son regard et une expression d'effroi crispa ses traits :

— Tu veux... me tuer... je le sais, maintenant...

— Folle, rétorqua l'autre en haussant les épaules, elle est devenue complètement folle... Et ça veut s'amuser à refaire des testaments !

Elle se dirigea vers la porte. À quelques pas du seuil, son talon s'abattit sur un comprimé oublié sur le tapis et en fit une petite tache blanche.

8

Le lendemain, Denis se laissait conduire à la station d'autobus avec une docilité qui intrigua fort Elvina et la poussa à téléphoner le soir même au directeur du collège pour qu'on exerce une surveillance étroite sur l'enfant afin de prévenir une fugue.

La hantise d'être assassinée par sa sœur s'était emparée de Juliette. Elle ne dormait presque plus, essayant de trouver une façon de sortir de l'impasse où elle se trouvait, mais son esprit butait contre des obstacles infranchissables et tous les arguments qu'elle alignait pour tenter de se rassurer n'avaient aucun effet sur sa peur.

Deux jours passèrent. Craignant l'empoisonnement, elle se mit à refuser la nourriture et les médicaments qu'Elvina lui présentait. Celle-ci dut avaler devant elle deux ou trois cuillerées de bouillon à même le bol qu'elle lui avait apporté avant que Juliette accepte d'y toucher. Vers le milieu de l'après-midi, une jeune infirmière du CLSC se présenta dans la chambre pour l'injection quotidienne ; elle avait des cheveux très noirs, coupés en frange, un joli visage eurasien et des yeux bons et pétillants, mais Elvina l'avait si bien embobinée que sa sœur, pendant le peu de temps que dura la visite, ne réussit pas à briser le mur de commisération souriante qui les séparait.

La journée se déroula sans incidents. Un peu après souper, Martinek, à qui Clément Fisette avait raconté l'histoire des photos, se présenta à l'appartement d'Elvina, surpris du retard de Denis pour sa leçon de piano.

— Il ne demeure plus ici, répondit sèchement la vieille fille. Je l'ai mis au pensionnat. Ma sœur me tient occupée jour et nuit. Je n'en pouvais plus.

Le visage du musicien se figea :

— Dans un pensionnat ? À quel endroit ?

Elle eut une petite grimace.

— À Philipsburg, répondit-elle enfin de mauvaise grâce. Je m'excuse de ne pas vous avoir averti. J'ai oublié.

Martinek restait immobile, les bras ballants, dans un état d'ébahissement qui lui donnait l'air d'un poisson.

Elle voulut refermer sa porte.

— Et madame Pomerleau ? fit-il en se ressaisissant. Est-ce que son état s'est aggravé ?

L'autre hocha tristement la tête :

— Elle ne peut plus recevoir personne.

— C'est à ce point ? murmura-t-il, navré.

— Puisque je vous le dis.

— Mon Dieu, soupira le musicien, je ne pensais pas que... ça viendrait aussi vite.

Ses bons yeux naïfs, dont l'éclat semblait toujours un peu terni par une sorte de rêverie, changèrent soudain d'expression et il se mit à fixer Elvina avec une insistance qui la troubla :

— Vous êtes sûre qu'une visite — oh ! très courte, extrêmement courte, bien sûr — ne la réconforterait pas un peu ?

— Elle n'en est plus à pouvoir être réconfortée, mon pauvre monsieur.

Et la vieille fille fit un pas en arrière pour signifier que l'entretien était terminé.

Deux minutes plus tard, Rachel sonnait à la porte.

— Non, répondit Elvina avec fermeté, elle a demandé qu'on la laisse reposer. Les visites l'épuisent, maintenant. Dans quelques jours peut-être.

Rachel remonta lentement l'escalier et pénétra chez le musicien :

— Denis parti, l'infirmière congédiée, les visites suspendues, il se passe des choses étranges. Il faut y voir.

Martinek, tout abattu, était assis sur un vieux canapé rouge vin à demi défoncé, que le dentiste Ménard avait comparé plaisamment un jour à un débris de l'empire austro-hongrois. Il fixait sans le voir un monticule de partitions manuscrites jetées pêle-mêle sur un piano à queue *Baldwin* qui occupait le centre de la pièce. Clément Fisette, assis sur un tabouret, le dos appuyé au clavier, mâchouillait un cure-dents, une tasse de café à la main.

L'appartement se composait d'un grand salon-studio, d'une chambre à coucher, d'une petite cuisine et d'une sorte de réduit qui servait de débarras, où Martinek avait rangé sa collection de pistolets à eau. Commencée trois ans plus tôt sous l'effet d'une étrange lubie, cette collection alimentait parfois des discussions orageuses entre lui et Rachel, qui rageait de le voir gaspiller ainsi une partie appréciable de ses maigres ressources.

— C'est ma façon à moi de protester contre la course aux armements, répondait invariablement le compositeur avec un grand sourire. En fait, j'ouvre la voie aux vraies armes de l'avenir.

Rachel se laissa tomber sur une chaise devant une bibliothèque de bois brut qui se dressait face à l'entrée :

— Je n'en reviens pas, lança-t-elle. C'est comme si elle était morte.

— Je l'ai pourtant trouvée bien vivante il y a trois jours, dit Fisette après avoir expulsé de sa bouche un morceau de cure-dents.

Martinek poussa un soupir accablé :

— Ça ne veut rien dire, voyons... Depuis des semaines, c'est la montagne russe : un jour elle rit, l'autre jour elle râle... Et le moment approche, ajouta-t-il en laissant retomber ses mains sur ses cuisses, où elle ne fera plus ni l'un ni l'autre...

— Ce que je trouve curieux, moi, reprit Fisette après avoir projeté un morceau de cure-dents sur le tapis, c'est le départ subit de notre cher Denis pour le pensionnat — le jour même où je montre à sa tante des photos où il est en train de se faire talocher par la vieille. Et c'est le même jour, notez-le bien, qu'elle congédie l'infirmière, et dès le lendemain on se fait notifier que la plus petite visite risque de causer un enterrement. Cela fait bien des choses en bien peu de temps ! Mon opinion, c'est que, pour des raisons inconnues, cette délicieuse Elvina a décidé de jouer avec sa sœur une partie où elle ne veut pas de témoins. Qu'en pensez-vous ?

— Lorsque je vivais à Paris durant la guerre, fit Martinek, sans paraître avoir entendu les paroles de son compagnon, j'avais un voisin de chambre — Pierre-Bertrand Ziorine — qui souffrait de tuberculose depuis... je ne sais combien d'années. Eh bien, un après-midi, en revenant d'un café où on avait causé durant des heures avec deux filles absolument splendides — elles étaient poinçonneuses dans le métro, je crois, et nous avaient invités à venir les voir le lendemain à leur logis — il s'est senti brusquement très fatigué et s'est couché. Durant la nuit, il s'est mis à cracher le sang. Au petit matin, il a fallu le mener en taxi à l'hôpital, car il suffoquait. Et à midi, il expirait. Voilà. Quand la mort décide de venir nous visiter, elle ne marche pas, elle vole.

— Allons, Bohu, coupa Rachel, impatiente, cesse de nous enterrer sous tes couronnes funéraires, ça ne nous avance pas d'un pouce. Je suis du même avis que Clément : Elvina fricote quelque chose. Et la seule façon de savoir quoi, c'est d'approcher Juliette. Mais comment ?

Clément Fisette coula son regard sur les jambes menues et bien galbées de Rachel que sa jupe légèrement relevée permettait de suivre jusqu'à l'épanouissement de la cuisse :

— Je m'en charge, fit-il doucement.

Il prit une dernière gorgée de café, salua ses amis, sortit et alla au bout du corridor jeter un coup d'œil par la fenêtre :

— Je vais laisser le ciel noircir un peu, décida-t-il en se caressant le bout du nez.

Il descendit au rez-de-chaussée, quitta l'immeuble et s'éloigna tranquillement sur la rue Saint-Alexandre en direction du fleuve. Un vieil épagneul marron au corps tout épaissi prenait l'air, assis sur le trottoir ; l'animal crut le reconnaître et se mit à battre de la queue. Fisette fit quelques pas encore et le chien, s'apercevant de sa méprise, grogna sourdement, puis, faisant demi-tour, se réfugia sur un perron, d'où il poussa un jappement lamentable.

La lumière perdait peu à peu de son éclat. De temps à autre, des cris d'enfants transperçaient l'air, venus de tous côtés, mais la rue était presque déserte. Devant un vieux cottage de brique surmonté d'une fastueuse corniche à motifs de guirlande et de couronne de laurier, un homme à demi chauve, armé d'un maillet de bois, enfonçait dans le gazon un petit panneau fixé sur un pieu ; chaque fois qu'il abaissait son instrument, un sifflement partait de sa gorge, comme s'il avait été un automate actionné à l'air comprimé. Fisette s'éloigna sans lui jeter un regard, retenant son sourire ; l'homme s'arrêta et se mit à le fixer, hors d'haleine, les deux mains posées sur le manche de son maillet ; de petits gargouillements compliquaient maintenant sa respiration rauque et sifflante.

Parvenu à la rue Saint-Charles, le photographe s'arrêta. On était mardi et la plupart des magasins étaient fermés. Il hésita un moment, puis traversa la rue et se rendit à la *Charcuterie du Vieux Longueuil*, encore ouverte à cette heure. Le propriétaire avait emménagé une sorte de petit café à l'intérieur, près de l'entrée.

L'endroit était désert. Il s'attabla, s'empara d'un journal qui traînait et attendit qu'on vienne le servir. Un jeune homme en tablier, aux longs cheveux roux qui encadraient un visage tout rose à l'expression naïve et appliquée, s'approcha sans bruit :

— Café au lait ?

Le photographe releva la tête :

— Avec beaucoup de cannelle.

Il se replongea dans son journal, mais, interrompant de nouveau sa lecture :

— Dis donc...

L'autre fit demi-tour et s'arrêta.

— ... vous n'avez jamais eu de nouvelles de Marie, hein ?

Le jeune homme eut un léger haussement d'épaules :

— Toujours sur la Côte-Nord, paraît-il.

Et il retourna derrière le comptoir. Fisette reprit sa lecture et se mit à contempler une photographie du président Reagan, debout devant un buisson de micros, l'index tendu, la bouche étirée dans une grimace farouche. Une vignette expliquait son accès de mauvaise humeur :

Dans son allocution d'hier soir à la Chambre de commerce d'Atlanta, le président Reagan a déclaré que l'U.R.S.S. ne ferait pas chanter les États-Unis par la menace de ses champignons atomiques. « Nous aussi, nous cultivons les champignons », a déclaré le chef de la Maison-Blanche qui a ajouté aussitôt, pour atténuer ses propos : « Mais, bien sûr, ce sont les comestibles qui nous intéressent avant tout. »

Fisette soupira et porta la main à sa bouche pour tenter d'imiter discrètement la grimace du président, mais il s'arrêta aussitôt devant l'expression étonnée du serveur. Il tourna la page, aperçut une photographie du politicien Jean Chrétien vociférant dans une posture qui rappelait étonnamment celle de Ronald Reagan, comme si la photographie du président s'était imprimée en partie sur la page suivante. Dégoûté, il referma le journal.

— Je viens de me rappeler tout à coup, annonça le garçon. Josette disait hier que Marie est probablement retournée chez ses parents à Maniwaki.

Il déposa un verre brûlant rempli de café mousseux autour duquel on avait noué un napperon de papier. Fisette sourit :

— Ses parents sont morts il y a dix ans.

— Alors je me trompe de Marie. Excusez-moi.

Le calme qui régnait à la charcuterie lui permettait de sentir dans toute sa subtile et douce cruauté la fringale sexuelle que les cuisses de Rachel déclenchaient immanquablement chez lui quand il les fixait trop longtemps. Il soupira de nouveau, prit une gorgée de café et se revit à l'appartement de Marie, rue Lemoyne, couché tout nu avec elle sur le tapis du salon en train de lui mordiller les cuisses, tandis qu'au-dessus de leurs têtes une perruche dans sa cage s'étourdissait de roucoulements impudiques. C'en fut trop. Il consulta sa montre, prit deux ou trois gorgées, laissa une poignée de menue monnaie sur la table et sortit. Le moment était venu de faire sa petite promenade au jardin.

Il contempla avec satisfaction le ciel assombri que les lampadaires essayaient en vain d'éclaircir et revint rapidement chez lui. En traversant la rue Guillaume, il aperçut un petit Asiatique qui s'en venait, tête basse, un sac de polythène au bout du bras.

— Tiens, salut, Vinh. T'as appris la grande nouvelle ?

— Oui, monsieur Fisette. C'est sa tante qui vient de me l'apprendre.

L'enfant s'arrêta et posa sur lui un regard affligé. Il était petit et gracile avec un visage joufflu, des yeux noirs très vifs et un air d'extrême gravité.

— Est-ce qu'il est parti pour tout le temps, monsieur Fisette ?

— Ah ça, je n'en sais rien, mon vieux. En fait, je ne sais rien du tout. Qu'est-ce qu'elle t'a dit, Elvina ?

— Que madame Pomerleau allait mourir et qu'elle ne pouvait pas le garder. Alors elle m'a appelé pour que je vienne chercher les livres que je lui avais prêtés la semaine dernière.

— Quelle histoire, soupira Clément. Allez, salut, mon vieux.

— Bonsoir.

Il fit quelques pas.

— Monsieur Fisette ?

— Oui, Vinh ?

— Il n'y a vraiment rien à faire pour madame Pomerleau ?

Le photographe leva les mains en signe d'impuissance.

— C'est de valeur, dit l'enfant. C'était une femme vraiment super sympathique.

Et il s'éloigna.

Clément poussa une petite barrière à droite de l'entrée principale, mais au lieu d'entrer, il s'avança sur la pelouse en contournant la maison et pénétra silencieusement dans la petite cour formée par le U de l'immeuble. Neuf fenêtres y prenaient jour (trois par étage), sans compter les portes arrière des six appartements qui s'ouvraient sur des balcons et des galeries reliées par un escalier.

Fisette observa que la plupart des fenêtres étaient obscures ; celles d'Elvina avaient leurs volets fermés, comme presque toujours. S'approchant d'un prunier que les soins maternels de Juliette n'avaient jamais réussi à tirer de sa stérilité, il s'assit dans une chaise de jardin. L'obscurité s'épaississait de plus en plus. Il se trouvait juste vis-à-vis la fenêtre de la chambre de Juliette. Malgré la chaleur, on avait abaissé le store de toile bleue et le châssis à guillotine, ne laissant subsister qu'une fente de cinq ou six centimètres. Il attendit que la noirceur tombe tout à fait, jeta un long regard aux alentours, puis se leva et, faisant mine de chercher quelque chose dans le gazon, s'approcha peu à peu de la fenêtre de la malade. Soudain une lumière s'alluma au balcon du deuxième, inondant une partie de la cour, puis un long grincement se fit entendre et Martinek apparut dehors, les mains derrière le dos. Fisette fit quelques pas et toussa discrètement, un doigt sur les lèvres. Le musicien pencha la tête, ouvrit la bouche, puis recula. Fisette lui fit signe d'éteindre et de ficher le camp.

— Pourvu qu'il n'ait pas attiré l'attention de la vieille... ou qu'elle ne se trouve pas dans la chambre de Juliette, se dit le photographe, mécontent, tandis que Martinek s'éclipsait.

Il revint sur ses pas, s'accroupit sous la fenêtre, attendit un peu, puis se releva doucement. Aucun bruit ne parvenait de la chambre. Rachel écarta un rideau au deuxième :

— Il est fou, murmura-t-elle, angoissée.

Fisette venait de glisser son regard dans la fente. Une lampe-potiche posée sur une commode éclairait faiblement la pièce. Le lit de Juliette se trouvait presque sous son nez. La malade bougea en soupirant. Près de la commode, au fond de la pièce, il voyait Elvina de profil, assise dans un fauteuil, en train de lire *Le Courrier du Sud*. Quelques instants passèrent. Soudain, Elvina ferma son journal, le déposa sur un guéridon (ce meuble était nouveau), puis se leva et disparut. Elle revint bientôt avec un bol fumant. Se penchant au-dessus de sa sœur :

— Prends au moins un peu de bouillon, supplia-t-elle.

Juliette poussa un gémissement et se recroquevilla sur elle-même.

— Folle, murmura l'autre avec humeur.

Et elle alla se rasseoir. La malade posa sur elle un long regard angoissé, puis sombra dans un profond sommeil. En se plaçant à l'extrémité gauche de la fenêtre, Clément Fisette réussit à apercevoir dans la pénombre son visage amaigri, aux traits comme broyés, où le globe des yeux avait pris une ampleur sinistre ; on aurait dit deux petits ballons cireux qui n'attendaient plus que le moment propice pour s'envoler, laissant l'arcade sourcilière béante. Puis, après avoir fixé haineusement Elvina, qui s'était assoupie à son tour, la tête penchée en avant, les deux mains sur les genoux, il s'éloigna en rasant le mur. Son pied se posa par mégarde sur un gobelet de plastique dont Denis s'était servi pour sa greffe de rosier et un craquement retentit. Elvina sursauta. Heureusement, la chaude moiteur de la chambre l'avait tellement amollie qu'elle hésita quelques secondes avant de se lever pour jeter un coup d'œil à la fenêtre, laissant à Fisette le temps de s'enfuir.

Le craquement fut également perçu par Juliette dans son sommeil et il eut sur le cours de cette histoire des conséquences extraordinaires. Il évoqua dans son cerveau fiévreux et tourmenté, irrigué depuis des semaines par un sang impur alourdi de médicaments, les crépitements d'une chevelure attaquée par les flammes et l'accident de sa tante Joséphine réapparut dans son esprit avec une acuité terrifiante. Juliette se retrouva à genoux au milieu de la cuisine devant sa tante qui se débattait en hurlant. Les mains jointes, elle implorait Dieu à haute voix pour qu'il sauve la malheureuse, mais les hurlements de cette dernière, que les flammes dévoraient maintenant de toutes parts, couvraient ses paroles. Elle se leva enfin pour lui porter secours, mais ses mains s'étaient comme soudées l'une à l'autre et refusaient de bouger. Devant le grotesque horrible de la situation, elle se mit à verser des torrents de larmes, qui disparaissaient mystérieusement dans le plancher, tandis que Joséphine, à demi écroulée, hurlait :

— Sur moi ! Je t'en supplie ! Pleure sur moi, Juliette ! Tes larmes me sauveront !

Elle se retrouva tout à coup à l'hôpital Notre-Dame près du lit de la mourante. On venait d'enlever les cerceaux de bois et la gaze qui enveloppaient son corps et elle gisait nue sur un grand drap de velours noir dont les plis retombaient sur le plancher. Son visage et tout son corps, extraordinairement beaux et radieux, diffusaient une douce lueur rosée, à l'exception du bras droit, enflé, rougeâtre et suintant, dont la peau tombait en loques. Les yeux grands ouverts, Joséphine lui parlait doucement, le regard perdu dans un lointain mystérieux qui la remplissait d'extase. Juliette l'écoutait avec attention, mais ne parvenait pas à saisir le sens de ses paroles. Soudain, elle tourna la tête et aperçut un petit vieillard tout chenu assis devant un harmonium. L'homme lui sourit avec bienveillance :

— Cela s'imposait ! lança-t-il, et il se mit à jouer *Gens du pays* sur un tempo si lent qu'on avait l'impression d'une marche funèbre.

Elle se retourna vers sa tante, car la présence de l'homme l'agaçait au plus haut point. Joséphine avait dressé son bras en loques d'une façon théâtrale, imitant le geste un peu prétentieux du Christ jeune homme enseignant aux sages du Temple, tel que le représentait une gravure de son *Histoire sainte* à la petite école.

— N'oublie pas, ma très chère Juliette, lança-t-elle de sa voix ample et mélodieuse, que la seule façon de te faire pardonner ta *funeste* paralysie est de me ramener ma petite Adèle.

— La voici, ma tante, répondit Juliette en se penchant vers elle, un poupon dans les bras, remplie d'une joie intense, presque insupportable, *la voici pour la vie*.

Et les deux femmes, le poupon pressé entre elles, s'embrassèrent en pleurant au son douceâtre de l'harmonium.

Juliette ouvrit les yeux. Elvina, affaissée sur elle-même, ronflait. L'esprit de la malade avait acquis tout à coup une limpidité extraordinaire. Elle regarda sa sœur un moment avec une sorte de compassion méprisante, puis l'image de Denis en larmes se faisant secouer comme un prunier lui donna un coup à l'estomac. Elle se tourna vers la photographie de Joséphine qui la regardait avec un sourire amusé dans son cadre de chêne ouvragé :

— Je te promets, murmura-t-elle, qu'avant de mourir je vais retrouver la mère de cet enfant.

Et, pénétrée d'une calme assurance, elle s'endormit paisiblement.

* * *

Le lendemain, malgré tous ses efforts, la vieille fille ne parvint pas à la convaincre de manger ni de prendre aucun médicament :

— Tête de pioche ! tu te détruis toi-même ! glapit-elle.

Une joie sauvage et pleine d'angoisse, qu'elle n'arrivait pas à contenir, se déployait en Elvina devant l'obstination de sa sœur, qui était en train de faire elle-même ce qu'elle n'aurait sans doute pas eu le courage d'accomplir.

— Je ne veux plus être servie que par mes amis, déclara Juliette calmement. Tant qu'ils ne seront pas tous ici dans ma chambre, et mon petit-neveu avec eux, je me ferme le gosier.

Vers la fin de l'avant-midi, la jeune infirmière venue pour son injection parvint à lui faire boire un demi-verre d'eau, mais rien d'autre. Juliette voyait avec une tranquille satisfaction la nervosité croissante de sa sœur, de plus en plus rongée par les remords mais toujours aussi obstinée. Dans un geste un peu puéril, elle avait vidé la chambre de toutes plumes, crayons et feuilles de papier, craignant que l'arrivée inopinée d'un des locataires ou la complicité soudaine d'une infirmière ne permette à sa sœur de rédiger ce nouveau testament qui saccagerait tous ses projets.

— J'ai faim, dit Juliette vers quatre heures. Je veux du melon.

Elvina la regarda, étonnée :

— Je n'en ai pas, répondit-elle enfin. Mais, par contre, j'ai des fraises. Elles sont magnifiques.

— Je veux du melon. Très mûr. Fondant. Ce sera mon dernier melon.

L'autre se tenait debout près du lit, un peu désemparée.

— Dommage que Denis ne soit pas là, reprit Juliette d'une voix acide. Tu aurais pu l'envoyer à l'épicerie.

Un moment passa.

— Je vais y aller, décida enfin Elvina.

— Je te défends d'aller chez le dépanneur, m'entends-tu ? Ses fruits sont infects. Je veux un excellent melon, très mûr. *Très* mûr, tu m'entends ? Il faut aller chez *Vanasse & Fortin.*

— Bon, puisque tu y tiens tant...

La porte de la chambre se referma. Puis Juliette entendit le claquement assourdi de la porte d'entrée.

— Eh bien, ma fille, c'est le moment de montrer ce que tu vaux, s'encouragea-t-elle.

Elle bougea les jambes sous les couvertures afin d'évaluer encore une fois ses forces. À plusieurs reprises au cours de la journée, profitant des absences d'Elvina, elle s'était appliquée à mouvoir ses membres pendant une minute ou deux, constatant avec un étonnement joyeux que la privation de nourriture, loin de l'affaiblir, l'avait comme allégée, diminuant cet engourdissement profond qui lui donnait l'impression de fondre peu à peu dans le néant. S'appuyant sur les coudes, les traits tirés par l'effort et l'appréhension, elle réussit à redresser le torse à demi, puis glissa l'une après l'autre ses jambes hors de la couverture et se retrouva assise au bord du lit, les talons appuyés au plancher. L'étourdissement si redouté ne s'était pas encore produit. Elle adressa un sourire à Joséphine :

— Merci, murmura-t-elle, haletante. Tu es toujours aussi serviable.

Le téléphone le plus près se trouvait dans la salle à manger. Elle avait environ dix minutes pour s'y rendre et demander de l'aide. Mais il fallait d'abord vérifier si elle pouvait tenir debout. Elle se glissa de côté vers le chevet du lit, le saisit à deux mains et, grimaçant sous l'effort, se redressa lentement. Son corps ruisselait de sueurs.

— Je ne m'y rendrai jamais, soupira-t-elle.

Fermant les yeux, elle appuya la tête contre le mur. Ses jambes tenaient bon. Alors, saisie d'une idée subite, elle se retourna, évalua la distance entre la commode et son lit et, prenant une grande inspiration, fit cinq ou six enjambées et alla buter contre le meuble. Le papier peint de la chambre commençait à prendre une apparence moelleuse et un peu floue, signe qu'un étourdissement se préparait.

— Allons, vite ! se dit-elle, les narines pincées, les lèvres agitées par un spasme.

Elle ouvrit le tiroir supérieur de la commode, se mit à fouiller fébrilement parmi des piles de serviettes et de mouchoirs et sentit enfin au bout de ses doigts une petite boîte oblongue. Elle la saisit, referma le tiroir et se laissa tomber dans un fauteuil. Allongeant les jambes, elle respira à fond plusieurs fois, la tête rejetée en arrière. Quand elle ouvrit de nouveau les yeux, le papier peint avait repris son aspect normal. Elle se releva lentement, glissa la boîte dans la poche de sa robe de nuit et se rendit d'un pas vacillant jusqu'à la porte de sa chambre.

— Qu'il est long, qu'il est long, soupira-t-elle en contemplant avec appréhension le corridor où la moquette rouge vin lui donna tout à coup l'impression d'être au fond d'un abîme.

Il lui fallut presque cinq minutes pour le franchir, les mains appuyées au mur, bousculant une profusion de photographies et de reproductions encadrées dont quelques-unes tombèrent avec un bruit mat. Il ne lui restait plus que quelques minutes maintenant pour traverser le salon en diagonale, pénétrer dans la salle à manger, puis s'approcher de la desserte sur laquelle était posé le téléphone. Elle fit quelques pas dans le salon, mais dut s'asseoir sur un bras du canapé pour reprendre haleine. La pièce s'emplissait d'un fin brouillard, mais sa pensée restait claire et précise et sa volonté, farouchement tendue vers le téléphone.

Elvina pouvait maintenant arriver d'une minute à l'autre.

— Racaille, murmura Juliette, tu ne m'auras pas...

Sa langue épaisse et sèche semblait avoir enflé, l'empêchant de déglutir. Elle attendit que le brouillard s'amincisse un peu, puis, se dressant d'un coup de reins :

— Allons, il le faut... Ma tante, c'est le temps ou jamais de m'aider.

Elle traversa le salon en titubant, franchit le seuil de la salle à manger, puis les genoux lui manquèrent et elle alla s'écraser, pliée en deux, contre la table.

Elle haletait à présent, les entrailles secouées par une horrible nausée. En entendant le cliquetis d'une clef dans la serrure de la porte d'entrée, elle comprit qu'elle n'avait plus le temps d'atteindre le téléphone. Alors, dans un effort désespéré, elle se releva, tourna le coin de la table en s'aidant des mains, tira une chaise et s'y laissa choir, le visage livide, essayant de retenir les sifflements de sa respiration.

Les pas de sa sœur se dirigèrent vers la cuisine, puis elle entendit un froissement de papier, le glissement d'un tiroir, des tintements d'ustensiles. Les deux pièces communiquant, il aurait suffi à Elvina d'allonger le cou pour apercevoir la malade.

— Donnez-moi encore une petite minute, ma tante, que je me remette un peu, implora Juliette mentalement.

La lame d'un couteau heurta le fond d'une assiette, puis les pas quittèrent la cuisine pour s'éloigner vers le corridor qui menait à sa chambre. Juliette essaya d'atteindre le téléphone, mais ses jambes refusaient de lui obéir. D'une main tremblante, elle sortit la petite boîte bleue de la poche de sa robe de nuit, souleva le couvercle et vérifia que le revolver était bien chargé. Une exclamation furieuse retentit au fond de l'appartement, suivie d'un bruit de course.

— Juliette ! Qu'est-ce qui s'est passé ? lança Elvina, affolée. Où es-tu ?

Elle fit irruption dans la salle à manger, son chapeau cloche de travers, une mèche sur le front, l'œil exorbité :

— Es-tu devenue folle ? Qu'est-ce que tu fais ici ?

Les deux sœurs s'observèrent un moment sans parler.

— Je suis venue téléphoner à mes amis, répondit Juliette d'une voix éteinte mais pleine d'assurance.

Elvina poussa un gloussement sardonique et s'approcha.

— Mais comme tu ne m'en as pas laissé le temps, poursuivit Juliette en pointant vers elle son minuscule revolver, c'est toi qui vas les appeler à ma place.

L'autre s'immobilisa, la fixa une seconde avec un drôle de regard, puis se remit en mouvement.

— Je te conseille de faire exactement ce que je te dis. Sinon je tire. Je n'ai plus rien à perdre. Mon lit est déjà une prison.

Un léger déclic se fit entendre. Elvina s'arrêta de nouveau. Elle venait de prendre conscience de la situation. Ses lèvres s'amincirent de rage.

— Tire si tu veux, espèce de vieille folle. Jamais je ne téléphonerai.

— Tu parles ainsi parce que tu penses que je n'aurai pas le cœur de le faire. Détrompe-toi. Je suis tout à fait décidée. Tu ne me laisses pas le choix. Approche-toi de la desserte et téléphone chez Bohu. Son numéro se trouve dans le petit carnet rouge près de la potiche. Et s'il n'est pas chez lui, tu appelleras Clément Fisette au *Studio Allaire*.

Elvina ne bougeait pas, le menton relevé avec défi, la bouche tordue par une grimace où la haine et la peur se mêlaient.

— Je t'en prie, murmura la malade d'une voix presque suppliante, fais ce que je te dis.

— Très bien. Puisque tu m'y forces. Mais, prends ma parole, tu me le paieras.

Elle s'approcha de la desserte, saisit le carnet et se mit à le feuilleter. Mais pivotant soudain sur elle-même, elle s'élança vers sa sœur, les bras levés.

— Elvina ! hurla celle-ci.

Personne n'entendit sa voix, car un bruit assourdissant venait de la couvrir. Le rebord gauche du chapeau de la vieille fille s'échiffa tout à coup et un petit trou sombre apparut dans le mur près du plafond.

Elvina s'était arrêtée, abasourdie, fixant Juliette d'un œil égaré. Ses lèvres exsangues palpitèrent un instant, puis elle éclata en sanglots et se précipita hors de la pièce, accrochant au passage le dossier d'une chaise avec son manteau. La chaise bascula et heurta violemment le plancher. La vieille fille crut entendre un second coup de feu. Une porte claqua contre un mur et sa voix hystérique s'éleva dans le hall :

— Au secours ! elle est folle ! elle veut me tuer !

Trente secondes plus tard, Martinek se trouvait auprès de Juliette, défaillante, toujours assise sur sa chaise, la main posée sur le revolver. Elle lui tint pendant quelques instants un discours décousu, puis, renversant la tête en arrière, la bouche béante, elle se mit à faire des yeux de poisson. Le musicien se précipita vers le hall pour chercher du secours, mais ni Fisette ni le dentiste ne se trouvaient chez eux. Il redescendit alors l'escalier quatre à quatre, quitta l'immeuble et revint bientôt avec Joseph Plourde qui pénétra dans la salle à manger, pinceau à la main, pour s'écrier :

— Broche à poule ! elle vient de trépasser !

Ils transportèrent Juliette dans sa chambre et la déposèrent sur son lit.

— Je pense qu'elle est morte, murmura le retraité, livide, en reculant de quelques pas. Je vais aller téléphoner à la police.

— De l'eau, fit tout à coup Juliette en clignant des yeux.

De violents frissons la secouèrent. Après s'être un peu reposée, elle réussit à raconter les derniers événements, tandis que Joseph Plourde appelait le médecin.

— Je vous en supplie, Bohu, il faut absolument que vous passiez la nuit dans ma chambre, cette nuit et toutes les autres, car elle veut ma mort, je vous le dis, elle travaille froidement à me faire crever.

Des sanglots l'empêchèrent de continuer.

— Allons, allons, madame Pomerleau, balbutia le musicien, calmez-vous un peu, je vais rester avec vous. Vous ne serez plus jamais seule, je vous le promets. Calmez-vous, de grâce, vous m'effrayez ! Que va dire le médecin s'il vous trouve dans cet état ?

Le docteur Bellerose arriva deux heures plus tard. Il n'était pas dans ses meilleures dispositions. Bohuslav Martinek lui expliqua tant bien que mal que la décision de ne plus recourir à ses soins ne venait pas de Juliette, mais de sa sœur. Le docteur fit une injection de *Valium* à sa patiente, car elle était extrêmement agitée et semblait par moments au bord du délire, puis s'en alla. Elvina l'attendait dans le hall, écarlate, suante, bafouillante, la chevelure défaite, et voulut l'arrêter.

— Écoutez, ma bonne dame, coupa rudement le médecin, allez donc voir un avocat pour vos chicanes de famille. Moi, ce n'est pas mon rayon.

Et il sortit.

Dix minutes plus tard, une auto-patrouille s'arrêtait devant l'immeuble et deux policiers se présentaient chez Elvina. Elle les retint presque une demi-heure à bégayer un récit embrouillé, talochant à tous moments sa chienne pressée contre ses jambes et qui semblait fascinée par les souliers des deux hommes. Ils allèrent ensuite chez la comptable. Ce fut Martinek qui les reçut.

— Oui, oui, c'est bien ici. Vous auriez dû venir un peu plus tôt. Veuillez me suivre, s'il vous plaît.

Les deux gaillards aux joues charnues plissèrent le front, intrigués, puis s'avancèrent dans l'appartement en secouant leurs longues jambes comme sous l'effet d'un trop-plein d'énergie, jetant de tous côtés des regards d'évaluateur. Le musicien ouvrit doucement la porte de la chambre :

— Elle vient tout juste de s'endormir, souffla-t-il.

Ils contemplèrent un instant cette masse informe de draps et de couvertures d'où montait une respiration bruyante et inégale et qui laissait voir des coins de chair flasque et terreuse, une mèche de cheveux gris luisante de sueur, des ongles bleuâtres. Leur air goguenard fit place à une expression grave et entendue.

— Soyez gentils, messieurs, et revenez la voir demain. Le médecin vient tout juste de lui faire une injection, elle n'est pas en état de vous répondre. Je puis vous assurer qu'il s'agit d'un accident, poursuivit Martinek en les reconduisant au vestibule. Pensez-vous qu'une femme dans un pareil état s'amuserait à tirer du pistolet ? Il faut avoir l'âme comme l'intérieur d'une cheminée pour inventer de telles histoires.

Ils partirent sans se faire prier. Quelques minutes plus tard, Rachel et Clément Fisette, arrivés en toute hâte de leur travail et à qui Martinek avait transmis le peu d'informations que Juliette avait pu lui donner, allèrent trouver Elvina. Ils réussirent tellement à l'effrayer qu'elle promit de retirer sa plainte. Ce qu'elle se garda bien de faire, tout bien réfléchi. Mais l'incohérence accrue de son récit à la seconde visite des policiers le lendemain finit par lui enlever toute crédibilité et l'affaire n'eut jamais de suites.

Rachel, Martinek et Fisette se relayèrent auprès de la comptable toute la nuit, qui fut mauvaise. Au petit matin, rassemblant ses forces, elle les appela et leur raconta la machination d'Elvina.

— Sacrée fille, murmura Fisette. Je l'étranglerais avec un lacet en sifflant une petite chanson.

Et il bougeait ses longs doigts avec un sourire inquiétant.

— Laissez au bon Dieu le soin de s'en occuper, répondit Juliette. Il y a des choses plus importantes à régler. Je n'aurai pas l'âme tranquille tant que mon testament ne sera pas refait. Je t'en supplie, Rachel, ma chérie, et vous, mon très cher Bohu, faites-moi le plus grand plaisir de toute ma vie et acceptez de devenir les tuteurs de mon pauvre Denis. L'idée de le laisser à ma sœur une journée de plus me remplit le cœur d'aiguilles.

Rachel hésita, puis consulta du regard le musicien qui lui fit un grand signe de tête, les yeux pleins d'eau.

— J'ai deux anges devant moi, murmura Juliette, transportée de joie, je me sens comme si j'étais au ciel.

— Et moi, pensa Fisette, je suis l'ange cornu, c'est ça ?

— Maintenant, poursuivit la malade, reprise tout à coup par son agitation, occupons-nous de ce testament, pendant que j'ai encore les idées claires. Appelez-moi le notaire. Vous serez mes témoins.

À deux heures de l'après-midi, tout était réglé. Elvina était déshéritée en faveur des nouveaux tuteurs, à qui incombaient les mêmes obligations envers l'enfant.

Le dentiste Ménard, venu aux nouvelles, attendait au salon. Martinek alla le chercher.

— Comment allez-vous, ma chère madame? fit-il d'une voix onctueuse en pénétrant dans la chambre.

Juliette tourna vers lui un visage épuisé mais rayonnant :

— Pas trop mal, dans les circonstances, murmura-t-elle avec peine. Mes affaires se règlent. Je pourrai bientôt prendre congé, l'âme en paix.

Rachel détourna brusquement la tête, tandis que Martinek et Fisette trouvaient un intérêt soudain dans l'observation d'une fente du plancher.

La malade fit signe au photographe de se pencher :

— Clément, mon cher, prenez les clefs de la *Subaru* dans mon sac à main sur la chaise, là, près du radiateur, et allez me chercher mon petit Denis à Philipsburg. Je veux souper avec lui.

— Aïe ! pensa Fisette, qu'est-ce que le patron va dire ? Je ne peux tout de même pas lui refuser ça, elle en est à l'étape des dernières volontés. Bah ! je travaillerai ce soir à temps simple.

Il prit le sac à main, s'empara des clefs et, se tournant vers Juliette :

— C'est comme s'il était déjà ici, madame. À tout à l'heure.

— Je vous quitte à mon tour, fit le dentiste. Je ne voudrais pas vous fatiguer.

Juliette l'arrêta d'un geste :

— Vous n'oubliez pas votre promesse, hein ? fit-elle avec un sourire étrange et douloureux.

Il fronça les sourcils :

— Laquelle ?

— Ne faites pas l'amnésique. Au point où j'en suis, votre secret ne risque pas de se répandre bien loin.

— Mais nous n'en sommes pas encore là, madame Pomerleau, s'écria l'autre avec un accent de chagrin si profond que Martinek et Rachel le fixèrent, étonnés. Vous avez encore de nombreuses années devant vous, j'en suis persuadé. Mais il faut lutter, madame, lutter ! C'est la Vie qui doit l'emporter ! Sans la Vie, à quoi ressemblerait notre planète, dites-moi ? À une grosse boule insignifiante, voilà tout. Je vous défends, fit-il en agitant l'index, de me placer avant quinze ans dans l'obligation de vous confier mon secret.

Il s'arrêta soudain, eut un sourire confus, serra la main de Juliette et partit en oubliant son chapeau.

— Qu'est-ce que c'est que cette histoire ? demanda Rachel en fronçant les sourcils.

La comptable, de plus en plus épuisée, voulut leur raconter le marché conclu entre elle et le dentiste, mais les forces lui manquèrent.

— Plus tard, murmura-t-elle dans un souffle, et elle ferma les yeux.

À six heures et quart, elle soupa avec Denis de trois cuillerées de yogourt aux framboises. Dès son arrivée, l'enfant était allé se jeter dans ses bras et la malade avait demandé qu'on les laisse seuls un moment.

— À peine trois mots de tout le trajet, racontait Fisette à ses amis dans le salon. Et pourtant, d'habitude avec moi, il n'a pas la langue dans sa poche...

Un quart d'heure plus tard, l'enfant se promenait dans le jardin en sifflotant, comme si de rien n'était. Il alla examiner sa greffe de rosier, sembla satisfait du déroulement de son expérience. Puis il téléphona à Vinh et à Yoyo pour leur annoncer son retour. Ces derniers, retenus à la maison par leurs travaux scolaires, le bombardèrent de questions. Mais Denis se montra fort discret sur les derniers événements, se contentant de répondre qu'il s'agissait « d'une farce plate » de sa tante Elvina.

Au début de la soirée, Rachel réussit à convaincre garde Doyon, suprêmement ulcérée par son renvoi, de reprendre son poste auprès de Juliette. Quelques heures plus tard, la quinquagénaire était de retour avec son regard faussement éteint, ses romans *Harlequin*, ses aiguilles à tricoter et son thermos de café sucré au sirop de maïs.

— Allez, mon bon monsieur, vous pouvez retourner à vos affaires, je reprends le gouvernail, dit-elle à Martinek, installé dans un fauteuil près du lit de la malade.

Il se leva aussitôt, cachant avec peine son soulagement, jeta un dernier coup d'œil sur Juliette endormie et quitta la pièce à pas pressés ; il devait terminer pour le lendemain un arrangement orchestral destiné au spectacle que Ginette Reno préparait pour sa rentrée d'automne. Avec un peu de chance, il pourrait terminer l'affaire en quelques heures et se remettre à l'*adagio* de son quatuor à cordes, qu'il avait dû laisser en plan deux jours plus tôt.

En mettant le pied dans le hall, il aperçut un amoncellement hétéroclite devant la porte d'Elvina. C'était les effets de Denis. La vieille fille s'était claquemurée chez elle depuis la veille, tous volets fermés, au grand déplaisir de Fisette qui aurait bien aimé coucher sur la pellicule son visage décomposé.

Elle resta invisible durant cinq jours, silencieuse et folle de rage, glissant d'une pièce à l'autre en se tordant les mains, et on aurait pu croire qu'elle s'était enfuie en Australie ou que la haine lui avait fait éclater le cerveau si de temps à autre un jappement douloureux n'avait indiqué aux occupants de l'immeuble que c'était sur Noirette, à grands coups de journaux roulés, qu'elle tentait d'assouvir sa vengeance.

9

Deux jours plus tard, le docteur Bellerose recommanda à Rachel de se tenir prête à toute éventualité. Sous l'effet de l'ascite, l'abdomen de la patiente s'était remis à grossir et de petits saignements de nez venaient de réapparaître. Juliette risquait à tous moments d'être emportée brutalement par une hémorragie de l'appareil digestif ou de sombrer dans un coma irréversible.

L'effort surhumain qu'elle venait de fournir dans sa bataille contre Elvina semblait avoir épuisé ses dernières réserves de vitalité.

— Ma volonté continue de vouloir, confia-t-elle un soir à Martinek, mais ma carcasse ne l'écoute plus.

Elle passa les jours suivants dans un état de profonde apathie. Désobéissant au médecin, qui ne permettait plus que dix minutes de visite par jour, Denis venait dans sa chambre à tous moments pour l'observer ; la plupart du temps, elle ne s'apercevait pas de sa présence.

La promesse qu'elle avait faite à Joséphine la torturait.

— Me présenter devant ma tante sans avoir retrouvé Adèle ? Il y a de quoi gâcher mon éternité.

Un soir où l'espèce de torpeur huileuse qui dissolvait de plus en plus sa conscience s'était brusquement estompée, elle fit appeler Rachel, Martinek et Fisette.

— Je veux vous demander un grand service, dit-elle. Ce sera sans doute le dernier. Je m'adresse surtout à vous, Clément, car tout le monde connaît votre habileté. Mais si, pour une raison ou pour une autre, vous ne pouviez m'aider, c'est à vous deux, fit-elle en se tournant vers

Rachel et Martinek, en tant que tuteurs de Denis, que reviendrait le soin d'engager quelqu'un de qualifié.

— Engager qui ? se demanda Fisette. Elle déparle, ma foi.

Rachel se pencha au-dessus d'elle :

— Que voulez-vous dire, madame Pomerleau ? Je ne saisis pas.

— Remontez-moi dans mon lit, voulez-vous ? fit-elle d'une voix crispée. Je vais avoir besoin de tout mon souffle.

Elle attendit quelques instants, les yeux fermés, que sa douleur s'apaise un peu. Fisette l'observait, l'œil légèrement plissé :

— Quel sens du théâtre, pensa-t-il. Elle va faire une belle mort.

— Il s'agit d'un engagement que j'ai pris il y a très longtemps, reprit Juliette, envers une femme dont je vous ai parlé souvent et que j'ai beaucoup aimée : ma tante Joséphine Deslauriers, qui est morte en juillet 1976 à l'hôpital Notre-Dame, brûlée au troisième degré. Quand ma mère était tombée malade en 1938, elle nous avait recueillies chez elle, ma sœur et moi, et nous avait élevées comme ses propres filles... C'était un être admirable... je n'en ai jamais connu de meilleur... Vers la fin de sa vie, elle s'était prise d'affection — ou plutôt de pitié, soupira-t-elle — pour une de ses petites-nièces...

— Adèle Joannette, la mère de Denis, compléta Rachel. Je sais, vous m'avez déjà raconté tout ça.

Le photographe regarda Martinek avec une moue ambiguë. Juliette fit signe au musicien de lui verser de l'eau, puis, après avoir bu une gorgée :

— C'est une pauvre fille, qui faisait déjà la vie à l'âge de quinze ans, et que je n'ai pas revue depuis 1976. Denis ne l'a jamais connue, évidemment.

Elle grimaça et prit une profonde inspiration.

— Vous devriez ménager vos forces et aller au fait, fit doucement Rachel. Jusqu'ici, je n'ai appris rien de neuf.

Juliette la regarda durement :

— Ah bon. Je voulais m'assurer que vous connaissiez l'histoire dans ses moindres détails. Je ne serai pas toujours là pour compléter.

— Ma foi, ricana intérieurement Fisette, les adieux funèbres, c'est devenu sa spécialité !

Les bras ballants, la tête inclinée, Martinek la regardait d'un air si misérable et si fourbu qu'on aurait dit qu'il était sur le point de s'effondrer.

— Le 6 juillet 1976, quelques heures avant sa mort, ma tante Joséphine, que la conduite d'Adèle inquiétait beaucoup... m'a fait venir à l'hôpital... — ceci, je ne l'ai jamais dit à personne — et m'a demandé de m'occuper d'elle... et d'essayer... si possible... de lui faire entrer un peu de jugement dans la caboche. Je le lui ai promis... et c'est ce qui me cause tant de remords aujourd'hui.

Elle ferma les yeux un moment et porta la main à sa bouche.

— Nous allons vous laisser reposer, décida Rachel, et revenir un peu plus tard.

Elle secoua vivement la tête et leur fit signe de rester :

— Nous ne nous entendions pas très bien, Adèle et moi... Elle vivait chez ma tante... avait déjà fait des fugues... Je l'ai prise chez moi... Elle avait dix-huit ou dix-neuf ans... Et puis, au bout de quelques semaines... elle a disparu dans la brume avec un mécanicien de cinquante ans... et je n'ai pas fait grand-chose pour la retracer... J'avais commencé une petite enquête... quelques jours avant de tomber malade, mais voilà, je n'irai sans doute pas plus loin...

— Sans doute pas plus loin, répéta mentalement Martinek, comme malgré lui, en imitant l'intonation de la malade. *Sol*, *sol*, *ré* dièse, *fa*, *mi*, *sol*.

Et malgré son accablement, il se répéta le bout de phrase à trois ou quatre reprises, afin de bien le mémoriser, avec son *ré* dièse en double croche et son *mi* en noire pointée.

— Est-ce que vous accepteriez de prendre ma relève, Clément ? demanda Juliette, qui se fatiguait à vue d'œil. Il faut que Denis connaisse sa mère un jour. Qui sait ? Elle a peut-être changé. Je vous dédommagerai pour vos... efforts...

— Avec plaisir, madame, répondit Fisette qui, pour la première fois, sembla ému. Vous me donnerez tous les détails... Mais vous me demandez cela inutilement, crut-il bon d'ajouter : je suis sûr que c'est vous qui finirez par la retrouver.

Elle eut un petit mouvement de la main pour montrer qu'elle n'était pas dupe de ses encouragements :

— Merci, fit-elle avec un faible sourire. Je savais que je pouvais... Je vous donnerai demain... le peu de renseignements que j'ai pu glaner.

Elle ferma les yeux une seconde fois, les rouvrit, puis, s'adressant à Martinek et à Rachel :

— Vous deux, à présent... Plusieurs choses... Je vous ai nommés tuteurs de Denis... Mais il faudra consulter un avocat... Avant que vous puissiez l'être légalement, il faudra sans doute destituer... Adèle de ses droits... Mais voir auparavant... après qu'on l'aura trouvée... si elle pourrait s'occuper de son garçon... C'est très compliqué, soupira-t-elle.

— Mais non, au contraire, répondit Rachel, c'est très clair.

— Ne vous inquiétez pas, ajouta Martinek d'une voix étranglée. Nous nous occuperons de tout.

— Autre chose, enfin... Je veux ajouter... une clause... dans mon testament... de l'argent en fidéicommis pour Adèle... si elle le mérite... Ce sera à vous de... Mes idées s'embrouillent. Bonne nuit... Demain matin, nous continuerons... C'est gentil d'être venus... J'ai de bons amis, murmura-t-elle lorsqu'elle fut de nouveau seule avec garde Doyon, cela m'aide à supporter bien des choses...

Et elle s'enfonça dans une lourde torpeur.

Fisette, Rachel et Martinek remontèrent chez eux en silence. Denis avait refusé de les suivre pour demeurer auprès de sa tante. La cage de l'escalier donnait à leurs pas une résonance un peu lugubre. La pénombre et une odeur de poussière et de renfermé — l'inaction de Juliette commençait à paraître à mille petits signes dans l'édifice — créaient chez eux une sensation d'étouffement.

— Allons, ne pleure pas comme ça, fit Martinek en serrant Rachel contre lui. Elle ne serait pas contente de toi.

Et au même moment, le thème que Juliette, sans le savoir, lui avait inspiré éclata dans sa tête avec une ampleur si magnifique et si désolée qu'une envie soudaine de se retrouver au piano devant du papier réglé s'empara de lui et le fit trébucher dans l'escalier, sous l'œil étonné de ses compagnons.

* * *

Au milieu de la nuit, Juliette fut brusquement prise de vomissements biliés mêlés de sang ; l'accès, extrêmement violent, dura par intermittence jusqu'au petit matin et la laissa dans un état semi-comateux qui annonçait une fin imminente.

Elle semblait beaucoup souffrir. Le docteur Bellerose, appelé d'urgence, lui fit une injection de *Démerol.* Elle ouvrit les yeux.

— Comme c'est long, murmura-t-elle en levant vers le médecin un regard noyé de fatigue.

Et le sommeil l'emporta aussitôt.

* * *

Elle flotte dans un tunnel de ouate, faiblement illuminé. Le tunnel ne semble pas avoir de fin. Ou peut-être n'a-t-elle pas la force de l'imaginer. Elle avance lentement, interminablement. Une douleur sourde, affaiblie, d'une affreuse douceur, l'atteint de temps à autre au côté droit. Elle flotte, immatérielle, mais une immense sécheresse dans tout son corps lui rappelle constamment qu'elle est bien de ce monde. La monotonie de ce voyage interminable tue son attention. Une vague sensation d'étouffement affleure parfois à sa conscience, mais elle n'a pas la force de s'y arrêter. Elle n'a plus la force de vivre. Elle a abandonné cette vie trop lourde il y a quelques jours déjà. Elle se laisse aller à ce doux sommeil monotone qui l'entraîne vers un inconnu impénétrable. Et qu'elle souhaite ainsi. Au-dessus d'elle, de temps à autre, résonne une voix, un murmure étouffé. On prononce parfois son nom. Une main touche sa peau, mais ce n'est plus sa peau. C'est une peau irréelle, dont elle prend conscience avec un étonnement mêlé d'indifférence. Elle sent parfois ses lèvres bouger. Les mots affleurent à son esprit et s'évaporent aussitôt.

* * *

Au milieu de l'après-midi, elle émergea tout à coup de sa torpeur.

— Je viens de faire un rêve étrange, murmura-t-elle à garde Doyon. Je sais maintenant que je serai morte demain.

— Allons, allons, vous vous abîmez le moral avec toutes ces folies ! Regardez plutôt par la fenêtre, fit la garde avec un entrain de commande, ce beau ciel bleu sans nuages qui a brillé toute la journée... Est-ce que ça ne donne pas envie de devenir un petit oiseau ?

— Un petit oiseau ? répéta Juliette en fronçant les sourcils.

Elle contempla les grosses jambes et le derrière plantureux de son infirmière, marmonna quelque chose pour elle-même, puis :

— Faites-moi venir tout de suite Clément Fisette, ordonna-t-elle d'un ton sans réplique.

Garde Doyon téléphona au *Studio Allaire* et vingt minutes plus tard, le photographe apparaissait dans la chambre. Ils causèrent seul à seul une dizaine de minutes. Fisette, ravi, prenait des notes dans un petit calepin noir posé sur ses gros genoux osseux. Puis Juliette fit revenir son notaire pour faire ajouter dans son testament les dernières dispositions dont elle avait discuté la veille avec ses amis.

— Tout sera exécuté selon les règles de l'art, madame, assura maître Gauthier en faisant voltiger sa main droite comme un prestidigitateur. Vous serez absolument enchantée.

Sous le regard stoïque de Juliette, il allait et venait dans la chambre, tout en sourires, secouant ses boucles blondes, se dépensant en mots d'esprit, frivole et insouciant comme un fils de famille pris de champagne sur un navire de plaisance, tandis que garde Doyon, penchée sur son tricot, manifestait son agacement par de furieux mouvements d'aiguilles.

— Je viendrai vous porter votre parchemin en début de soirée pour la signature. Mais promettez-moi de ne pas prendre la poudre d'escampette en mon absence, hein ? Je veux une main bien vivante et bien souple. Pour nous autres, pauvres notaires, la calligraphie est à peu près la seule consolation qui nous reste ici bas !

— Ah ! une minute de plus, éclata garde Doyon quand il fut parti, et je lui faisais avaler ses petits souliers vernis. Et dire que vous confiez vos dernières volontés à cette cervelle de crème fouettée !

Et elle se remit à son tricot avec une énergie farouche.

— Tout à l'heure dans mon rêve, j'ai entendu de la musique, fit Juliette comme si la visite du notaire venait de s'évaporer brusquement de son esprit.

— Une musique reposante, j'espère ? Vous avez tellement besoin de calme.

— La musique qu'il faut entendre avant de mourir. Et c'est monsieur Martinek qui l'a composée un soir du mois de juin.

Garde Doyon leva la tête et fronça les sourcils devant des paroles aussi étranges.

— Mon petit bobichon, fit Juliette en tournant la tête vers Denis qui venait d'entrer et s'était assis près d'elle, la fixant d'un regard intense, va vite demander à monsieur Martinek de venir me trouver. Je veux me faire un dernier plaisir. Approchez-vous, Bohu, dit-elle en entendant les pas du musicien qui arrivait, suivi de l'enfant. Mon Dieu, que vous êtes rouge... On dirait que quelqu'un vous a jeté de l'eau bouillante en plein visage...

— C'est que je travaille à un quatuor, madame, et que les choses vont très bien.

— Eh bien, tant mieux, je suis contente pour vous. Ce sera une autre belle chose à écouter. Vous rappelez-vous cette musique pour violon et piano que vous aviez jouée une nuit au début de l'été, juste avant un gros orage ?

Martinek sourit :

— C'était ma troisième sonate, madame.

— Eh bien, je ne vous l'ai jamais dit, mais cette nuit-là, en l'entendant, je me suis sentie si heureuse — si heureuse et si triste, mais de cette tristesse, vous savez, qui soulage le cœur, qui... réconcilie avec la vie, qui... que... enfin, je ne sais trop quoi vous dire... Les Douze Apôtres ont dû se sentir un peu comme moi quand le Saint-Esprit est descendu sur eux sous forme de langues de feu... Pourquoi souriez-vous ? Vous croyez peut-être que je déparle ?

— Du tout, madame Pomerleau, répondit le musicien, ému. Je souris... de plaisir. On ne me dit pas ce genre de choses très souvent.

— On devrait.

Elle fit une pause. Garde Doyon s'approcha du lit :

— Pas de conférence, hein ? ça vous met à bout, fit-elle en épongeant le front de la malade avec un mouchoir (Martinek remarqua une tache de sang grosse comme le pouce sur un des coins).

— Eh bien, figurez-vous, reprit la comptable au bout d'un moment, que cette musique m'est revenue en tête tout à l'heure pendant que je dormais.

Elle le regarda fixement :

— Je voudrais l'entendre encore une fois avant de mourir, jouée par vous et par Rachel, devant moi.

Pendant quelques secondes, Bohuslav Martinek fut incapable de parler. Puis, d'une voix curieusement gutturale, luttant contre les larmes, les muscles du visage et de la gorge tendus à se rompre :

— Avec plaisir, madame Pomerleau. Quand... vous voudrez.

— On pourrait me transporter ce soir dans le salon... Qu'est-ce qui ne va pas ? Il y a un problème ?

— C'est que je viens de penser tout à coup... Votre piano... j'ai remarqué l'autre fois en donnant ma leçon... Avez-vous eu le temps de le faire accorder ?

— Non, j'ai oublié. J'aurais dû, n'est-ce pas ?

— C'est qu'il joue faux, madame, répondit le musicien avec un sourire embarrassé.

Juliette le regarda en silence, puis :

— Ce ne serait pas trop compliqué, dites, de faire descendre le vôtre chez moi ? le supplia-t-elle doucement.

— Euh... non, absolument pas... Il suffit de trouver trois ou quatre bons hommes...

Denis sauta en bas de sa chaise, tout excité :

— Monsieur Prévost et son garçon ! Ils sont très forts ! L'autre jour, je les ai vus bouger une pierre grosse comme le fauteuil !

— Oh ! mais, j'allais oublier, fit Martinek en portant la main à sa joue. Il y a un petit problème... Rachel a organisé une répétition ce soir avec trois autres musiciens. Figurez-vous qu'elle vient de fonder un quatuor à cordes. C'est leur première rencontre. Ils ont eu beaucoup de mal à trouver une date qui convienne à tout le monde... Mais n'importe, je vais arranger cela, décida-t-il brusquement. Il y aura concert ce soir chez vous, madame ! Vous ne pouvez savoir combien cela me fait plaisir.

Vingt minutes plus tard, monsieur Marcel Prévost et son fils Marcel, tous deux concierges-plombiers-mécaniciens-terrassiers-menuisiers-peintres-électriciens à temps partiel ou à temps plein, assistés d'un cousin de deux mètres dix arrivé de Terrebonne pour faire démonter la transmission de sa *Chevrolet*, soulevaient le piano avec trois grimaces d'effort synchronisées et commençaient une longue descente émaillée de plaisanteries cochonnes. Rejointe chez madame Turovsky où elle prenait sa leçon de violon, Rachel avait décidé sur-le-champ d'annuler la répétition du quatuor, qui fut reportée à la semaine suivante. Elvina entrebâilla doucement sa porte, alertée par les rires, halètements, ordres et contrordres qui emplissaient la cage de l'escalier. Noirette glissa le museau dans l'entrebâillement, mais, en se refermant d'un coup, la porte lui pinça le bout du nez et le hurlement qui en résulta faillit transformer la descente du piano en déboulade.

Il était cinq heures trente et l'instrument venait d'entrer verticalement dans l'étroit corridor qui menait au salon de Juliette, lorsque le dentiste Ménard apparut dans le vestibule, tenant dans ses bras une grosse boîte de carton ficelée dont le poids le faisait avancer comme une Chinoise à petits pieds.

Martinek, radieux, s'avança vers lui :

— Bonjour, docteur, je suis content de vous voir. Vous êtes invité ce soir à un concert intime chez madame Pomerleau.

— Un concert intime? Ah bon, fit le dentiste en déposant précautionneusement sa boîte par terre.

— Madame Pomerleau désire entendre quelques-unes de mes compositions. Ce sera le premier concert tout Martinek en terre d'Amérique.

Le dentiste tendit la main au musicien :

— Je me ferai le plus grand plaisir d'y assister. C'est à quelle heure ?

— Sept heures tapant, fit Rachel en apparaissant dans l'embrasure.

Elle s'avança et, baissant la voix :

— Elle est déjà très fatiguée. Il ne faudrait pas que ça tourne en catastrophe.

— Gare à l'épistaxis, qui pourrait être massive.

La violoniste fronça les sourcils :

— Épistaxis ? Qu'est-ce que c'est que ça ?

— Saignement de nez, si vous voulez.

Il se pencha, reprit sa boîte :

— Eh bien, à ce soir. Je vous promets d'être ponctuel.

Martinek et Rachel se rendirent au salon où les trois hommes étaient occupés à revisser les pattes du piano.

— Où voulez-vous qu'on le mette ? demanda Marcel Prévost père.

— Devant la fenêtre, au fond de la pièce, indiqua Rachel.

Martinek saisit le tabouret et se plaça devant le clavier :

— Voyons s'il a bien supporté le voyage...

Il exécuta une série de gammes chromatiques, puis attaqua un morceau brillant et emporté, plein d'accents dramatiques.

— Tiens, ta *Fantaisie sur des thèmes slovaques*, fit Rachel. On retourne à ses œuvres de jeunesse ?

Dans sa chambre, Juliette ouvrit les yeux et sourit à garde Doyon. Les trois hommes s'étaient tus et contemplaient le musicien, leurs visages encore brillants de sueurs. Marcel Prévost fils retira lentement de sa bouche la cigarette qu'il allait allumer et fit deux pas vers Martinek, comme sidéré. Prévost père se pencha à l'oreille du cousin de Terrebonne et, montrant son fils du menton :

— Y'allait pas encore à la petite école que la belle musique lui faisait cet effet-là. Quand il en entend jouer, le plancher pourrait lui partir de sous les pieds, je pense qu'il s'en apercevrait pas. C'est pour dire, hein ? Et moi qui a de la misère à faire la différence entre un violon et un sifflet de locomotive...

— Il joue bien en tabarnouche, se disait le jeune Prévost. J'ai jamais rien vu de pareil.

Rachel posa la main en souriant sur l'épaule de Martinek :

— Dis donc, Bohu, tu la connais par cœur ?

— Je l'aime bien, cette fantaisie. Elle me rappelle mes premiers mois à Paris, rue de l'Université. Eh ! Denis ! lança-t-il en s'arrêtant tout à coup.

On entendit des pas en provenance de la chambre de Juliette et l'enfant apparut au bout du corridor :

— Bohu, ma tante voudrait dormir un peu pour être en forme ce soir, annonça-t-il d'une voix sourde.

La tristesse de son regard saisit tous les assistants. Martinek lui fit signe d'approcher :

— Qu'est-ce que tu dirais de jouer ce soir la petite étude pour les arpèges que je t'ai composée le mois dernier ? Ça ferait tellement plaisir à ta tante !

— J'essaierai, dit l'enfant.

— Eh bien, nous autres, on va faire un boutte, annonça Prévost père. J'ai une transmission à remonter avant huit heures, moi.

Garde Doyon apparut dans l'embrasure et se dirigea vers lui :

— Voilà pour vous trois, de la part de madame Pomerleau.

— Mais c'est beaucoup trop ! protesta l'homme, ravi.

— Beaucoup beaucoup trop, reprirent ses compagnons en essayant de ne pas fixer les billets.

Après quelques politesses, ils sortirent. Le jeune Prévost marchait sur le trottoir, les mains dans les poches, de plus en plus distancé par les deux autres qui se retournaient vers lui en riant.

— En tout cas, il joue mauditement bien, conclut-il à voix haute.

Et il se mit à siffler le thème de la fantaisie.

* * *

Le dentiste Ménard se brossa longuement les dents, alla à la cuisine se verser un verre d'eau minérale (il se faisait une règle d'en boire au moins quatorze par jour), enfila son veston, vérifia le nœud de sa cravate, puis s'arrêta, pensif, devant l'agrandissement d'une photo prise à Nagasaki le 10 août 1945 au lendemain du bombardement. Dans un éparpillement de débris lunaire se dressait un pan de mur calciné, percé de fenêtres béantes. Sur l'appui de l'une d'elles, au-dessus d'un entrelacement de ferraille tordue, une petite bouteille brillait au soleil, à demi fondue.

Il soupira et sortit de chez lui.

— Si elle n'était pas si malade, murmura-t-il en descendant l'escalier, je lui demanderais de faire poser des plaques de caoutchouc sur ces marches. Cela éviterait des chutes.

Parvenu dans le hall, il épousseta quelques pellicules sur son épaule gauche, s'avança devant la porte de Juliette, vérifia son nœud de cravate une seconde fois, puis frappa trois petits coups. Denis vint lui ouvrir :

— On vient de la faire asseoir au salon, annonça-t-il gravement.

Juliette, calée par des coussins, ses jambes énormes allongées sur un pouf, accueillit le dentiste avec un sourire courageux et lui fit signe de venir s'asseoir près d'elle :

— Ils sont gentils, n'est-ce pas ? Tout ce branle-bas pour moi !

Ménard s'inclina et lui serra la main.

— Je dirais même qu'ils ont un cœur d'or, renchérit-il en prenant place.

Et il jeta un coup d'œil à la dérobée sur le visage livide et altéré de la malade, où se multipliaient depuis quelque temps de minuscules étoiles rougeâtres, causées par des éclatements de capillaires.

Assise sur le canapé, un tricot à la main et faisant danser ses aiguilles à petits coups saccadés, garde Doyon décrivait à Clément Fisette son profond amour pour la musique et, particulièrement, pour la java. Rachel, en robe de lainage vert pâle, les cheveux relevés derrière la tête par un ruban vert qui découvrait sa longue et noble nuque, accordait discrètement son violon, tandis que Martinek, installé au clavier, le dos arrondi, tournait fébrilement les feuilles d'une partition.

— C'est ennuyeux, il me manque la page 14, soupira-t-il. Comment diable allons-nous jouer ce morceau ?

Denis se leva, alla ramasser une feuille sous le piano, la remit au musicien et, sévère et tendu, revint s'asseoir à sa place. Fisette coula un regard vers Juliette :

— Ma foi, c'en est presque indécent, marmonna-t-il. On dirait qu'elle assiste à ses propres funérailles...

Ce fut un concert mémorable, et pour bien des raisons.

Martinek joua d'abord avec Rachel ses *Quatre scènes de cirque* (*La levée de la tente*, *Le bouffon dans sa loge*, *L'éléphant malade*, *Le singe et l'acrobate*). Il s'agissait d'une œuvre de jeunesse, brillante et colorée, pleine de trouvailles cocasses, que le musicien et son amie exécutèrent sans trop de fausses notes et qui mit tout le monde en train.

Une impatience fébrile s'empara des auditeurs, comme si un événement important, mais imprévisible, était sur le point de se dérouler sous leurs yeux.

Rachel déposa son violon sur un guéridon et alla s'asseoir près de Martinek afin de tourner les pages.

— J'ai l'honneur, madame Pomerleau, annonça le compositeur d'une voix nasillarde et haut perchée qui fit naître des sourires, d'essayer de jouer devant vous une petite fantaisie pour piano intitulée *Le train de nuit*, pièce à peu près inexécutable mais que j'aime beaucoup, composée pour mon ami le dramaturge Georges Neveux en guise de cadeau d'adieu trois jours avant mon départ de la France, le 7 octobre 1970.

Il fronça les sourcils à plusieurs reprises, changea de position deux ou trois fois sur son tabouret, plia et déplia les doigts, frotta longuement ses mains l'une contre l'autre et se lança enfin dans l'exécution du morceau.

Au moment où ses doigts entraient en contact avec le clavier, le dentiste Ménard aperçut par la fenêtre à demi ouverte la tête de Marcel Prévost fils au-dessus de la clôture, en train d'examiner les piquets avec une attention tellement concentrée que sa vie semblait dépendre de leur sort. Le dentiste voulut faire signe à Juliette. Elle ne voyait déjà plus personne. Le torse légèrement rejeté en arrière, les mains posées sur son ventre gonflé d'une façon grotesque par l'ascite, elle écoutait Martinek, un imperceptible sourire aux lèvres, subjuguée par la musique et inconsciente des grimaces et des petits grognements que chaque fausse note tirait du musicien, qui peinait au-dessus du clavier en se maudissant de ne pas avoir joué la pièce depuis trois semaines. Et pourtant, le *Train de nuit*, malgré son exécution un peu laborieuse, faisait une impression profonde, non seulement sur Juliette mais sur tous les auditeurs. Garde Doyon avait même cessé de tricoter et fixait le piano, la tête légèrement penchée de côté, comme un chien qui entend un bruit bizarre. C'était une pièce plutôt sombre, bâtie sur un long thème polytonal et emportée dans un mouvement irrésistible, sans cesse changeant, avec des arrêts soudains où, après un moment d'hésitation, la musique semblait s'élever tout à coup dans une lumière cristalline à des hauteurs vertigineuses, donnant à l'auditeur l'impression de voir le spectacle poignant de la vie humaine.

Rachel tourna la dernière page et Martinek immobilisa peu à peu son train quelque part dans la nuit, une nuit presque opaque, traversée d'un point de lumière unique, faible et tremblotant, dont on se demandait si l'étoile qui l'avait produit était encore vivante.

— Et voilà, fit-il en se tournant vers l'auditoire. Excusez les fausses notes.

Le silence régna un instant dans la pièce.

— Merveilleux, murmura le dentiste, qui se mit à applaudir, suivi peu à peu de ses compagnons.

Debout derrière la clôture et apparemment insoucieux qu'on l'aperçoive ou pas, Prévost fils fixait la fenêtre d'un air absent.

Martinek se leva avec un sourire enfantin et, les mains le long du corps, l'œil à demi fermé, salua à deux ou trois reprises, prenant plaisir à se laisser emporter par l'illusion qu'il se trouvait dans une salle de concert devant des milliers d'inconnus devenus ses admirateurs.

— Ça vous a plu ? demanda-t-il à Juliette.

Elle hocha vivement la tête.

— Eh bien, maintenant, c'est à ton tour, Denis.

L'enfant se leva, tout rouge, jeta un regard à sa tante, qui lui fit un geste d'encouragement, et alla s'asseoir au piano, où Rachel venait d'installer la partition :

— *Étude numéro deux pour les arpèges*, annonça-t-elle joyeusement, composée tout exprès pour monsieur Denis Joannette.

— Et que je vais jouer pour ma tante, compléta l'enfant avec un sourire timide.

— Je vis le plus beau moment de ma vie, murmura Juliette, les traits relâchés, le regard vague et un peu perdu, comme si elle avait été sous l'effet d'un puissant médicament.

L'étude, assez courte et d'un caractère vif et enjoué, égaya les esprits, que l'œuvre précédente avait quelque peu assombris. On applaudit vivement le jeune pianiste, qui retourna à sa place le regard vissé au plancher. Juliette fit alors signe à Martinek de s'approcher :

— Est-ce que vous allez jouer *ma musique de nuit* ? lui souffla-t-elle à l'oreille.

— Oui, oui, nous ne l'avons pas oubliée. Nous la gardons pour la fin. En fait, nous avons l'intention de jouer toute la sonate, qui est en trois mouvements... à moins que vous ne vous sentiez trop fatiguée ?

— Non, non... je n'en aurai jamais assez ! Je vous assure, Bohu, ajouta-t-elle en le fixant avec des yeux brillants de larmes, vous ne pouvez savoir... je me sens si reposée, ce soir... pour la première fois depuis des semaines et des semaines... Je ne sais ce qui se passe... Allez, ne vous gênez pas, jouez toute la musique que vous pourrez...

Martinek prit sa main flasque et décharnée et la baisa, au grand plaisir des assistants, puis retourna au piano et donna le *la* à Rachel, qui avait repris son violon. Soudain, levant la tête, il aperçut par la fenêtre Prévost fils en train de se gratter le bout du nez et lui fit un signe amical. L'autre, confus, détourna aussitôt le regard et s'éloigna.

— Mais non, restez, restez ! s'écria-t-il en se levant de son siège, enchanté par la vue de cet auditeur imprévu qui transformait à ses yeux ce concert intime en un événement public.

— Qu'est-ce qui se passe ? demandèrent à l'unisson les trois femmes.

Adrien Ménard eut un sourire débonnaire :

— La culture étend ses bienfaits jusque dans la classe laborieuse. Notre jeune déménageur de piano a pris goût à l'instrument...

— Je ne sais comment vous faites pour vous exprimer avec autant d'élégance, remarqua Fisette en plissant narquoisement les yeux.

Le dentiste lui jeta un regard surpris, mais ne répondit rien.

— Allons-y, Bohu, souffla Rachel au musicien en lui montrant Juliette, elle se fatigue à vue d'œil.

— Mesdames et messieurs, lança Martinek d'une voix vibrante et sonore qui lui était inhabituelle, je dédie la sonate pour violon et piano que nous nous apprêtons à jouer à madame Juliette Pomerleau, ma propriétaire et mon amie, à qui je souhaite une longue, très longue vie !

Il s'installa au clavier, échangea un long regard avec Rachel, qui se tenait debout près du piano, son violon glissé entre l'épaule et le menton, l'archet suspendu, et se lança avec impétuosité dans l'introduction du premier mouvement. Quelques minutes plus tard, garde Doyon, qui commençait à trouver que le concert, tout élevé et instructif qu'il fût, prenait une ampleur légèrement soporifique, comme certaines grand-messes, tourna son regard vers Juliette :

— Miséricorde ! s'écria-t-elle intérieurement, est-ce qu'elle serait en train de filer doucement vers le bon Dieu ?

La tête rejetée en arrière, la bouche légèrement entrouverte, le regard éperdu, sa patiente semblait en effet sur le point d'échapper aux conditions de la vie terrestre. La garde toucha Fisette du coude ; il se tourna vers elle, puis regarda à son tour Juliette :

— C'est l'extase, se dit-il avec un haussement d'épaules. Moi, je préfère l'autre.

Et il se remit à reluquer Rachel à quelques pieds devant lui. Les deux jambes écartées, cambrant et ployant sa taille souple, la tête penchée au-dessus de son violon, les mâchoires serrées, elle semblait dans un autre monde et son imperceptible sourire exprimait le plaisir étrange et indicible d'être à la fois l'instrument et la source de cette musique ardente et passionnée.

Martinek, dont la partie était difficile et très élaborée, se tirait mieux d'affaire que dans les deux premières pièces, arrivant sans trop de peine à se maintenir au niveau de l'intensité expressive de sa compagne. Il avait particulièrement soigné la fin du mouvement, qui se terminait par une série ascendante d'arpèges et d'accords *staccato* d'un effet flamboyant. Les applaudissements éclatèrent.

— Bravo ! cria le dentiste Ménard, pris d'un enthousiasme croissant et qui en oubliait de rajuster son nœud de cravate.

Le deuxième mouvement, marqué *adagio*, commençait avec des montées de gammes sages et lentes et se déroulait dans une atmosphère de simplicité sereine qui fit surgir dans l'esprit de Juliette des impressions d'enfance, indéfinissables et poignantes, oubliées depuis longtemps. Une ambiance de calme et de douceur s'établit peu à peu dans le salon, rendant encore plus ardue la lutte de garde Doyon contre le sommeil. Le dentiste Ménard perdit un peu de son air studieux et engoncé, allongea lentement les jambes et, sans qu'il s'en aperçoive, sa respiration se libéra. Avec le troisième, ce mouvement était le favori de Denis. Il aurait passé des heures à regarder Rachel en train de le jouer, car alors, son visage ferme et vif, où se lisait une volonté ambitieuse et têtue sans cesse en action, s'imprégnait d'une douceur qui jetait l'enfant dans un trouble enivrant. Il arracha son regard de la violoniste et le porta sur sa tante. Seule une mince raie brillante qui traversait ses yeux presque fermés empêchait de croire qu'elle dormait. Il contempla son corps ravagé et déformé par la maladie et dut serrer les dents pour contenir ses larmes. Juliette ouvrit tout à coup les yeux et lui adressa un sourire.

— Mon Dieu, se dit-elle au bout d'un moment, qu'il est facile au fond de mourir.

Vint enfin le dernier mouvement, qui lui avait fait une telle impression lors de cette nuit d'orage du mois de juin où un camionneur chaudasse était entré en collision avec son passé. C'était le plus beau mouvement de la sonate. Il la terminait comme une flèche termine une cathédrale. Le piano débutait seul par de lentes coulées de notes qui se mêlaient les unes aux autres, créant un étrange et doux envoûtement. Alors le violon se mit à jouer, faisant entendre une supplication si douce et si émouvante que chacun comprit qu'on parlait de lui-même, de ses plus profonds secrets et de la vanité sublime et courageuse de lutter contre le néant.

— Au diable les convenances, se dit Juliette, et elle cessa de retenir ses larmes.

D'autres yeux se mouillèrent et tous regardaient avec un étonnement respectueux cet homme d'apparence si effacée, qui exerçait sur eux une emprise aussi profonde. Mais le morceau changea bientôt de caractère. Comme si elle était devenue incapable de se maintenir plus longtemps à la hauteur qu'elle venait d'atteindre, la mélodie se fragmenta tout à coup, devint méconnaissable et le violon, appuyé par les déchaînements du piano, se lança dans une danse saccadée, qui prit une allure de plus en plus frénétique et joyeuse pour s'achever triomphalement aux accords en majeur du piano, comme si la vie venait de gagner sur tous les fronts à la fois.

Martinek se leva, le front brillant de sueur, prit la main de la violoniste et l'éleva au-dessus de sa tête en s'inclinant d'une façon un peu théâtrale. Les applaudissements crépitaient dans le salon. Juliette Pomerleau faisait de son mieux pour s'y joindre, mais il était visible que ses forces l'abandonnaient. Tout le monde avait la vague conscience qu'un événement capital venait de se produire. Martinek et Rachel vinrent embrasser la malade.

— Allons, pourquoi pleurez-vous comme ça ? lui reprocha affectueusement Rachel.

— Comme c'était beau, murmura-t-elle. Comme vous avez su trouver... ce qu'il fallait dire... Ah ! Monsieur Martinek, je ne crains pas de l'affirmer... vous êtes un génie !

— Oh la la ! s'esclaffa-t-il, rouge de plaisir, vous voulez m'assommer à coups d'encensoir, à présent ?

Garde Doyon entoura les épaules de sa patiente :

— Il faut vous reposer un peu, maintenant. Vous avez eu assez de belles émotions pour aujourd'hui.

Les joues mouillées de larmes, Juliette dodelinait de la tête en souriant. On la transporta dans son lit où elle s'endormit aussitôt.

Quelqu'un frappa à la porte. Denis alla ouvrir, puis recula, saisi.

— La police ? murmura Fisette en s'approchant. Oui, monsieur, qu'est-ce que je peux faire pour vous ?

— Bonsoir, messieurs dames. Je m'excuse de vous déranger, fit un jeune policier en frottant nerveusement du pouce un bouton de sa veste, mais les locataires se plaignent que vous faites trop de bruit.

— Les locataires sont tous ici, sauf un — ou plutôt une — et je ne vous la souhaite pas.

Le policier sourit et frotta son bouton avec une vigueur accrue.

— Nous avons organisé un petit concert, reprit Fisette, pour une de nos amies qui est mourante.

— Ah bon, fit l'autre, et il devint franchement confus.

Tournant la tête, il jeta un coup d'œil dans le hall, puis s'avança et referma la porte derrière lui :

— C'est qu'il est onze heures vingt... Essayez de jouer un peu moins fort, voulez-vous ?

Il contempla un instant le groupe qui s'était rassemblé devant lui et parut tout à coup fort malheureux de se trouver là.

10

Pour la première fois depuis longtemps, Juliette dormit sa nuit d'une traite et d'un sommeil si entier et si profond que garde Doyon, qui couchait maintenant dans une chambre attenante à celle de Denis afin de pouvoir répondre aux appels de la malade, se leva à trois ou quatre reprises pour l'observer et faillit croire une fois qu'elle venait de trépasser. Juliette se réveilla le lendemain vers dix heures et déclara aussitôt que la lourdeur insupportable qui l'accablait au côté droit avait considérablement diminué :

— C'est à cause de la musique de monsieur Martinek, j'en suis certaine. Cet homme, ma chère, fait des prodiges !

Garde Doyon lui répondit par un sourire compatissant et entreprit de faire sa toilette. Mais l'entrain de la malade se maintint tout au long de l'avant-midi et ne fut pas sans l'étonner un peu. Au début de l'après-midi, cependant, les choses commencèrent à se gâter. Les étourdissements recommencèrent, elle eut un petit saignement de nez, mais sa lourdeur au côté droit s'était presque entièrement dissipée. Elle dormit une demi-heure, puis demanda un grand verre de jus d'orange, qu'elle but en trois gorgées, et son estomac regimba à peine.

Vers quatre heures, Martinek se présenta à l'appartement avec les Prévost père et fils qu'il avait fait demander pour remonter son piano.

— Vous aimez la musique, vous, avait-il dit au jeune homme. Venez faire un tour chez moi, nous en faisons presque tous les soirs. Vous serez mon public.

Ce dernier avait rougi jusqu'à l'intérieur des narines en bafouillant un vague remerciement.

— Comment va-t-elle ? demanda tout bas le compositeur à la garde, venue leur ouvrir.

Elle eut une moue perplexe :

— Je ne sais trop comment dire... Elle *pense* qu'elle va mieux (c'est déjà ça de gagné, n'est-ce pas ?) et, ma foi, je ne suis pas loin de la croire. La nuit passée, elle a dormi comme une marmotte et l'avant-midi n'a pas été mauvaise non plus. Mais depuis une heure, ajouta-t-elle en écartant les doigts et en faisant pivoter sa main de côté, on est dans le couci-couça...

Elle se pencha à l'oreille du musicien :

— Imaginez-vous donc qu'elle prétend, pauvre elle, que *c'est votre musique* qui lui a fait du bien ! Je la laisse parler, évidemment... J'ai bien l'impression qu'elle va vous en redemander...

— Vers la fin, ils sont tous comme ça, lança Prévost père. Ils se raccrochent à n'importe quoi. Ma mère, elle, c'était les infusions d'herbe à dindes. Ça ne l'a pas empêchée de monter au ciel.

— Est-ce que je peux la voir un instant ? demanda Martinek.

— Deux minutes, pas plus.

Il se tourna vers les deux hommes :

— Pouvez-vous m'attendre un petit moment au salon ?

— Tout le temps que vous voudrez, monsieur Martinek, répondit Prévost père, que les soixante dollars de la veille avaient mis dans les dispositions les plus aimables.

— Je viens d'apprendre de bonnes nouvelles à votre sujet ? fit le musicien en pénétrant dans la chambre.

La malade posa sur lui un regard un peu voilé.

— Je suis contente de vous voir, Bohu, murmura-t-elle d'une voix rauque. Je voulais justement vous parler.

— Le concert d'hier soir ne vous a pas trop fatiguée, j'espère ?

— Approchez-vous... J'ai dormi ma meilleure nuit depuis trois mois... Et l'avant-midi n'était pas piquée des vers non plus... Mais les forces m'ont lâchée après le dîner. C'est malheureux... J'aurais voulu vous montrer tout le bien que votre musique m'a fait. Approchez-vous un peu plus.

Elle lui prit la main :

— J'ai une autre faveur à vous demander, reprit-elle, embarrassée.

Elle ferma tout à coup les yeux et sa respiration s'accéléra.

— Voulez-vous que je revienne ? demanda doucement Martinek.

— Non, non, répondit-elle en lui jetant un regard effrayé. Je vous ai, je vous tiens...

Puis, d'un air suppliant :

— Faites-moi encore de la musique, Bohu... Faites-m'en ce soir, je vous en prie.

— C'est que... c'est que j'ai besoin de mon piano pour travailler, voyez-vous...

— Mais je vous en achèterai, un piano, si c'est tout ce qui vous empêche. Est-ce que c'est la seule raison ? Garde Doyon, lança-t-elle d'une voix impérieuse qui étonna son compagnon, apportez-moi mon chéquier.

— Il n'en est pas question ! protesta Martinek en retirant sa main. Vous aurez tous les concerts que vous voulez. Je ne veux pas entendre parler de...

— Monsieur Martinek, fit la garde en entrant, je crois que je vais être obligée de vous demander de partir... Hé bien ! s'écria-t-elle en regardant sa patiente, voyez-moi dans quel état elle vient de se mettre ! Vous allez me faire le plaisir de vous reposer une petite heure ou deux, sinon je ne serai pas très contente !

— Tirez le store, si vous voulez que je dorme, grommela Juliette dans un souffle, et allez prendre un peu l'air. Je vous trouve le teint affreux.

Un second concert eut lieu ce soir-là et il fut suivi de plusieurs autres. Le 1er octobre, des livreurs du magasin de musique *Archambault* frappèrent une après-midi à la porte de Martinek et lui demandèrent à quel endroit il désirait qu'on installe son nouveau *Bösendorfer*.

La commisération un peu ironique avec laquelle garde Doyon avait accueilli les affirmations de sa patiente sur le bien immense que lui procurait la musique de Martinek fit place à des doutes, puis à de l'étonnement. Au bout de quelques jours, personne ne pouvait plus nier que l'état de la malade s'améliorait lentement ou, du moins, que la dégradation de ses forces s'était arrêtée. Elle dormait toutes ses nuits, avait retrouvé un peu d'appétit et les symptômes du mal qui la rongeait s'estompaient.

— Absurde ! déclara le docteur Bellerose en haussant les épaules. Des histoires de ma grand-mère ! De la musique thérapeutique ! Thérapeutique comme des infusions de bardeaux de cèdre pour le cancer d'estomac ! Mais ne la contredisez pas, tout de même. Laissez-la croire à ses sornettes... Qu'elle profite de ses beaux jours, ce sont les derniers : dans deux semaines, tout sera fini.

Il ordonna néanmoins de diminuer la médication, mais refusa tout net qu'elle quitte son lit, sauf, bien sûr, pour ses fameux concerts.

La semaine qui suivit fut marquée par un événement inattendu et désagréable. Au début d'une avant-midi, Elvina se présenta à l'appartement de sa sœur, écarlate, les cheveux ébouriffés et le visage rempli d'une haine si féroce qu'on aurait cru voir des pinces de homard s'agiter en claquant tout autour d'elle.

— Pousse-toi, je viens chercher mes choses, cracha-t-elle à Denis venu lui ouvrir.

Et bousculant son petit-neveu, elle se dirigea vers le salon. On entendit un remue-ménage de bibelots, la chute d'un objet métallique sur le plancher, des brassements de tiroirs, puis elle reparut devant l'enfant abasourdi avec un petit guéridon dans ses bras :

— C'était à ma mère. Je l'avais prêté. Je le reprends. Et ce n'est pas tout.

Elle alla déposer le guéridon dans le hall.

Denis s'élança vers la chambre de Juliette. Mais garde Doyon accourait et faillit buter contre la vieille fille qui se dirigeait vers la sortie, emportant cette fois une théière en argent et trois gros albums :

— Qu'est-ce qui se passe, madame ? Êtes-vous en train de vider la maison ?

— Je reprends mes cadeaux, siffla Elvina. Qu'elle reprenne les siens, si elle le veut. À partir d'aujourd'hui, les ponts sont coupés.

Juliette la fit demander à sa chambre ; elle refusa d'y aller et se mit à fouiner dans la maison, fourrageant dans les armoires, déplaçant les meubles, remuant les rayons de livres, une longue liste à la main, qu'elle consultait et cochait de temps à autre.

— Qu'elle prenne ce qu'elle voudra, je m'en fiche, soupira la comptable en réponse à garde Doyon, qui voulait appeler la police.

Elvina fit la navette pendant une bonne demi-heure entre son appartement et celui de sa sœur, emportant, parmi divers effets : un grille-pain automatique qu'elle avait offert à Juliette deux ans plus tôt en cadeau de Noël, de l'argenterie de famille, un kilo de raisins secs, huit centres de dentelle crochetés par la grand-mère Pomerleau, deux chandeliers de cristal, une douillette à tissu fleuri, trois livres de recettes, une cocotte-minute, deux couteaux à découper, plusieurs serviettes de lin et, finalement, une photo encadrée à laquelle la comptable tenait beaucoup, car c'était la seule photo qu'elle possédait de ses parents jeunes. Puis, se plantant devant garde Doyon :

— Je me réserve le droit de revenir n'importe quand pour reprendre un objet que j'aurais oublié, lança-t-elle dans un nuage de postillons, et elle claqua la porte.

Deux jours plus tard, le docteur Bellerose se plaignit à sa patiente de l'avalanche d'appels téléphoniques dont l'accablait Elvina, qui s'était mis en tête de faire casser le testament de sa sœur pour cause d'irresponsabilité :

— Essayez de la calmer, bon sang, ou alors envoyez-lui une mise en demeure, elle me fait perdre un temps fou. C'en est rendu que ma secrétaire a peur de répondre au téléphone. C'est une vraie taupe, cette femme : elle a même réussi à dénicher mon numéro à la campagne et avant-hier, elle me rejoignait chez le dentiste !

Elvina, seule avec sa chienne et ses vieux meubles, n'arrivait plus à contenir les masses de fureur qui s'agitaient en elle et l'étouffaient, semant le feu dans son estomac et remplissant sa tête d'un bourdonnement qui l'empêchait de suivre ses émissions de télévision et la tenait éveillée des nuits entières. Elle avait donc décidé de reprendre le sentier de la guerre jusqu'à la victoire finale.

Sa haine lui faisait faire des trouvailles. Elle s'aperçut un jour qu'on permettait maintenant à sa sœur de passer une partie de l'après-midi au salon, assise dans un fauteuil roulant tourné vers une fenêtre qui donnait sur le jardin. Un rituel s'établit donc. Dès que Juliette prenait place dans son fauteuil, Elvina apparaissait dans le jardin, allant et venant devant la fenêtre, toute habillée de noir et un missel à la main, comme si elle revenait d'un enterrement.

Sa cruauté trouva des raffinements plus sinistres encore. Un matin, à son réveil, Juliette trouva, appuyé sur le rebord extérieur de sa fenêtre, un grand faire-part bordé de noir où son visage apparaissait en fondu. Puis le téléphone se mit à sonner à toutes les heures du jour et de la nuit. Denis ou garde Doyon décrochait : on entendait des râlements au bout du fil. Le stratagème changea. À la suite d'annonces placées dans les journaux, des gens se mirent à téléphoner ou à sonner à la porte par douzaines pour vérifier si la maison était bien en vente pour 30 000 $ ou s'informer de la date du règlement de la succession.

Rachel fulminait.

— Qu'il faut être malheureux pour arriver à tant de méchanceté, soupirait la comptable.

— Laissez-moi m'occuper d'elle un peu, demanda Fisette. J'ai pensé à quelques petits trucs pour lui changer les idées.

Juliette refusa :

— Vous ne la connaissez pas... Ce serait comme taquiner un lion. Laissez-la en paix. Il faut attendre qu'elle se calme d'elle-même ; il n'y a rien d'autre à faire, mon pauvre ami.

* * *

Les *concerts du salon* (comme les appelait Denis) s'interrompirent soudain à la mi-octobre.

— Je viens de recevoir une commande urgente pour le Grand Gala de Télémétropole, expliqua Martinek à la comptable qui terminait son souper. Oh ! je n'en ai que pour quelques jours, se hâta-t-il d'ajouter en voyant sa mine.

— Quel Grand Gala ?

— Oh, le Grand Gala, le Grand Gala de la chanson, quoi, fit-il, évasif, et il détourna le regard.

— Mais vous suspendez ma médication, mon ami... Oui ! oui ! je suis absolument certaine que c'est *votre musique* qui me fait du bien ! Je le *sais* parce que je le *sens* ! Est-ce que Rachel ne pourrait pas venir le soir avec son violon me jouer des choses une petite demi-heure ?

Martinek se troubla davantage :

— C'est que, malheureusement, Rachel aussi se trouve très occupée : son quatuor à cordes va répéter trois soirs par semaine, elle vient de prendre deux nouveaux élèves... Et puis, je n'ai aucune œuvre pour violon seul...

Il la quitta presque aussitôt, car elle lui faisait peine à voir. Juliette demeura songeuse. À huit heures, après avoir fini ses devoirs, Denis vint lui faire la lecture.

— Ma tante, tu ne m'écoutes même pas, protesta-t-il au bout d'un moment.

— C'est vrai, mon lapin, excuse-moi... Je n'ai la tête à rien en ce moment. Va, je vais dormir un peu... Tu viendras m'embrasser avant de te coucher.

Quelques minutes après le départ de l'enfant, une pensée horrible lui traversa l'esprit :

— Mon Dieu... pourvu qu'*elle* ne les ait pas montés contre moi... Ce serait le restant des écus...

Elle essaya de se rassurer, mais l'angoisse la grugeait. Vers dix heures, n'en pouvant plus, elle fit venir Fisette et lui exprima ses craintes. Le photographe se mit à rire :

— Allons ! Qu'est-ce que vous allez chercher là ? Elle est bien trop niaiseuse pour réussir une chose pareille !

Mais il détournait le regard lui aussi avec un sourire énigmatique et ne semblait pas désireux de prolonger l'entretien.

Elle dormit mal cette nuit-là, mangea à peine le lendemain et dormit encore plus mal la nuit suivante.

— Mais puisque je vous dis que vous vous rongez les sangs pour rien, ne cessait de lui répéter garde Doyon.

— Vous savez donc des choses ? Alors, dites-les-moi, sueur de coq !

— Je ne sais rien, je ne sais rien, répondait la garde en arpentant la chambre. Tout ce que je sais, c'est que vous êtes en train de vous rendre malade comme jamais avec vos histoires à faire remonter la pluie au ciel.

Vers la fin de l'après-midi, garde Doyon la quitta un moment, laissant sa porte entrebâillée ; la comptable entendit alors quelqu'un pénétrer dans l'appartement et pendant le bref instant où la porte d'entrée fut ouverte, une curieuse agitation mêlée de chuchotements lui parvint du hall, puis la voix de l'infirmière se détacha tout à coup :

— Demain soir ? Mais vous rendez-vous compte ? Je ne sais vraiment plus quoi lui dire, moi !

Une tristesse lugubre envahit la malade.

— Ça y est, murmura-t-elle, j'en suis sûre à présent... *elle* m'a eue. Tout le monde m'abandonne... Eh bien, je fais comme eux...

Elle ferma les yeux, se pelotonna dans ses couvertures et on ne réussit pas à lui tirer deux mots du reste de la journée.

Le lendemain matin, à son réveil, elle aperçut les têtes de Martinek et de Rachel au-dessus de son lit :

— Je voulais attendre jusqu'à la dernière minute, fit le compositeur, mais je n'y tiens plus...

— Nous vous avons préparé une petite surprise pour ce soir, coupa Rachel. Il faut sourire maintenant, et chasser vos idées noires.

— Une surprise ? balbutia Juliette.

Elle les regardait, interloquée, l'esprit encore tout barbouillé de sommeil.

— Est-ce que vous nous permettez d'amener un ami ?

— Un ami ?

Elle eut l'impression soudaine qu'une lumière éblouissante emplissait la chambre et envahissait le jardin, dont elle apercevait un coin par la fenêtre, puis la lumière se répandit en elle, balayant son angoisse :

— Amenez un éléphant, si ça vous tente, mais vous ne sortirez pas d'ici avant de m'avoir tout raconté.

* * *

Ce soir-là, le mardi 18 octobre 1988, Bohuslav Martinek s'avança au milieu du salon devant Juliette Pomerleau entourée de ses amis et, d'une voix enjouée qui cachait mal son émotion, annonça qu'il avait terminé deux jours auparavant un trio pour piano, violon et clarinette auquel il travaillait sans relâche depuis une semaine. Il avait composé cette œuvre à l'intention expresse de Juliette, qui, sans le savoir, lui avait fourni un jour le thème principal du premier mouvement « par l'inflexion émouvante qu'elle avait donnée à un groupe de mots et qu'il n'avait fait que transcrire musicalement ».

La comptable, émue et flattée au plus haut point, l'écoutait en souriant dans son fauteuil, un verre d'eau à la main (elle buvait sans arrêt depuis le début de la journée), avec Fisette et garde Doyon à sa droite, le dentiste Ménard et Prévost fils (qu'on avait dû amener presque de force) à sa gauche et Denis à ses pieds, le dos appuyé à ses genoux.

— Il s'agit, poursuivit le compositeur, d'une petite chose en trois mouvements, que j'ai intitulée *Le retour à la vie*, pour fêter votre convalescence, madame, et pour rendre un modeste hommage au grand Hector Berlioz, qui a donné un titre semblable à une de ses œuvres — je veux parler de sa symphonie *Lélio*, que...

— Concert ou conférence ? lança Fisette sous le regard offensé de garde Doyon.

— Et c'est grâce à mon amie Rachel et au clarinettiste Théodore Boissonneault, cousin du restaurateur bien connu à Montréal, poursuivit Martinek, imperturbable, en se tournant vers un homme frisé à grosses lunettes rondes qui souriait timidement, sa clarinette à la main, que je peux vous offrir cette petite œuvre que j'ai eu tant de plaisir...

— Musique ! musique ! coupa Fisette. Je me meurs !

— Quel mal élevé ! s'exclama intérieurement garde Doyon en serrant fortement ses aiguilles à tricoter. Ma chatte pourrait lui donner des leçons de bienséance.

La « petite » œuvre en question durait 53 minutes et 16 secondes et fit une profonde impression sur les auditeurs (y compris la bonne garde). À la fin du premier mouvement, marqué *adagio*, Juliette Pomerleau s'étant mise, comme elle le décrivit plus tard, dans un « état incroyable », alla se jeter dans les bras de Martinek en pleurant, ce qui commotionna tellement Théodore Boissonneault qu'il saupoudra les deux derniers mouvements (*Scherzo* et *Allegro con fuoco*) d'une bonne douzaine de couacs retentissants.

Comme à son habitude, Juliette fit servir un goûter après le concert et, pour la première fois, se permit de grignoter une biscotte. Faisant signe à Martinek de s'approcher :

— Il faut m'enregistrer ce trio sur cassette, Bohuslav, pour que je puisse l'écouter à mon goût.

Martinek sourit et s'adressant au clarinettiste :

— Tout dépend de mon ami Théodore. J'ai l'impression qu'il n'apprécie pas tellement les séances d'enregistrement.

Le musicien s'avança, tenant avec précaution un sablé au beurre entre le pouce et l'index :

— Pour vous, madame, j'essaierai de dompter mes nerfs.

Ses yeux baignaient dans une étrange ivresse :

— Il est tellement beau, ce trio, et, en particulier, le premier mouvement. Toum, toum, toum, la la ri tetoum... Vous savez, personne ne le dit à haute voix, mais c'est un grand privilège que de vivre dans l'entourage de Bohu. Je n'arrête pas de le lui répéter, mais il n'a pas l'air de me prendre au sérieux : c'est un *très grand* compositeur. L'histoire confirmera ce que je viens de dire. À mon avis, il a presque la taille de Schubert... et je sais ce dont je parle.

Il croqua dans son sablé et alla regarder Denis qui pianotait.

Martinek se pencha à l'oreille de Juliette :

— Il est un peu bizarre, mais c'est un bon cœur... et un excellent instrumentiste ! Ce soir, on ne l'a pas vu dans toute sa forme. Vous l'avez un peu perturbé, ajouta-t-il en riant. Savez-vous qu'il a consacré sa vie à Schubert ?

— Ah bon.

— Il n'a jamais accepté que Schubert soit mort à trente et un ans. Pour lui, c'est un scandale insupportable. Alors, il a décidé de continuer son œuvre !

— Je ne comprends pas.

— Il a décidé d'écrire les œuvres que Schubert n'avait pas eu le temps d'écrire... après avoir pris soin de s'imprégner fortement de son style — ou plutôt de son âme, comme il dit.

— Vous êtes en train de me dire, mon cher, qu'il est un peu fou.

— Est-ce qu'il l'est vraiment ? Je ne saurais dire. Il s'est identifié à Schubert, mais en gardant conscience, bien sûr, que le compositeur et lui sont deux personnes différentes. Disons, si vous voulez, qu'il s'est mis entièrement à son service... dans la mesure du possible. Mais nous reparlerons de cela plus tard, fit-il en voyant que le musicien les regardait.

— Comment gagne-t-il sa vie, ce pauvre homme ? insista Juliette.

— Il enseigne la clarinette au Conservatoire. C'est un excellent professeur, vous savez.

Jamais Juliette ne s'était sentie aussi bien. Assis au piano, Denis, radieux, ne cessait de lui adresser des sourires. Il fallut que Rachel se fâche pour empêcher la malade d'aller rincer des tasses à la cuisine. Mais elle tint absolument à reconduire les visiteurs à la porte. Saisissant Martinek par les épaules, elle l'embrassa fougueusement :

— Promettez-moi de me faire souvent de la musique. Ma vie dépend de vous.

— Ah ! tiens ! Et comment ça ? riait le compositeur, rouge de contentement.

Denis se trouvait à leur côté devant la porte grande ouverte. Il vit soudain celle d'en face s'entrebâiller imperceptiblement et un verre de lunettes lancer une brève lueur. Un frisson le saisit.

— Ma tante, chuchota-t-il en tirant Juliette par la manche, viens te coucher. Il est tard.

11

Une après-midi de la fin d'octobre, vers quatre heures, Juliette était assise dans sa chambre face à la fenêtre et regardait le jardin s'assombrir peu à peu, lorsqu'une grande paix se fit en elle. Elle se mit à observer ses deux mains ouvertes, essayant de comprendre ce qui se passait, tourna la tête de tous côtés, puis se leva et se mit à faire les cent pas dans la chambre en pleurant. Elle venait de prendre conscience de sa guérison.

Le docteur Bellerose qui, depuis une semaine, la visitait deux fois par jour, n'en croyait pas ses yeux. Sa joie de voir une patiente qu'il avait prise en amitié échapper inexplicablement à la mort était un peu ternie par l'agacement et la perplexité : son verdict, et celui de toute la médecine officielle, avait été renversé, broyé et réduit en bouillie pour les chats par... mille fois rien du tout, c'est-à-dire une misérable série de concerts dont il n'avait rien à foutre et qui projetait sur toute cette histoire — et sur lui-même — une aura de ridicule. Aussi, à chacune de ses visites le voyait-on un peu plus bougon, si bien qu'un jour où il s'était montré particulièrement bourru, Juliette, dardant sur lui un petit regard acide :

— Dites donc, docteur, si je faisais une bonne rechute avec crachements de sang et coma terminal, est-ce que ça ne vous allégerait pas un peu l'esprit ?

À partir de ce moment, il fit un peu plus attention à ses manières, puis, changeant radicalement d'attitude, il décida un beau jour de rédiger sur cette guérison miraculeuse sa première communication scientifique, un rêve que sa vie de praticien surchargé de travail l'avait toujours empêché de réaliser. Pour dissiper ses derniers doutes, il voulut donc soumettre sa patiente à une batterie d'examens et réussit à la convaincre de se faire hospitaliser. Le 7 novembre, elle entrait à l'hôpital Maisonneuve où elle demeura quatre jours.

À part un état de faiblesse générale, dû à la maladie et à un alitement prolongé, les examens ne purent rien déceler. Son foie avait repris sa forme et son volume normal et métabolisait avec allégresse comme auparavant. Les analyses sanguines et les biopsies ne révélèrent aucune présence virale. Les saignements et les angiomes stellaires avaient disparu, de même que l'ascite, l'enflure des jambes et les absences.

— Est-ce que vous mettez de l'huile de saint Joseph dans votre jus d'orange, le matin ? lui demanda un médecin en riant.

— Mon cher monsieur, répondit sèchement Juliette, je me fiche de ces folies-là comme un poisson d'une paire de béquilles. C'est la musique de mon ami monsieur Martinek qui m'a guérie... et peut-être aussi les prières de ma tante Joséphine.

— Que voulez-vous que je lui réponde ? lança le docteur Bellerose quelques heures plus tard à une équipe de spécialistes réunis pour étudier ce cas étrange. Avouons-le : dans cette histoire, notre belle médecine se fait faire la barbe comme jamais.

— Vous rappelez-vous, fit un petit homme nerveux perdu dans sa chienne blanche, un certain docteur Tomatis qui traitait des enfants autistiques avec du Mozart, et non sans succès, paraît-il ?

Un murmure de désapprobation s'éleva. Le docteur Bellerose leva les bras en l'air avec une expression impuissante et résignée.

On fêta le retour de Juliette par un concert que Martinek avait préparé avec un soin particulier. La séance eut lieu dans son studio, car il voulait faire entendre à Juliette le *Bösendorfer* dont elle lui avait fait cadeau.

Rachel y donna d'abord une partita pour violon seul de Bach, qu'elle venait de présenter en audition devant un jury de sélection pour l'Orchestre symphonique de Montréal. Puis Martinek joua une transcription pour piano de la *Septième Symphonie* de Prokofiev, qu'il avait dénichée bien des années auparavant chez un marchand de musique à Paris. La soirée se termina par l'exécution d'une de ses œuvres ; il s'agissait d'un quintette à l'instrumentation inusitée, écrit pour piano, clavecin, clarinette, flûte et violon. Théodore Boissonneault avait recruté pour l'occasion deux de ses confrères du Conservatoire ; les musiciens se tirèrent assez bien des difficultés de la partition, qui était joyeuse, pleine de fraîcheur et d'idées neuves et qui produisit un grand effet.

Juliette réservait une petite surprise au musicien : huit magnifiques fusils à eau — dont une réplique fort réussie d'un pistolet *Luger Parabellum C 96* — que Denis et Clément Fisette avaient réussi à dénicher en faisant le circuit des magasins de jouets.

— Rien n'aurait pu me faire davantage plaisir, s'exclama Martinek, radieux, en examinant le *luger*.

— Même pas un autographe de Berlioz, ricana Rachel, sarcastique.

Comme la soirée était particulièrement douce pour la saison, on descendit au jardin. Juliette, au bras de Denis, y fit sa première promenade depuis le début de sa maladie, tandis que Fisette, à quelques pas derrière eux, essayait de déceler un frémissement dans les rideaux d'Elvina.

— Je suis une femme neuve, s'exclama Juliette. Même la migraine m'a laissée. Je n'ai pas eu de crises depuis deux mois.

— C'est Bohu qui t'a guérie, fit Denis en saisissant la main du compositeur.

— Ou plutôt mon départ de chez *Virilex*, pensa l'obèse. Cet affreux Ronald me sciait le crâne. Si jamais je le revois, il faut que je trouve un prétexte pour le gifler.

Deux jours plus tard, Juliette préparait elle-même le souper, qu'elle prit en tête à tête avec Denis. Au bout d'une semaine, elle pouvait vaquer à de petits travaux.

— Allez, ouste, je ne veux pas vous revoir avant trois mois, lui déclara une après-midi le docteur Bellerose dans son bureau. Vous êtes mieux portante que moi ! Mais n'oubliez pas, se corrigea-t-il aussitôt en la pointant de l'index, que vous êtes à la merci d'une récidive *n'importe quand*. Ménagez-vous, considérez-vous en sursis et faites-moi part du moindre symptôme.

Il conserva longtemps l'habitude de prendre une fois ou deux par mois des nouvelles de sa patiente et ne trouva jamais le temps, hélas, d'écrire sa fameuse communication.

— Eh bien, maintenant que je suis guérie, je n'ai plus une minute à perdre, se dit la comptable à son réveil, le matin du 22 novembre. Vite, que je retrouve cette écervelée d'Adèle. Ma tante doit s'impatienter au ciel.

Elle se rendit chez *Virilex* rencontrer son patron, monsieur De Carufel, qui s'exclama devant sa bonne mine et voulut la reprendre sur-le-champ. Après une âpre et longue discussion, Juliette réussit à lui extirper la faveur de deux mois de congé sans solde, avec possibilité de prolongation, à la condition de faire gratuitement pour la compagnie une vérification comptable mensuelle.

12

À la grande satisfaction de Rachel, que l'insouciance de Martinek pour sa propre carrière avait toujours désolée, Juliette s'occupa d'abord de convaincre ce dernier d'enregistrer sur cassettes une demi-douzaine de ses œuvres, de façon à toujours avoir sa musique à portée de la main.

— Ce seront mes nitros, lui dit-elle gravement. Si mon foie me rejoue des tours, je pourrai riposter.

— Et moi, se dit Rachel en souriant, je m'en servirai pour faire connaître malgré lui ce grand dadais, qui passe sa vie dans l'ombre comme un hibou dans un grenier.

En effet, pour Bohuslav Martinek, la carrière musicale se résumait à peu près au plaisir de composer. Trente ans plus tôt, durant son séjour à Paris, il avait bien fait quelques timides tentatives pour se faire connaître — et deux ou trois concerts de musique de chambre donnés par des amateurs à l'époque avaient connu un succès d'estime tout à fait prometteur. Hélas, son insouciance incurable — née peut-être de sa conviction intime de manquer de talent ou d'un obscur sentiment d'indignité devant le succès — avait repris bien vite le dessus et il avait continué à se prélasser dans l'anonymat comme dans un fauteuil. L'apogée de sa notoriété avait été atteint à Paris le 6 mai 1962 lorsque le critique Harry Halbreich, que des amis du musicien avaient convaincu d'assister à un concert à la salle Pleyel, lui avait consacré un article bienveillant dans *Le Monde*.

Du reste, l'intérêt que lui inspiraient généralement ses œuvres dépassait rarement le temps de leur composition. Aussitôt terminées, elles étaient mises de côté, puis oubliées et parfois même perdues, sans qu'il en fasse grand cas, d'ailleurs. Durant sa vie errante à travers l'Europe et l'Amérique (il avait quitté la Tchécoslovaquie au début de la vingtaine, s'était établi en France, puis en Suisse et enfin en Italie, pour émigrer ensuite aux États-Unis en 1972, où il avait vécu dans une demi-douzaine de petites villes de la Nouvelle-Angleterre, avant de s'établir au Québec en 1974), il avait perdu deux ou trois valises bourrées de partitions manuscrites, acceptant ce désastre avec une sérénité désarmante.

— C'est une bonne chose pour moi de perdre de la musique de temps à autre, plaisantait-il, cela me force à en composer de la meilleure.

Ses draperies de Berlioz et sa collection de pistolets à eau lui tenaient bien plus à cœur.

En 1963, lors d'un encan à Paris, il avait acheté pour une bouchée de pain de poussiéreuses draperies de velours bleu nuit toutes chiffonnées dans un sac de toile ; elles se révélèrent quelques jours plus tard comme ayant appartenu à nul autre que le compositeur Hector Berlioz, qui en avait orné son dernier domicile parisien de la rue de Calais. Encore tout bouleversé par sa trouvaille (il était grand admirateur de Berlioz et lecteur assidu de son fameux *Traité d'instrumentation et d'orchestration*), il refusa avec indignation la somme rondelette qu'un collectionneur lui offrait (Dieu sait pourtant s'il avait besoin d'argent !), ajoutant qu'il préférerait mendier pieds nus dans la neige plutôt que de s'en départir. Il prenait le plus grand soin de sa précieuse relique et on devait considérer comme un privilège de pouvoir la contempler une minute ou deux.

L'accès à sa collection de pistolets à eau était plus facile. Denis bénéficiait même de la faveur insigne de pouvoir en emprunter un de temps à autre. Il avait une préférence pour un pistolet alimenté par un réservoir sous pression de deux litres qui s'accrochait à la ceinture et permettait d'atteindre une cible à vingt mètres. Martinek ne manquait jamais une occasion d'enrichir sa collection et faisait régulièrement des tournées chez les marchands de jouets pour se procurer les derniers modèles.

Depuis que Rachel vivait plus ou moins avec lui, les partitions avaient cessé de traîner dans les endroits les plus invraisemblables. Elle s'était mise à les retranscrire patiemment, lui laissant l'original et emportant la copie à son appartement de Côte-des-Neiges, où elles étaient soigneusement rangées et classées.

— Comme c'est bizarre, disait parfois Martinek en la taquinant, qu'une si jolie femme ait des manies de sœur économe.

L'enregistrement des cassettes (il y en eut d'abord six) se fit chez le compositeur vers la fin de novembre. Sur les conseils de Fisette, Juliette retint les services d'un preneur de son que le photographe connaissait vaguement et qui était considéré comme l'un des meilleurs à Montréal. C'était un petit homme frisant la trentaine du nom de Parfait Michaud, l'air ascétique, la peau blême, méticuleux jusqu'à la manie, un verre d'eau constamment à la main, qui officiait au-dessus de sa *Nagra* avec des airs d'archevêque et ficha le trac à Martinek pendant toute une avant-midi. Il obligea les musiciens à faire des tests de son pendant deux heures et fit tellement promener le piano en tous sens dans le studio qu'une fissure apparut dans la rosette de plâtre du salon d'en dessous. La musique de Martinek l'enthousiasma. À la fin de la journée, il offrit de transférer gratuitement sur cassettes les enregistrements.

— Vous verrez, vous ne serez pas déçus, promit-il en dressant un doigt qui, pendant quelques secondes, sembla l'axe même autour duquel tournait la terre.

Pendant ce temps, Juliette Pomerleau ne perdait pas son temps à rêvasser et avait recommencé ses recherches.

Il s'agissait d'abord de retracer Roger Simoneau, le camionneur qui l'avait réveillée lors de cette inoubliable nuit de juin, la tirant du même coup de son indifférence pour Adèle. À Rachel, qui lui faisait part de ses doutes quant à l'utilité d'aller interroger un homme apparemment plus ignorant qu'elle sur le sort de la jeune femme, Juliette répondit qu'il fallait bien commencer quelque part et que, de toute façon, elle ne possédait pas d'autres pistes pour l'instant.

— Et puis — sait-on jamais ? — si ce monsieur prend la peine de s'asseoir un petit quart d'heure et de fouiller un peu dans ses tiroirs à souvenirs, il me fournira peut-être un indice, un détail, un bout de renseignement qui lui avaient échappé et qui me mettront sur la bonne voie? Allons, souhaitez-moi bonne chance et que saint Jude me vienne en aide.

Elle se rendit à la salle à manger, décrocha le récepteur et se mit à faire le tour de tous les Roger Simoneau de la région de Montréal, puis de Québec et enfin, ne trouvant toujours pas son homme, de tout le pays.

— Ah ! bonne sainte Anne, soupirait Juliette, ne me faites pas courir aux confins de l'univers

Après trois heures en position assise, ses fesses fondues par la maladie lui élançaient jusqu'aux genoux. Elle se tortillait sur sa chaise, toute en sueur, le récepteur contre l'oreille, le crayon à la main, griffonnant des numéros en faisant des grimaces. Entre deux séances d'enregistrement, Rachel venait prendre la relève quelques moments pour qu'elle puisse se dégourdir. Mais le véritable Roger Simoneau ne se montrait toujours pas.

— J'y pense, fit soudain la violoniste. Votre bonhomme fait sûrement partie d'un syndicat de camionneurs. Pourquoi ne vous adressez-vous pas aux... comment les appelle-t-on ? les *Teamsters* ? Ils ont sûrement des listes de membres informatisées. En trente secondes, vous saurez peut-être où il niche, votre gros bras.

— Ma fille, c'est le bon sens qui parle par ta bouche.

L'instant d'après, elle téléphonait au Conseil conjoint des *teamsters*. Quand la réceptionniste apprit qu'elle ne se rappelait de Roger Simoneau que son nom et le fait qu'il avait de grosses lèvres, elle faillit s'esclaffer, mais lui fournit quand même gentiment les numéros de téléphone de trois ou quatre sections syndicales dont il aurait pu faire partie. Mais cela ne lui fut d'aucun secours.

— Alors, il ne reste plus qu'à passer les compagnies de transport au peigne fin, décida Juliette avec résignation.

Elle prit l'annuaire des pages jaunes et se remit au téléphone. Son premier appel s'adressa à la compagnie *Transport Éclair* et fut reçu par le répartiteur Marcel Boisjoli qui, en deux jours, avait quitté sa femme 3 fois (la dernière, pour de bon), bu 57 cafés et 28 cognacs, fait 14 avances à 4 secrétaires (toutes rejetées) et se trouvait dans un état de fébrilité caféino-éthylique ne lui laissant plus qu'un contrôle limité sur ses paroles :

— Roger Simoneau ? répondit-il. Vous cherchez un Roger Simoneau ? Eh bien ! mes félicitations, madame ! Il sera sûrement content de voir qu'on s'intéresse à lui, parce qu'en général, comme vous le savez, les gens se crissent de tout le monde. Malheureusement, ma pauvre madame, il ne travaille pas ici. Jamais vu. *Scuuuzez*-moi ! Je vois que vous avez passé l'âge des amusettes. De toute façon, le seul Roger Simoneau que je connais porte le nom de Beaudry, et c'est une vieille fille. C'est ça, salut, vadrouille de mon cœur.

Juliette reçut un accueil plus correct dans la quarantaine d'appels qui suivit, mais, à la fin de la journée, Roger Simoneau continuait de figurer parmi les hommes les plus inconnus de la terre. Le lendemain matin, 29 novembre, elle se rendit à la bibliothèque municipale consulter les annuaires commerciaux des principales villes du Québec et revint quelques heures plus tard avec une liasse de photocopies d'une épaisseur décourageante. Martinek, debout devant sa fenêtre, la regarda s'avancer à pas lents vers la maison, tête baissée, l'air fourbu :

— Si la cirrhose l'a ratée, fit-il avec une grimace, sa nièce, elle, ne la manquera pas.

Le lendemain, vers quinze heures, elle parlait enfin à Roger Simoneau, qui travaillait à Sherbrooke pour la compagnie *Transport Inter-Cités Inc.* Le camionneur se montra fort étonné quand Juliette se nomma et ne cacha pas son scepticisme devant l'objet de son appel, mais il finit par accepter de la rencontrer le lendemain midi.

— Mon premier succès, murmura l'obèse en raccrochant, et elle alla se préparer un énorme parfait au chocolat, sa première folie en six mois.

Elle s'affairait au souper lorsqu'on frappa à la porte.

— Est-ce que vous me feriez le plaisir de venir prendre le café chez moi ce soir à huit heures ? lui demanda Martinek, radieux, exténué, les tempes ébouriffées, exhalant une pénétrante odeur de transpiration.

— Bien sûr. Et l'enregistrement, ça va ?

Martinek eut un sourire mystérieux :

— À ce soir donc, se contenta-t-il de répondre, et il s'éloigna.

— Qu'est-ce qu'ils me préparent ? se demanda Juliette. C'est que je n'ai pas grand cœur à m'amuser, moi. Cette fameuse Adèle ne me sort plus de la tête.

En retournant à la cuisine, elle aperçut Denis qui entrait par la porte arrière, son sac d'écolier au dos :

— Tiens, déjà arrivé, toi ?

— Le cours de gymnastique a été annulé.

— Mon Dieu qu'il a l'air triste, pensa-t-elle. Et moi qui le regarde à peine depuis deux jours ! As-tu faim, bobichon ? fit-elle en lui caressant la nuque (il pencha la tête, ferma les yeux). J'ai du beau raisin vert pour toi... sans pépins.

— Non merci.

— Qu'est-ce qui se passe, mon garçon ? Tu as l'air tout déconfit. Est-ce qu'on vient de t'abonner à la malchance ?

Il ne répondit pas, enleva son sac, alla le porter dans sa chambre, puis revint à la cuisine et se remplit un verre de lait. Il l'avala en quatre goulées, les yeux fermés, avec ce bruit guttural et sourd du nageur en train de boire la grande tasse qui faisait immanquablement sourire sa tante, puis, posant le verre sur le comptoir, il planta son regard dans celui de Juliette :

— Qu'est-ce que tu lui veux, ma tante, à ce monsieur Simoneau ?

Sa question fut le sujet d'un long aparté entre Rachel et Juliette ce soir-là pendant la petite fête organisée par Martinek. Devait-on, oui ou non, mettre l'enfant au courant des recherches qu'elle venait d'entreprendre pour retrouver sa mère ? Jusqu'ici, Juliette avait caché à son petit-neveu les circonstances réelles qui avaient entouré son arrivée chez elle à l'âge d'un an, se réservant de lui apprendre la vérité plus tard. Pour l'instant, la version officielle disait que ses parents étaient morts dans un accident d'automobile à Mascouche peu de temps après sa naissance et l'enfant n'avait jamais posé beaucoup de questions.

— Mais comment voulez-vous que vos appels ne finissent pas par l'intriguer ? lui dit Rachel. Ce n'est pas de la graine de citrouille qu'il a dans la tête, cet enfant, à ce que je sache.

Juliette soupira :

— Et dire que je suis en train de courir après quelqu'un qui va sans doute me rendre la vie impossible... Ah ! je ne me fais pas d'illusions, tu sais... Si elle avait changé, cette fameuse Adèle, on l'aurait vue réapparaître tôt ou tard, non ? Elle aurait cherché à le revoir, son garçon... ou au moins à prendre de ses nouvelles. Au lieu de cela ? Dix ans de silence et pas la plus petite aide financière, comme si c'était moi qui l'avais mis au monde. Mais une promesse est une promesse, ajouta-t-elle en dressant un menton martial, et je m'y tiendrai ! Il ne sera pas dit que ma tante Joséphine m'engueulera au ciel, oh non !

Assis au fond de la pièce sur le vieux canapé, Denis lui jetait de temps à autre des regards intrigués tout en mordillant une barquette aux framboises.

— À quoi penses-tu, mon garçon ? lui demanda le dentiste Ménard en s'approchant, un verre de rosé à la main.

L'enfant retint une grimace contrariée :

— Oh, à rien... J'étais dans la lune...

Le dentiste trempa les lèvres dans son verre, prit une minuscule gorgée (il se méfiait du vin, à cause des additifs chimiques), puis :

— Et qu'est-ce que tu y vois, dans cette lune ? fit-il en lui tapotant la tête, avec la certitude d'avoir fait une plaisanterie remarquable.

Denis haussa les épaules, glissa le restant de la barquette dans sa bouche et se pencha pour attraper un moka. Juliette lui fit signe d'approcher :

— Cesse de t'empiffrer, je t'en prie, tu vas exploser. J'ai des choses à te dire ce soir, quand nous serons seuls, ajouta-t-elle soudain à voix basse.

Il sourit :

— Je sais.

Fisette se leva du piano, où il venait d'essayer pour la vingt-septième fois de jouer le début de *Rhapsody in Blue* et fut brusquement enveloppé de regards reconnaissants. Se tournant alors vers Martinek, debout derrière lui, qui le conseillait avec une patience inépuisable :

— Dis donc, est-ce qu'il ne serait pas temps de lui donner son cadeau ? Il est presque dix heures et elle commence à se fatiguer, notre chère Juliette.

Martinek prit un air faussement solennel et, se tournant vers ses compagnons :

— Mesdames et messieurs, je vous demanderais vos oreilles une toute petite minute.

Le dentiste (qui s'ennuyait un peu) consulta discrètement sa montre et ne put réprimer un sourire de satisfaction en voyant que la soirée touchait à sa fin.

Martinek s'avança, tenant une petite boîte enveloppée de papier brun :

— Voici, ma chère Juliette — vous permettez que je vous appelle par votre prénom, n'est-ce pas ? — le produit de notre travail depuis quatre jours. Tout n'est pas parfait, loin de là, mais disons que notre preneur de son a réussi à extirper presque toutes les fausses notes, ce qui est une sorte d'exploit. Il y a six cassettes... Vous trouverez là-dedans ce que j'ai fait de mieux en musique de chambre depuis cinq ans... Excusez la présentation, il ne me restait plus d'emballage à cadeaux...

— Mon Dieu, mon Dieu, six cassettes, bredouilla Juliette, écarlate, en soulevant les rabats de la boîte. Mais c'est énorme... Comment avez-vous eu le temps d'enregistrer tout ça ?

Les commissures de ses lèvres tremblotaient, signe que les larmes n'étaient pas loin.

— Ce n'est pas tout, ce n'est pas tout, lança joyeusement Rachel.

Elle s'avança à son tour, une boîte enrubannée à la main. Fisette, mine de rien, fit un petit pas de côté à son passage, de façon à ce qu'elle lui frôle la hanche. (La veille, il avait rencontré dans un bar une ancienne religieuse, maintenant divorcée, qui avait accepté ses caresses les plus osées mais lui avait refusé son lit. Il vibrait depuis comme une harpe éolienne).

— Mon Dieu ! qu'est-ce que vous m'avez préparé là ? fit Juliette, de plus en plus émue.

Elle déchira fébrilement l'emballage, puis s'arrêta, suffoquée :

— Un...baladeur !

— Et pas n'importe lequel ! lança Martinek. Un *Walkman* professionnel avec système *Dolby C*, madame ! La *Rolls-Royce* du portatif !

— Que j'ai dû marchander férocement sur la rue Mont-Royal, ajouta Fisette.

— Allez, allez... soulevez le couvercle, fit Rachel.

Juliette, les yeux embués, s'exécuta :

— Mon Dieu, murmura-t-elle en apercevant l'appareil, c'est insensé... vous avez dû payer une fortune !

Fisette plongea la main dans la boîte et déposa le baladeur sur la table.

— Vous êtes fous, vous êtes fous, balbutia l'obèse, écarlate. Qui a payé ça ?

— Nous nous sommes cotisés, répondit le dentiste en lui tapotant l'épaule. Même Denis a payé sa part. En fait, il ne nous coûte à chacun que le prix d'un mauvais appareil. C'est notre nombre qui a bonifié le cadeau, voilà tout.

Elle s'assit sur le canapé et se mit à pleurer. Tout le monde gardait un silence gêné.

— Que je suis chanceuse d'avoir de si bons amis ! s'écria-t-elle avec un transport qui les fit rire.

Se levant soudain, elle les embrassa fougueusement les uns après les autres.

— Nous voulions fêter votre guérison, expliqua Rachel en souriant. Alors quoi de plus naturel que de vous fournir une petite trousse de secours en cas de rechute ?

— Vous pourrez vous en servir partout, vous savez, ajouta Fisette en s'avançant avec l'appareil. Il fonctionne à piles et sur le courant alternatif.

Elle s'approcha de Martinek et lui saisit les mains :

— Promettez-moi, Bohu, et vous tous aussi, mes amis, ajouta-t-elle sur un ton quelque peu théâtral, de toujours vivre auprès de moi... ou, du moins, de ne pas trop vous éloigner !

Le dentiste se troubla, fut sur le point de dire quelque chose, mais se contenta de lui adresser un sourire contraint.

Une demi-heure plus tard, Juliette, de plus en plus fatiguée, exprima le désir de se retirer.

— Je crois que je vais vous imiter, fit Clément Fisette. J'ai une journée tuante demain. Le bureau de direction d'*Alliance Quebec* vient se faire photographier au studio à neuf heures ; ils veulent que je les montre assis devant un drapeau fleurdelisé parmi des gerbes de lys blancs et en train de manger de la tourtière... tout en ayant l'air naturel ! Vous voyez ça ? Un travail de débardeur ! J'en ai pour cinq heures au moins... avec de la chance.

— Et moi, continua le dentiste, j'ai rendez-vous à huit heures avec six molaires cariées.

Martinek questionna Rachel du regard, mais elle fit signe que non et s'approcha de la patère pour prendre son manteau.

— Quelle belle fête ! s'exclama Juliette pour la troisième fois en descendant l'escalier, une main accrochée à la rampe, l'autre appuyée sur l'épaule de son petit-neveu. Je suis crevée de bonheur !

— Je sais de quoi vous parliez tout à l'heure, toi et Rachel, lui dit Denis à brûle-pourpoint quand ils furent devant leur appartement.

Juliette le regarda, saisie :

— Mon père n'est pas mort et tu veux le retrouver... Mais moi, je n'ai pas envie de le voir, ajouta-t-il calmement, sur un ton sans réplique.

* * *

L'après-midi touchait à sa fin. Avec l'obscurité grandissante, la neige s'était mise à tomber mollement et la lumière semblait venir maintenant du sol, qui blanchissait peu à peu. Denis était revenu de l'école depuis une demi-heure et s'était enfermé dans sa chambre sans dire un mot. Vinh l'avait appelé de chez Yoyo pour l'inviter à venir jouer une partie de *Sombre Château* sur le nouvel ordinateur de son ami, mais il avait refusé en disant « qu'il n'avait pas la tête à ça » et qu'il préférait faire ses devoirs avant le souper. Juliette tourna dans la cuisine pendant quelques minutes, puis s'assit pesamment sur une chaise, plongée dans la perplexité. Ses jambes élançaient. Depuis quelques jours, elle remarquait avec tristesse que sa santé nouvellement retrouvée ramenait avec elle l'embonpoint, comme si l'une était indissociablement liée à l'autre.

Elle avait passé une partie de la nuit à chercher un moyen de colmater la brèche par où s'infiltrait la vérité dans l'esprit de son petit-neveu. Elle secoua la tête, se massa la nuque en grimaçant, puis l'appela. L'enfant apparut, un crayon à la main, le visage fermé.

— Viens t'asseoir, bobichon. J'ai à te parler.

Elle lui tapota la main, sourit, puis, comme il arrive souvent dans la vie, fit exactement le contraire de ce qu'elle avait décidé quelques moments plus tôt :

— Mon beau lapin, pour te dire la franche vérité, ce n'est pas ton père que je cherche : je ne le connais pas. C'est ta mère.

Denis la fixait, imperturbable.

— Eh oui, continua-t-elle en poussant un soupir, j'aurais voulu te réserver la vérité pour plus tard. Mais je vois bien que c'est impossible.

L'enfant ne bronchait toujours pas. Elle continua :

— Je t'ai toujours dit que tes parents étaient morts dans un accident d'automobile. Eh bien, ce n'est pas vrai. Si je te racontais ce petit mensonge, c'était pour ta tranquillité. En fait, je n'ai pas la moindre idée de ce qu'ils sont devenus. Je ne connais pas ton père et je n'ai pas eu de nouvelles de ta mère depuis neuf ans. Mais elle doit bien vivre encore, je suppose. Si j'ai décidé de la retrouver, c'est que mon hépatite m'a fait réfléchir, vois-tu, et que je veux absolument savoir si ta mère pourrait s'occuper de toi, advenant ma mort. Le monsieur Simoneau que j'ai retracé était un de ses amis, le dernier que j'ai connu, et je m'en vais le rencontrer demain dans l'espoir qu'il me mette sur une piste.

— Comment elle s'appelle, ma mère ? demanda l'enfant à voix basse.

— Comme je te l'ai toujours dit : Adèle Joannette. Et comme je te l'ai toujours dit également, elle est ma nièce et tu es mon petit-neveu...

Soudain, ses yeux s'emplirent de larmes :

— ... mais tu es bien plus que mon petit-neveu, ajouta-t-elle aussitôt en tendant la main. Tu es le petit garçon que... tu es *mon* petit garçon.

Elle posa la main sur son genou en souriant, mais il ne réagit pas.

— Pourquoi elle m'a abandonné ? fit-il, toujours à voix basse.

Juliette le regarda, regrettant de s'être engagée dans une pareille histoire.

— Parce qu'elle avait trop de problèmes, répondit-elle enfin. Des problèmes énormes. Je t'en parlerai plus tard. Ce n'est pas par manque d'amour pour toi, ajouta-t-elle précipitamment. En veux-tu la preuve ? Je vais te lire la lettre qu'elle m'a écrite le jour où j'ai dû te recueillir chez moi. Tu veux ?

Il fit signe que oui. Elle se leva, passa dans sa chambre à coucher et revint avec une boîte à chaussures pleine de paperasses qu'elle déposa sur la table.

— Tu sais, dit-elle en se rassoyant, ta mère n'a jamais eu de chance dans la vie. Ses parents — et cette fois-ci, je te dis la vérité — sont morts quand elle était bébé et c'est un peu tout un chacun dans la famille qui l'a élevée. C'était une femme malheureuse, que j'aurais voulu aider, mais je n'ai pas pu grand-chose pour elle... faute peut-être d'avoir vraiment essayé...

Sa main se glissa au fond de la boîte et s'empara d'une enveloppe où se lisait, écrit au crayon en grandes lettres fines et tremblées : *Pour ma tante*. Juliette retira la lettre et voulut la déplier, mais bondissant de sa chaise, l'enfant la lui arracha et se retira dans un coin pour la lire. Elle l'observa, abasourdie. Puis son regard s'abaissa vers la table où gisait l'enveloppe. Une tache rose dans le coin droit supérieur lui rappela tout à coup que ce vendredi 6 avril 1979, elle se trouvait dans cette même cuisine en train de préparer des tartes aux framboises lorsque le téléphone sonna et qu'une voix de femme craintive et un peu enrouée se fit entendre au bout du fil :

— Ma tante ? C'est Adèle. Comment allez-vous ?

— Adèle ? Sueur de coq ! D'où sors-tu, toi ? Voilà plus d'un an que je n'ai pas eu de tes nouvelles !

Il y eut un silence, puis la voix reprit, de plus en plus hésitante :

— J'ai... voyagé... travaillé... ici et là...

— Où es-tu ?

— À Montréal. Je demeure à Montréal depuis le début de décembre.

— Et tu n'as jamais pensé à venir me voir, peut-être ?

Il y eut un nouveau silence, suivi d'un toussotement, puis la voix murmura avec une intonation sourde et torturée qui frappa Juliette :

— Ma tante, j'ai un gros problème... J'aimerais vous rencontrer.

— Eh bien, viens dîner à la maison, je suis toute seule. Elvina est à l'hôpital... Elle vient de se faire opérer pour des oignons.

— Ma tante, est-ce que vous ne pourriez pas plutôt venir me voir, vous ? supplia la voix. Je vous expliquerai pourquoi.

— Comme tu veux. Ça m'est égal. Où demeures-tu ?

— Au 1759, rue Sainte-Catherine Est... juste au-dessus d'une boutique de naturiste.

Elles se donnèrent rendez-vous à deux heures. Juliette se remit au travail, mais son esprit vagabondait. Elle gâcha de la pâte, dut en préparer d'autre, et faillit brûler ses tartes. Son estomac vide commençait à renâcler. Elle se versa un grand verre de lait écrémé, y mélangea une enveloppe de poudre alimentaire hypocalorique et le contempla avec un air de résignation dégoûtée. Elle n'en avait pas bu deux gorgées que le téléphone sonnait de nouveau. Cette fois, c'était un homme. La voix était grave, rocailleuse, saccadée, plutôt déplaisante.

— Excusez-moi de vous déranger, fit-il. Je suis un ami de votre nièce. Elle aimerait savoir s'il ne serait pas possible de remettre le rendez-vous à sept heures, même adresse.

— Oui, bien sûr, répondit la comptable.

Il raccrocha, sans un mot de remerciement. Juliette se sentit tout à coup incapable de rester une minute de plus dans la maison et décida d'aller faire des emplettes à Montréal, puis de visiter sa sœur à l'hôpital Saint-Luc en fin d'après-midi. Elle vida son verre en grimaçant, enfila son manteau, s'installa péniblement dans sa *Volvo* flambant neuve, qu'elle faisait nettoyer et astiquer chaque samedi par un gamin malgré les railleries de sa sœur, scandalisée de ce gaspillage. Elle prit la rue Saint-Alexandre en direction de Saint-Laurent et roula vers le pont Jacques-Cartier, qu'elle enfila allègrement. Ce pont aux courbes redoutables était un des rares piments qui restait dans sa vie de veuve, comptable et obèse, affligée d'une sœur irascible et capricieuse avec qui elle partageait son appartement.

Quelques minutes plus tard, elle entrait au rez-de-chaussée du magasin *Dupuis & Frères*. Après avoir arpenté lentement les allées en jetant des regards méditatifs sur les étalages de cosmétiques et de lingerie féminine, elle eut soudain mal aux jambes et décida d'aller prendre un bouillon de poulet à la cafétéria du sous-sol. Puis l'idée lui vint qu'une paire de pantoufles ferait sans doute plaisir à Elvina, qui en aurait besoin durant sa convalescence.

— Tu les as prises trop grandes, remarqua celle-ci d'une voix acide lorsqu'elle lui présenta son cadeau.

Elle ronchonna quelque temps encore, se plaignant de sa garde et de la nourriture de l'hôpital, puis soudain, Dieu sait pourquoi, son humeur changea : elle complimenta Juliette sur sa robe, s'informa de sa nouvelle auto et prêta une oreille complaisante aux ragots de bureau que se mit à lui débiter sa sœur, qui travaillait déjà à l'époque chez *Virilex*. La comptable, ravie, se laissait aller de plus en plus. Mais une vague appréhension lui conseillait de ne pas souffler mot de l'appel de sa nièce.

À quatre heures trente, elle se pencha au-dessus du lit et posa un baiser sur la joue de sa sœur.

— Tu sens un peu la sueur, remarqua celle-ci avec une légère grimace. Pourquoi n'utilises-tu pas un désodorisant ?

— C'est ce que je fais depuis vingt ans, répondit l'autre sèchement. Que veux-tu ? Il va bien falloir t'habituer. Tu ne vis pas avec un oiseau-mouche. Les grosses personnes sont portées à suer, on n'y peut rien. J'essaye de maigrir, mais tu me manges des pâtisseries sous le nez du matin au soir.

— Des pâtisseries que tu prépares toi-même.

— Parce que tu me casses les oreilles chaque fois qu'on en manque. Allons, ça suffit. On est en train de se chicaner encore une fois comme des petites filles. À demain. J'aurai peut-être perdu une livre d'ici là et je puerai un peu moins.

Elle quitta la chambre.

— Qu'est-ce que je pourrais bien faire d'ici sept heures ? soupira-t-elle en se dirigeant vers l'ascenseur. Je suis à deux pas de mon rendez-vous et je n'ai pas du tout envie de retourner à la maison.

Elle se retrouva rue Saint-Denis. Les magasins allaient fermer. Elle s'arrêta sur le trottoir, indécise, et déboutonna son col. La température, très douce pour la saison, avait transformé son manteau en fournaise.

— Manger ? fit-elle en consultant sa montre. Il est un peu tôt. Je vais avoir faim à huit heures.

Elle aperçut tout à coup, presque au coin de la rue Sainte-Catherine, la boutique d'un vendeur de revues et journaux :

— Tiens... si j'allais tuer le temps là-bas ?

— Voulez-vous un tabouret, madame ? lui offrit obligeamment un commis après l'avoir vue se dandiner un quart d'heure sur ses grosses jambes devant un étalage de revues consacrées aux automobiles, dont elle venait de choisir trois numéros.

Elle lui adressa un sourire crispé :

— Je vous remercie, je m'en vais. Combien vous dois-je ?

* * *

Elle rassembla minutieusement du bout de sa fourchette les restes d'une salade de poulet, les porta à sa bouche, but à petites gorgées sa tasse de café noir et s'aperçut qu'il approchait sept heures :

— Mon Dieu... et mon auto qui est au diable vert...

Un quart d'heure plus tard, elle arrivait en vue du 1759, Sainte-Catherine Est, et il lui fallut trois bonnes minutes pour trouver un stationnement. Elle s'avança à grandes enjambées sur le trottoir, tout essoufflée, sous le regard amusé de deux adolescents à casquettes de cuir, adossés contre une vitrine embuée, qui se redressèrent d'un bond et se mirent à imiter son dandinement avec des gloussements et des éclats de rire. Le froid avait repris avec la nuit tombante et la sloche grisâtre qui recouvrait les trottoirs dans un grand étalement graisseux commençait à épaissir.

— Voilà, j'y suis, fit-elle, hors d'haleine.

Elle jeta un regard distrait sur la boutique du naturiste, encore ouverte. Une porte vitrée, recouverte d'une peinture grise écaillée, bâillait légèrement à gauche de la vitrine. Elle la poussa et jeta un regard découragé sur l'escalier crasseux qui grimpait d'une seule volée jusqu'au premier étage. Elle posa le pouce sur un misérable bouton de sonnette maintenu tant bien que mal par des morceaux de sparadrap et deux clous recourbés, attendit un moment, pressa de nouveau et, comme personne n'apparaissait, décida de monter. Elle n'avait pas gravi trois marches que les pleurs d'un enfant lui parvinrent. Arrivée en haut, elle constata que l'enfant ne pleurait pas, mais hurlait à pleins poumons. Ses sourcils se froncèrent :

— Allons, qu'est-ce qui se passe ?

Elle frappa trois coups, puis attendit de nouveau. À en juger par l'acuité stridente de la voix, il s'agissait d'un tout jeune enfant, presque d'un bébé.

— Elle ne m'entend pas avec tous ces cris, pensa Juliette.

Elle donna trois ou quatre grands coups contre la porte qui s'ouvrit toute seule.

— Adèle ? fit l'obèse en s'avançant, surprise et un peu effrayée.

La pièce, vivement illuminée, était vide. C'est-à-dire qu'on l'avait vidée de tout ce qu'elle contenait, à part deux ou trois journaux traînant sur le plancher et un store poussiéreux tiré devant la fenêtre qui donnait sur la rue Sainte-Catherine. Les cris de l'enfant devenaient insupportables.

— Adèle, où es-tu ? cria Juliette.

Elle pénétra dans la cuisine, fit de la lumière. L'endroit ne contenait plus qu'une vieille chaise de bois peinte en rose, sur laquelle on avait posé un litre de lait entamé.

Un sombre pressentiment se formait en elle. Traversant la cuisine, puis une autre pièce également vide, elle entra dans une chambre à coucher. Là aussi le plafonnier brillait et le store était tiré. Il n'y avait pour tout meuble qu'une chaise berçante, un lit-cage et une table à langer. Deux grosses boîtes de carton avaient été déposées au milieu de la place. Elles contenaient des vêtements d'enfant. Juliette se pencha au-dessus du lit, puis recula, désemparée. Écarlate, les yeux contractés, les poings serrés, le bébé hurlait à se faire sortir les entrailles du ventre, sa couche à demi défaite, un biberon vide à ses pieds, dans une pénétrante odeur d'urine amplifiée par la chaleur d'une plinthe électrique réglée au maximum.

Elle promena un regard éperdu autour d'elle :

— Mon Dieu, qu'est-ce qui se passe ?

Ses yeux s'arrêtèrent sur la table à langer où reposait une enveloppe. Elle s'avança et la prit. *Pour ma tante*, avait-on écrit dessus.

Affolée par les hurlements du bébé, Juliette la déchira et apprit dans quel chaos sa nièce était tombée.

6 avril 1979

Ma tante,

Je sais que vous aller me juger très sévèrement. Je sais que j'agis très mal et que je mérite les plus grand blames. Vous êtes la seule personne qui pouvez m'aidez, voilà pourquoi je me suis adressé à vous. L'enfant que vous avez devant vous, c'est le mien. Il est né à Chicoutimi le 8 mai de l'an passé ; c'est un garçon, il s'appelle Denis et je l'ai fait baptisé dans la paroisse de la Cathédrale. Je ne suis pas sûre qui est son père (oui, je sais bien ce que vous êtes en train de penser de moi, mais je n'y peux rien). De toutes façons, avec les hommes que j'ai connu, il est mieu sans père.

J'ai essayée jusqu'ici de m'en occuper de mon mieux, mais là, je n'en ai plus la force. Avant de devenir une mauvaise mère, je préfère le confier à quelqu'un d'autre. J'espère que se sera vous qui en prendrer soin (car je connais votre bon cœur depuis longtemp), sinon, je vous demanderais de surveiller la personne qui en aura soin.

Je vous laisse deux boites qui contiennent tout son linge. Dans la boite la plus grosse (dans un petit gilet de laine bleu), vous trouverez 205 $ c'est tout l'argent que *je possède actuellement. Je vous en enverrai d'autre ausitôt que possible. N'essayez pas de me rejoindre, vous ne pourrez pas. De toute façon, ma décision est prise, je ne reviendrai pas là-dessus, on ne peut pas refaire sa vie, pas moi, en tout cas.*

Je sais, vous devez vous dire, elle aurait bien pu venir me le remettre elle-même dans mes bras, la sans cœur. Mais justement, je sais que vous ne me croirer pas, mais j'ai du cœur, trop de cœur. J'avais trop honte de vous voir, ce qui fait que j'ai mieux aimé vous parlé par lettre. Et je me suis dit que c'était mieux aussi que de laisser mon enfant à la police. Pardonnez-moi. Faite que mon enfant soit heureux, moi, je n'y arrivais pas.

Pardonnez moi encore une fois

Adèle

Du coup, Juliette avait retrouvé son sang-froid. Elle prit l'enfant dans ses bras :

— Bon, ça va, pauvre 'tit mousse, cesse de pleurer, je m'occupe de toi.

Elle l'emmaillota dans une couverture, l'amena chez elle et se mit à l'élever comme le sien.

Ses premiers jours avec le petit Denis lui laissèrent un souvenir inoubliable d'insomnies, de désarroi et de fouillis, tout cela comme enveloppé dans l'extase de l'amour maternel. Les deux tartes aux framboises qu'elle avait préparées dans l'avant-midi de cette fameuse journée séchèrent sur le comptoir et la pitoyable lettre d'Adèle tomba par mégarde sur l'une d'elles et se tacha.

Le lendemain, à son retour de l'hôpital, Elvina refusa net de cohabiter avec l'enfant (elle n'osait pas utiliser le mot « bâtard » devant sa sœur, mais ne cessait de le répéter à part soi) et s'enferma dans sa chambre, où elle décida de prendre tous ses repas. Lasse de cette chicane, Juliette lui offrit l'appartement contigu au sien, à un loyer fort avantageux, en lui faisant jurer le secret sur les circonstances de l'adoption de son petit-neveu. Deux mois plus tard, Elvina convainquit sa sœur de lui vendre l'appartement, invoquant le besoin « de se sentir chez elle ».

* * *

Denis replia la lettre. Il avait un peu pâli et fixait Juliette d'un air anxieux, les joues imperceptiblement creusées, les ailes du nez pincées, la mâchoire inférieure devenue soudain un peu proéminente ; son visage tendu avait comme vieilli et Juliette s'étonna de le trouver subitement aussi laid.

— Maintenant, ma tante, dit-il, raconte-moi tout.

Ils se couchèrent à une heure du matin.

— Quelle folie de se fatiguer à ce point quand on est à peine rétabli, soupira l'obèse en se glissant dans son lit. Je ne pourrai pas mettre un pied devant l'autre demain.

Elle ferma les yeux, mais ses paupières s'ouvraient d'elles-mêmes. Des tressaillements traversaient ses cuisses et son bas-ventre. Trois fois, Denis l'avait interrogée sur l'identité de cet homme à la grosse voix rocailleuse qui lui avait téléphoné pour différer le rendez-vous.

— Si je le savais, je saurais sans doute le reste, se disait Juliette en replaçant son oreiller pour la dixième fois.

Son regard s'arrêta sur la table de chevet où son *Walkman* garni d'une cassette reposait à côté du réveille-matin. Elle sourit à la petite boîte noire, pleine d'une force calme et bienfaisante qui lui permettrait peut-être de retrouver sa nièce et de faire une belle fin. Soudain, elle dressa l'oreille. Il lui semblait entendre le gémissement d'un sommier. Quelques instants passèrent. Le bruit se répétait, irrégulièrement. Malgré sa fatigue, elle glissa les jambes hors du lit :

— Il n'arrive pas à dormir lui non plus, le pauvre.

Elle s'avança dans le corridor en s'appuyant au mur, car un début d'étourdissement avait commencé à faire tournoyer la pénombre, et s'arrêta à quelques pieds de la chambre de son petit-neveu. Il s'agitait dans son lit en soupirant. Elle crut même l'entendre renifler.

— Ma tante ? fit-il tout à coup en s'assoyant.

Elle apparut dans la porte :

— Veux-tu venir te coucher avec moi, bobichon ?

Il se leva sans un mot, la suivit jusqu'à son lit et se pelotonna contre elle, frissonnant. Dix minutes plus tard, il dormait. Alors, très doucement, afin de ne pas le réveiller, elle glissa le casque d'écoute sur sa tête et actionna le baladeur. Quand l'appareil s'arrêta, elle dormait à son tour.

13

À huit heures moins le quart le lendemain matin, de légers coups frappés à la porte la réveillèrent. Elle se dressa dans son lit, rattrapa son *Walkman* de justesse et, se glissant hors des couvertures, enfila sa robe de chambre. Denis dormait encore profondément.

— Minute, j'arrive, lança-t-elle d'une voix enrouée.

Elle consulta sa montre, poussa une exclamation et ouvrit la porte. Le dentiste Ménard recula d'un pas à la vue de l'immense marque rouge que lui avait laissée sur une joue le casque de son baladeur.

— Vous... vous êtes fait mal ? bafouilla-t-il en tendant l'index.

Elle porta la main à son visage :

— Moi ? Non. Pourquoi ? Ah bon, je comprends, ajouta-t-elle en riant. Ce sont les effets de la musique de monsieur Martinek. Voulez-vous entrer ?

— Une toute petite minute, pas plus, fit-il en la suivant. Je vois que je vous ai tirée du lit. J'en suis désolé.

— Mais non, mais non, répondit-elle en le faisant passer au salon. Heureusement que vous avez frappé ! Nous allions passer tout droit, Denis et moi, et il serait arrivé en retard à l'école. Si vous voulez m'attendre une seconde, je vais le réveiller. Assoyez-vous, je vous prie.

— Vous venez de sauver mon avant-midi, reprit-elle en revenant, j'ai justement un petit voyage à faire. Mais assoyez-vous, voyons, s'écria-t-elle en le voyant debout au milieu de la pièce, un peu ébahi par l'ampleur de sa robe de chambre à motifs d'orchidées orange, qui rappelait vaguement une tente.

Le dentiste prit place sur le bord d'un fauteuil, attendit qu'elle fût assise à son tour, puis, mettant les mains sur les genoux, il avança le torse :

— Je... je suis venu vous annoncer que... que je dois m'absenter pour quelque temps...

— Ah bon. Vous prenez des vacances ?

Il détourna le regard :

— Pas tout à fait. Il faut que j'aille régler des... affaires personnelles, si l'on veut. Je suis venu vous payer mon loyer à l'avance.

Visiblement mal à l'aise, il glissa la main dans la poche de son veston et en sortit une petite liasse de chèques.

— Mais il y en a pour six mois ! Où diable allez-vous donc ? Évangéliser les indigènes de la Nouvelle-Zélande ?

Les lèvres du dentiste s'amincirent en un sourire contraint :

— Je ne peux rien vous dire pour l'instant, se contenta-t-il de répondre sur un ton mystérieux. Disons que c'est... pour sauvegarder l'avenir, si l'on veut.

Il se leva :

— Est-ce que je peux vous demander d'exercer une surveillance discrète sur mon appartement ?

— Mais bien sûr, avec plaisir. Allons, marmonna-t-elle en tournant la tête vers sa chambre, qu'est-ce qu'il fabrique, lui ? Denis ! tu t'habilles ?

— Je ne trouve pas de chemise, répondit une voix ensommeillée.

Le dentiste se dirigea vers la sortie.

— Tut tut tut, fit-elle en lui mettant la main sur l'épaule.

Il se retourna, intimidé. Elle lui souriait malicieusement :

— Vous n'oubliez pas votre promesse, hein ?

— Ma... promesse ?

— Oui, oui, vous m'avez bien compris. Mon petit doigt me dit qu'il y a un rapport entre votre absence et tout ce va-et-vient de boîtes et de caisses qui vous occupe depuis des années... Je ne dis pas ça pour me plaindre, ajouta-t-elle précipitamment : vous êtes mon locataire le plus tranquille et je tiens à vous comme un ministre à son portefeuille.

— De... quelle promesse parlez-vous ? demanda le dentiste, de plus en plus mal à l'aise.

— Regardez-moi ce petit cachottier comme il a la mémoire fragile ! Enfin, te voilà habillé, toi, fit-elle en se tournant vers l'enfant. Viens saluer monsieur Ménard : il nous quitte pour six mois.

Denis s'approcha en retenant un bâillement, lui tendit la main, puis s'éclipsa.

— Ah oui ! je vois ce dont vous parlez, reprit le dentiste dont le visage s'éclaircit tout à coup. Vous vous référez à un engagement que j'ai pris devant vous durant votre maladie... Eh bien, rassurez-vous, j'y serai fidèle. Mais grâce à votre courage et à la musique de monsieur Martinek, je ne serai sans doute tenu de le respecter que dans de nombreuses années... sans compter que je pourrais mourir avant vous !

— On verra bien, on verra bien, répondit Juliette en le reconduisant à la porte.

Elle pénétra dans la cuisine :

— Allons, mon beau lapin, tu as cinq minutes pour prendre une bouchée, ramasser tes livres et filer à l'école.

Denis, debout devant le comptoir, attendait que le grille-pain éjecte sa rôtie ; il la regarda droit dans les yeux :

— Je ne veux pas aller à l'école, dit-il à voix basse. Je veux aller avec toi à Sherbrooke.

À son air, elle comprit aussitôt que sa résolution était inébranlable.

— Qui t'a dit que j'allais à Sherbrooke ? bredouilla-t-elle, mécontente.

Il piqua sa rôtie avec la pointe d'un couteau pour la retirer du grille-pain :

— Je le sais.

— Mais ça ne te donnera absolument rien, mon pauvre enfant. Puisque je te répète que ce monsieur Simoneau n'est pas ton père, mais un ancien ami de ta mère qui va peut-être — je dis bien *peut-être* — m'aider à la retracer. Tu devrais aller à l'école, cher, plutôt que de perdre ta journée avec moi. J'ai averti Bohu que tu irais dîner chez lui.

— Je vais dîner avec toi.

— Comme tu veux, comme tu veux, soupira Juliette. Mais tu t'arrangeras tout seul pour rattraper ton retard en classe, hein ?

Il haussa les épaules :

— Bah, t'en fais pas... Tu es gentille, ma tante, ajouta-t-il avec un grand sourire et Juliette sentit toute son irritation se dissiper.

À sa grande surprise, elle n'éprouvait aucune fatigue de son coucher tardif et dressa le couvert en jetant des regards affectueux à son baladeur, qu'elle avait posé sur une chaise près de son sac à main. Vingt minutes plus tard, ils étaient prêts à partir. Elle verrouillait sa porte lorsque Martinek apparut dans l'escalier :

— Ah ! madame Pomerleau, je suis content de vous attraper. J'avais justement à vous parler. Je... j'ai aperçu l'autre jour deux ou trois vieux matelas roulés dans le fond de la cave et je me demandais...

— Oui, vous me rappelez qu'il faudrait les transporter au bord de la rue ce soir, les éboueurs passent demain.

— C'est que j'en aurais besoin, poursuivit le musicien en rougissant. Avec votre permission, j'aimerais pouvoir les accrocher — oh ! seulement une semaine ou deux — devant les fenêtres de mon studio pour l'insonoriser un peu, car j'ai un important travail à effectuer, voyez-vous, et cela m'aiderait à me concentrer.

Juliette se mit à rire :

— Faites tout ce que vous voulez, mon cher, vous savez bien que je ne peux rien vous refuser. Et puis, souhaitez-moi bonne chance : je m'en vais à Sherbrooke ce matin pour mon enquête. Ah oui, j'oubliais : Denis m'accompagne. Ne l'attendez pas pour dîner.

— J'entreprends ma quatrième symphonie, fit Martinek, qui ne semblait pas l'avoir entendue. Ma quatrième. Merci mille fois. Vous êtes bien bonne.

— S'il suffit pour être bonne de donner de vieux matelas, on va bientôt me canoniser.

— Merci encore une fois ! lança le musicien en descendant au sous-sol.

— Une symphonie, se disait Juliette en s'installant au volant de sa *Subaru*. S'il a pu me guérir avec de la musique de chambre, une symphonie me fera bien vivre cent ans !

Vers dix heures trente, l'auto, qui filait sur l'autoroute 10, approchait de Granby. Après avoir posé quelques questions, Denis s'était endormi, la tête penchée de côté. Le soleil qui l'inondait n'arrivait pas à tirer de secrets de ce visage abandonné mais impénétrable. Juliette lui jetait de temps à autre un coup d'œil, puis ramenait son regard distrait sur la route et sur les champs qui s'étendaient de chaque côté à perte de vue, soulevés par de légers vallonnements. En arrivant en vue des hauteurs boisées du mont Orford, un étourdissement la saisit et elle dut s'arrêter sur l'accotement. Elle ferma les yeux et renversa la tête :

— Allons, vieille folle, tu n'es pas en train de l'escalader, tu passes devant. Remets de l'ordre dans ta tête.

— Qu'est-ce que tu as, ma tante ? demanda Denis en se réveillant.

— Ce n'est rien, répondit-elle, les yeux toujours fermés. Un petit malaise. Mon imagination fait la folle.

Il baissa les glaces, actionna le climatiseur et, à genoux près d'elle sur la banquette, se mit à l'observer, tout inquiet. Elle entrouvrit les yeux :

— Allons, ne t'en fais pas, c'est presque passé, vieux lapin.

— Tu vois bien qu'il fallait que je vienne avec toi : tu n'es pas encore assez guérie pour voyager toute seule.

Elle lui serra la main.

— Tu sais, ma tante, ajouta-t-il au bout d'un moment d'une voix curieusement voilée, ce n'est vraiment pas si important que ça que tu retrouves ma mère ; je ne m'en suis jamais ennuyé. Pourquoi on ne retournerait pas à la maison, hein ? Si tu fais très attention à ta santé, je suis sûr que tu vas pouvoir vivre jusqu'à ce que je n'aie plus besoin de toi.

Une demi-heure plus tard, ils arrivaient à Sherbrooke. La compagnie *Transport Inter-Cités* se trouvait rue Chauveau. Roger Simoneau avait longuement décrit à Juliette le chemin à suivre à partir de la 112, mais elle n'arrivait pas à déchiffrer ses propres griffonnages et s'arrêta à un poste d'essence pour des renseignements. Un quinquagénaire au pantalon souillé d'huile s'avança vers elle, ses grosses bottines à demi délacées :

— Vous tournez à droite à la prochaine rue, fit-il en posant un regard insistant sur sa poitrine qui recommençait à prendre son ancienne ampleur, puis ensuite à gauche, et vous y êtes, madame.

Et il regarda l'auto s'éloigner en se frottant machinalement la cuisse.

— Voilà, ma tante, *Inter-Cités* ! s'écria Denis en pointant une enseigne de plastique montée sur des poteaux d'acier devant une clôture métallique.

L'auto pénétra dans un immense stationnement recouvert d'asphalte, bordé de garages et de remises, au fond duquel s'alignaient des rangées de remorques. Un petit bâtiment de brique se dressait au milieu de la place derrière deux pompes à essence. À gauche, cent mètres plus loin, une porte coulissante largement ouverte laissait voir un groupe d'hommes en train de casser la croûte, assis sur des bancs grossiers, tandis qu'une chaufferette à air pulsé vibrait au-dessus de leurs têtes. Un camion-remorque ronronnait près d'eux, laissant échapper des nuages de fumée bleutée. Juliette s'arrêta devant le bâtiment. Par une porte entrouverte, elle vit un coin de bureau enterré sous la paperasse. Elle sortit péniblement de l'auto et gravit les trois marches de béton qui menaient au bureau. Un éclat de rire jaillit du groupe d'hommes, suivi de chuchotements.

— Roger Simoneau ? fit un grand adolescent maigrichon en levant le nez de son photoroman.

Il considéra Juliette avec un étonnement naïf :

— Je pense qu'il vient de partir. Informez-vous auprès des hommes, là-bas.

Et il tendit la main vers une fenêtre incroyablement picotée de chiures de mouches, par laquelle on apercevait le groupe.

— Ouais, murmura-t-il en regardant l'obèse descendre le perron, je crois qu'elle bat le père Plourde, celle-là. Elle doit en manger en tabaslac, des pâtisseries !

Et, avec une moue inquiète, il porta la main à sa taille pour tâter un commencement de bourrelet.

Juliette, qui ne se sentait pas le courage de s'avancer toute seule sur la place déserte jusqu'aux hommes, remonta dans son auto et démarra. Denis pencha vers elle un visage plein d'appréhension :

— Il n'est pas là ?

— Il faut que j'aille m'informer auprès de ces farceurs, répondit-elle d'une voix résignée tandis que l'auto s'ébranlait doucement.

— Roger Simoneau ? fit un jeune rouquin crépu aux dents étincelantes.

Un sourire cruel lui fendit le visage :

— Roger ! De la visite pour toi !

Ses compagnons, silencieux, détaillaient froidement Juliette ou fixaient le sol avec une moue gouailleuse. Un homme costaud et plutôt élancé surgit de la pénombre du garage, le cheveu rare, l'air ensommeillé.

— Venez, on va aller là-bas, dit-il sans la saluer, comme s'ils s'étaient vus la veille.

Et il désigna un amoncellement de pneus à l'autre bout du terrain.

— Tu serais mieux dans le garage, Roger, lança une voix aigre et moqueuse, vous seriez plus à l'aise...

De gros rires s'élevèrent à nouveau. Sans se retourner, Simoneau secoua le bras avec impatience et traversa la cour à grandes enjambées, suivi de l'auto. Juliette donna soudain un coup de volant, pressa l'accélérateur et alla attendre son compagnon près des pneus.

— Elle a hâte ! elle a hâte ! cria la voix.

— Ça rebondit mieux sur des pneus ! ajouta quelqu'un.

— Ta gueule, Steve, lança une basse.

— Je lui trouve le visage un peu fourbe, se dit Juliette en regardant Simoneau approcher.

Elle se tourna vers son neveu :

— Reste dans l'auto, veux-tu ? Le monsieur et moi, on a des choses très sérieuses à se dire, et tu le gênerais peut-être. Sois sans crainte, ajouta-t-elle aussitôt en ouvrant la portière, je te raconterai tout. Tiens, pourquoi n'écoutes-tu pas la radio ? Ça te distrairait.

Elle alluma le poste et s'en alla.

La voix de Mikhaïl Gorbatchev se fit entendre, couverte presque aussitôt par celle, subtilement blasée, d'un interprète :

— *... et nous nous engageons à rétablir totalement la liberté d'expression, dans le cadre de la légalité socialiste prolétarienne.*

Simoneau et Juliette longèrent l'amoncellement sans dire un mot et s'arrêtèrent à une dizaine de mètres de l'auto. Un éclat de rire général s'éleva du groupe au loin.

— Bonjour, fit l'obèse en tendant la main à son compagnon, je suis Juliette Pomerleau.

— Je savais, répondit l'homme, mal à l'aise.

Il promenait son regard ici et là, essayant de ne pas l'arrêter sur le corps difforme de son interlocutrice.

— J'espère que je ne vous dérange pas trop ? reprit celle-ci.

Il fit signe que non et, dressant la pointe du pied, se mit à frapper machinalement du talon sur l'asphalte.

— Je suis venue avec mon petit-neveu, crut bon d'ajouter Juliette au bout d'un moment. Il voulait absolument m'accompagner.

L'homme eut un léger sursaut, tourna la tête vers l'auto et une expression angoissée passa fugitivement sur son visage.

— Oui, continua Juliette, c'est son garçon. Il s'appelle Denis. Elle ne l'a pas vu depuis neuf ans. Je suis devenue sa mère, en quelque sorte.

— Et pourquoi vous êtes venue me voir ? demanda l'autre, méfiant.

— Parce que je la cherche. Comme vous.

— Je la cherche plus, répondit précipitamment Simoneau. L'autre nuit, j'étais un peu soûl. Je savais plus trop ce que je disais. Je m'en excuse.

— Ah... vous avez tout de même bien fait de me téléphoner. J'avais besoin qu'on me secoue un peu. Il y a longtemps que j'aurais dû m'occuper d'elle.

— Mais pourquoi venir me voir ? répéta le camionneur. J'en sais pas plus long que vous. Sinon, j'aurais pas pris la peine de vous appeler.

Juliette hocha la tête avec un sourire pensif et fit un vague geste de la main :

— Je sors d'une grave maladie, monsieur Simoneau, et je me fais vieille. Alors j'ai décidé de prendre tous les moyens possibles et impossibles pour rejoindre ma nièce afin qu'on parle ensemble de l'avenir de ce petit garçon-là.

— Et en quoi ça me regarde ? rétorqua l'autre sur la défensive. Je vous le répète : j'ai pas vu Adèle depuis onze ans et quand je l'ai quittée, elle était pas plus enceinte que vous et moi, si c'est ce que vous voulez savoir. Autrement, j'en aurais entendu parler, je vous en passe un papier. Quant au reste, c'est tout de même pas de ma faute si elle menait une vie de bâton de chaise. Elle était assez grande pour savoir comment se conduire.

— Mais qui vous accuse, mon bon monsieur ? Je ne suis pas venue ici vous enquiquiner, mais pour avoir... je ne sais pas, moi... des détails, un indice... le nom de quelqu'un qui me mettrait sur une piste... N'importe quoi, je vous dis, un petit fait, une anecdote, une confidence qui vous auraient échappé jusqu'ici et vous reviendraient tout à coup à l'esprit... Souvent, on pense mieux à deux... Quant au père, ce cher homme, je ne le connais pas et je m'en balance, car Adèle ne le connaît sans doute pas plus que moi.

Simoneau releva brusquement la tête :

— Elle vous a dit ça ?

— Elle ne m'a rien dit, cher monsieur. Quand j'ai recueilli l'enfant, elle était déjà loin. C'est une histoire compliquée. Je ne voudrais pas vous faire perdre votre temps. Encore une fois, je vous le répète : je suis venue tout simplement vous demander si par hasard vous ne vous rappelleriez pas le nom d'un de ses amis, d'un employeur, une adresse, n'importe quoi qui m'aiderait à la retracer.

Le camionneur parut se détendre ; un début de sourire affleura à ses lèvres et il s'avança d'un pas.

— C'est loin, tout ça, soupira-t-il, et j'ai jamais eu bonne mémoire.

Le camion-remorque qui ronronnait au bout du terrain poussa un rugissement et s'ébranla vers la sortie. Simoneau le regarda partir, puis, ramenant son regard sur la comptable :

— J'ai bien peur, ma pauvre madame, que vous soyez venue me voir pour rien.

Juliette sourit :

— Je sais, je sais, je m'attendais à cette réponse, mais faites-moi plaisir, monsieur Simoneau, et essayez de fouiller un peu dans vos souvenirs, je vous en prie. Vous êtes peut-être ma seule chance de la retrouver. Est-ce que... étiez-vous en bons termes quand vous vous êtes quittés ?

Le camionneur réfléchit un moment :

— Avec Adèle, madame, on pouvait jamais savoir dans quels termes on était vraiment... Je... en tout cas, y'a pas eu de chicane, si c'est ce que vous voulez savoir. Adèle se chicanait jamais avec personne. C'était pas son genre.

— Où étiez-vous au moment de votre rupture ?

— À Montréal. C'était en 1977, fin juillet ou début août. J'étais en chômage depuis un bout de temps. On vivait en appartement rue Beaubien, près de Papineau. À l'époque, elle travaillait comme serveuse dans je sais plus quel restaurant, rue Saint-Hubert. Adèle a toujours été très portée sur la dépense, comme vous savez. Elle s'est tannée, je suppose, de me faire vivre. Et moi, de toute façon, je commençais à me tanner d'être à ses crochets. Alors un soir, on s'est un peu engueulés, mais pas vraiment beaucoup, et on a décidé, comme ça, de prendre chacun notre bord, voilà tout.

— Et c'est vous qui avez quitté l'appartement ?

— Non, c'est elle.

— Où est-elle allée habiter ?

Simoneau haussa les épaules :

— Quelque part sur Côte-des-Neiges, je pense... ou dans Notre-Dame-de-Grâce. Vous m'en posez, des questions ! Ça fait une mèche, tout ça, madame !

Il jeta un coup d'œil à sa montre, puis se mit à fixer l'auto de Juliette où Denis les observait. L'enfant se rejeta aussitôt au fond de la banquette. Il ne restait plus que deux hommes sur le tas de madriers, occupés à se lisser les cheveux avec un peigne. Un tracteur fila dans la cour en grondant et alla se placer devant une remorque. Il fut aussitôt suivi d'un autre.

— Et elle vous a quitté pour aller vivre... toute seule ? demanda doucement Juliette.

Pendant une seconde, Simoneau parut embarrassé. Il regarda le sol et sembla hésiter.

— Excusez-moi si j'ai l'air de fouiner dans votre vie, reprit Juliette, mais il faut tout de même que je reparte avec quelque chose.

— J'ai connu Adèle pendant quatre ans, répondit Simoneau d'une voix atone. On a cassé, on a repris, on a cassé encore... et je ne suis pas sûr de l'avoir jamais eue à moi tout seul.

Il eut un curieux sourire :

— Elle aimait tellement ça, s'envoyer en l'air... Il faut dire que je l'accotais pas mal là-dedans... En d'autres mots, madame, ajouta-t-il avec une petite grimace, c'était pas dans ses habitudes de fréquenter un seul homme à la fois. Je peux pas dire que ça me faisait plaisir, mais je m'en accommodais, voyez-vous... et j'en tirais parfois profit de mon côté, si on peut parler de profit. Hé oui, que voulez-vous ? c'était pas le grand amour, pas de son côté, en tout cas... On était un petit couple à la mode qui jeunessait pas mal fort.

Il la regardait d'un œil goguenard, mais son visage demeurait triste. Juliette posa la main sur son bras et sa voix prit un accent d'imploration caressante :

— Monsieur Simoneau, vous rappelez-vous le nom de l'*autre homme* qui est devenu... l'ami d'Adèle après que vous vous soyez quittés ? Essayez de trouver... s'il vous plaît...

Le camionneur se mit à rire :

— Crime, vous m'en demandez pas mal, madame. C'était... c'était un gars assez vieux, aux alentours de la cinquantaine, quoi... Si ma mémoire est bonne, il était représentant pour la compagnie *Electrolux* — les aspirateurs, vous savez — et il prenait un coup pas mal fort. Je m'en souviens parce qu'on avait fait sa connaissance un soir, Adèle et moi, dans une brasserie. Il s'appelait, il s'appelait... quelque chose comme Alexandre, je pense... Alexandre qui ? Le diable le sait... Voyez-vous, madame, on est en train de parler de choses qui remontent à onze ans. Les mouches ont eu le temps de faire bien du chemin. Vous allez m'excuser, fit-il en remontant brusquement sa ceinture, mais j'ai un chargement de vaisselle à prendre à Joliette et je suis déjà un peu en retard. Je pense vous avoir vraiment dit tout ce que je savais.

Il s'éloigna, puis, revenant sur ses pas :

— Si jamais vous la retrouvez, dites-lui bonjour de ma part. C'était une bonne fille, dans le fond. Je n'en garde pas un mauvais souvenir, loin de là...

Il glissa la main dans la poche de sa chemise de gros coton et en retira un rouleau de *Life Savers* :

— Tenez, donnez ça au petit gars. S'il est comme sa mère, il doit aimer les bonbons...

Il inclina légèrement la tête et s'éloigna à pas pressés.

— Me voilà revenue avec un fameux butin, grommelait intérieurement Juliette en filant sur l'autoroute. Un prénom et une marque d'aspirateur ! C'est comme partir à la pêche avec un rouleau à pâte... Avant que je mette la main sur ce fameux Alexandre Je-ne-sais-pas-qui, on aura le temps de m'enterrer trois fois !

Denis suçotait ses pastilles trouées en fixant le ciel par le pare-brise :

— Est-ce qu'il t'a dit où se trouvait ma mère, le monsieur ? demanda-t-il tout à coup.

— Eh non, mon pauvre lapin. Il n'en a pas la moindre idée.

— Veux-tu que je te dise quelque chose, ma tante ?

Elle le regarda du coin de l'œil.

— Je suis sûr que c'est *lui*, mon père.

— Ah bon ! Et qu'est-ce qui te fait croire une pareille chose ?

Il se pencha vers elle avec un air de joyeuse bravade :

— Voyons, me prends-tu pour un cave ? Il ne m'aurait pas donné de bonbons s'il n'avait pas été mon père...

Elle haussa les épaules avec humeur :

— J'ai donné des bonbons à bien des enfants, moi, dans ma vie — y compris à un certain monsieur Denis — et pourtant je n'ai jamais été mère. Au lieu de perdre ton temps à rêver à toutes sortes de sottises, dit-elle sèchement, tu devrais essayer de dormir pour rattraper un peu de sommeil. Je ne t'ai jamais vu les yeux aussi cernés, mon garçon ; tu me fais penser à un raton laveur.

Denis l'observait, étonné. Il n'avait pas l'habitude de se faire gronder ainsi. Un moment passa.

— De toute façon, bougonna-t-il, je suis sûr que même si tu sais des tas de choses sur mes parents, tu ne me diras rien, parce que tu m'as toujours pris pour un bébé.

— Cuisse de puce, pensa Juliette, jamais je n'aurais dû le mêler à cette histoire ; il va devenir complètement impossible !

Elle lui jeta de nouveau un regard en coin ; il avait l'air si misérable que des flots de compassion balayèrent sa mauvaise humeur.

— Allons, allons, bobichon, fit-elle en lui tapotant la cuisse, si je ne t'ai rien dit, c'est que je ne sais rien... ou presque. Tout ce que monsieur Simoneau a pu m'apprendre, c'est que ta mère a connu il y a onze ans un vendeur d'aspirateur qui s'appelait Alexandre. Il n'a même pas pu se rappeler son nom de famille ! Et voilà ! Tu en sais autant que moi... Satisfait ?

Denis poussa un grognement, ferma les yeux et feignit de dormir. Une sourde angoisse le gagnait. Il se mit à penser à Noël qui approchait et refit encore une fois dans sa tête la liste de cadeaux qu'il voulait soumettre à sa tante. Mais à tous moments, le visage énergique et vaguement inquiet du camionneur venait s'interposer dans sa rêverie et sa main se serrait sur le rouleau de pastilles comme si ce geste avait eu la propriété de dissiper son désarroi.

Ils arrivèrent à Longueuil vers le milieu de l'après-midi. Denis voulut rendre visite à Martinek, mais celui-ci donnait une leçon de piano. Juliette, fatiguée, décida de faire une sieste. Elle sortit un plat du frigidaire et, le montrant à son petit-neveu :

— À cinq heures, si je ne suis pas levée, tu mettras la lasagne au four, veux-tu ? À 175°C, pas plus. Et n'oublie pas de téléphoner à Yoyo pour tes devoirs et tes leçons.

Il lui jeta un regard offensé :

— Je n'oublie jamais ce genre de choses, tu le sais bien.

Trois heures plus tard, elle se réveillait en sursaut dans la pénombre de sa chambre.

— Que se passe-t-il ? se demanda-t-elle en reniflant.

Elle se roula de côté sur le lit, posa les pieds à terre et, frissonnante, se hâta vers la cuisine. Par l'œilleton du four, elle aperçut la lasagne qui commençait doucement à carboniser. Elle éteignit et faillit se brûler en sortant le plat. De la cour lui parvenait la voix animée de Denis.

— On l'a échappé belle, mon garçon, annonça-t-elle en ouvrant la porte arrière.

Rachel et Denis se retournèrent.

— Deux minutes de plus et notre souper brûlait. Je l'ai sauvé par le bout des oreilles.

— Comment va l'enquête ? demanda Rachel.

— Il ne t'a rien raconté ?

— Pas un mot. Discret comme un banquier suisse.

Juliette apprit à la violoniste les résultats décevants de sa rencontre avec Simoneau.

— Il ne vous a peut-être pas tout dit. Il a peut-être des choses à se reprocher. Pourquoi n'engageriez-vous pas un détective ? proposa-t-elle, mi-sérieuse mi-taquine.

— J'y ai pensé. Mais ces gens-là ne travaillent pas pour des prunes, ma fille.

— Informez-vous quand même. On peut marchander, sait-on jamais ? Vous sortez à peine de maladie. À votre place, je me ménagerais. Est-ce que vous avez vu Bohu ce matin ? demanda-t-elle tout à coup tandis que Juliette hochait la tête d'un air sceptique.

— Oui, juste au moment de partir.

— Comment l'avez-vous trouvé ?

— Ma foi, comme d'habitude. Il avait l'air... très enthousiaste. Il m'a demandé si je pouvais lui prêter trois ou quatre vieux matelas qui traînaient dans la cave et dont il faut que je me débarrasse. C'était pour l'aider à écrire une symphonie, à ce qu'il m'a dit. Je n'ai pas très bien compris.

— Ah ! ces fameux matelas ! Marcel Prévost — vous savez, le concierge d'à côté — a dû s'échiner pendant près de deux heures avant d'arriver à les fixer aux fenêtres. Il m'inquiète depuis une semaine, reprit Rachel à voix basse. Jamais je ne l'ai vu dans un état si... exalté. Ça frôle l'anormal, je vous assure.

Elle regarda Denis d'une certaine façon et ce dernier sentit qu'une promenade à l'autre bout du jardin serait une preuve exquise de délicatesse. Il alla jeter un coup d'œil au vieux lilas, puis, changeant d'idée, fit le tour de la maison, entra par la porte principale et monta chez le musicien.

— Il ne vit plus que de sandwichs et de café, poursuivait Rachel. Il ne se lave plus. Il se lève cinquante fois par nuit pour noter des bouts de mélodies, des idées d'instrumentation. Il parle tout seul et fait des colères pour un crayon égaré, un coup de klaxon, une porte qui claque, et je ne peux pas lui dire trois mots par jour.

— Les transes de la vie d'artiste, la taquina Juliette. Prends des notes, ma fille, ses biographes vont te bénir.

— Ah ! j'ai hâte qu'il la finisse, sa fameuse symphonie ! s'emporta la violoniste, toute rouge. Avant-hier matin, il s'est levé en me disant qu'à cinquante-huit ans, il devait donner sa vraie mesure et laisser son nom à de grandes œuvres. Grandes œuvres, grandes œuvres... Il les compose malgré lui depuis trente ans pour les oublier une demi-heure après. Je me plaignais de son insouciance, mais je commence à la regretter. Depuis une semaine, il s'est lancé dans une sorte d'entreprise... mystique ! Ces matelas accrochés aux fenêtres, ce silence continuel qu'il faut observer : on se croirait dans les catacombes, c'est affreux. Quand je me fâche, savez-vous ce qu'il répond ? Qu'il travaille pour la paix ! Parfois je me demande si toutes ces années de privation qu'il a endurées à Paris — et ici également au début — ne lui ont pas dérangé le cerveau et si avec le temps... Quand je pense à ce pauvre Théodore Boissonneault qui se prend quasiment pour Schubert...

Elle s'arrêta, au bord des larmes. Juliette lui tapota le bras :

— Allons, allons, je crois plutôt que c'est ma longue maladie qui t'a mis les nerfs en charpie et que tu te fais des peurs inutilement. Bien sûr, c'est un original et il ne le deviendra pas moins en vieillissant, mais pour se ficher de tout comme il le fait et traverser la vie en sifflotant, il faut être bâti solide, ma fille.

Et pendant qu'elle tentait de la rassurer, Bohuslav Martinek, dans un état d'euphorie qui lui donnait une expression presque niaise, quittait son piano pour aller répondre à la porte où Denis venait de frapper trois coups timides :

— Ah tiens ! salut ! Tu tombes à pic. Cinq minutes plus tôt, je n'aurais pu te répondre. Je viens tout juste de terminer l'*adagio* de ma quatrième symphonie, que je vais peut-être intituler *Symphonie de la Paix*. Entre, entre, je vais t'en jouer un bout au piano. Tu verras, c'est pas mal. Oui, reprit-il en voyant l'expression ébahie de l'enfant qui venait de pénétrer à sa suite dans le studio, ça fait un peu bizarre, ces matelas, mais il fallait absolument que je me coupe des bruits de la ville pour travailler, car mon *adagio*, vois-tu, se passe en quelque sorte à la campagne — je m'exprime mal, je sais, mais les mots me manquent. Il décrit, si tu veux, les moments de bonheur — je dirais presque d'extase — d'un homme seul à la campagne, et pour l'écrire, j'ai besoin d'*entendre* cette campagne, d'entendre sa douce respiration dans ma tête. Rachel a dû vous dire que j'étais devenu complètement dingo, mais qu'elle aille au diable, jamais je ne me suis autant *possédé*.

Il s'assit au piano, farfouilla dans des feuilles de papier réglé surchargées de notes et de ratures, en choisit trois, qu'il mit côte à côte sur le pupitre, et joua une vingtaine de mesures. Denis, debout près de lui, les mains derrière le dos, très impressionné, l'écouta avec la plus grande attention et deux ou trois fois une expression de plaisir apparut dans son visage.

— Pas mal, hein? fit Martinek en pivotant sur son tabouret, l'œil rempli d'une joie anxieuse, son nez long et un peu massif parcouru de froncements. Je t'en jouerais davantage, mais le reste est dans un tel fouillis, ça risque d'être laborieux. Demain, ce sera beaucoup mieux. J'aurai tout mis au propre, fait quelques petits changements et je pourrai m'attaquer à l'orchestration. Je l'ai toute dans la tête. Ça va aller très vite. Cet *adagio* — comme tout le reste — ne raconte pas d'histoire, bien sûr, mais en l'écrivant, je voyais un homme à la campagne, un homme à peu près de mon âge seul dans un chalet. Il se lève un bon matin, c'est l'été, tout est calme, le soleil vient à peine de se montrer, l'air est encore humide et chargé des odeurs de la nuit. Cet homme, vois-tu, a connu de grandes épreuves autrefois — des bouleversements, des luttes terribles, la guerre, peut-être — et maintenant, à l'approche de la vieillesse, il aime une femme et le bonheur lui sort par tous les pores de la peau. Ce matin-là il est seul, et content de l'être. Cette femme doit le rejoindre bientôt. Il se prépare un café, va le boire au jardin, et songe à elle en attendant son arrivée.

— Est-ce qu'elle est plus jeune que lui ? demanda Denis.

Martinek sourit :

— Je ne sais pas. Sans doute. Pourquoi pas ? Il boit son café au jardin en se rappelant le début de leurs amours, en pensant à toute sa vie, et il attend calmement qu'elle arrive. Et voilà, c'est tout. Ma musique essaye de décrire ces choses très simples, mais *de l'intérieur*, vois-tu. Je dois t'avouer que j'en suis très fier. L'aimes-tu ?

Denis hocha affirmativement la tête. Le musicien lui donna une petite claque sur l'épaule :

— Eh bien, tant mieux ! Si le cœur vous en dit, je pourrais vous en jouer une transcription pour piano à Noël. Ce serait mon cadeau, en quelque sorte. Maintenant, mon vieux, je te mets à la porte, car j'ai des idées qui me trottent dans la tête depuis tout à l'heure pour la fin du quatrième mouvement.

En descendant l'escalier, l'enfant croisa Rachel, qui le questionna du regard.

— Ce sera très beau, répondit-il avec enthousiasme. Et il n'est pas fou du tout.

Ses joues devinrent brûlantes et il dévala les marches au galop.

— D'où viens-tu, toi ? demanda Juliette en le voyant apparaître dans la cuisine. Le souper est presque froid.

— De chez Bohu.

— Et alors ?

— Il n'est pas fou. Il est juste un peu trop heureux. Il est en train de composer une très belle symphonie. Je viens d'en entendre un bout au piano.

— Pauvre homme, soupira Juliette. Dieu sait quand il pourra l'entendre pour de vrai... Ce n'est pas la fanfare des pompiers qui va la lui jouer...

— Voyons, ma tante, tu sais bien qu'un jour Bohu va être connu dans tout le monde entier, et pas seulement à

Longueuil, répondit l'enfant sur un ton de condescendance presque méprisante.

Elle sursauta, se mit à le fixer et songea avec un peu d'inquiétude que son caractère s'affirmait de plus en plus et qu'il ne resterait peut-être pas le petit garçon facile qu'elle avait toujours connu.

Cette pensée l'attrista et sa fatigue reparut, lourde, oppressante. Elle chipotait sur sa lasagne, écoutant d'une oreille distraite son petit-neveu qui, dans un accès de loquacité rarissime, lui racontait par le menu une bataille époustouflante qui avait éclaté la veille à l'école entre les jumeaux Limoges et les deux frères Laplante. Le couvert enlevé, elle aida Denis à repasser ses leçons, puis retourna se coucher et s'endormit aussitôt.

Quelque temps plus tard, elle ouvrait brusquement les yeux ; des bruits sourds et métalliques — comme des coups frappés sur un tuyau — couraient dans les murs, en provenance, semblait-il, de la cave. Elle appela Denis. Il apparut dans l'embrasure :

— C'est un plombier chez ma tante Elvina. Il est arrivé après souper avec une grosse brassée de tuyaux.

— Qu'est-ce qu'elle peut bien fricoter ? murmura Juliette.

Denis haussa les épaules et s'éloigna ; elle entendit la porte de sa chambre se refermer. Le vacarme continuait de se répandre dans l'immeuble. Elle soupira, songeant à sa sœur, à toute cette vie gâchée de célibataire commis des douanes à la retraite qui avait toujours eu son métier en horreur et finissait de se racornir dans la solitude et la vieillesse, envahie par une malice aveugle et stupide.

— Et moi ? est-ce que ma vie vaut tellement mieux ? Qu'est-ce que je laisserai derrière moi au moment de mourir ? Monsieur Martinek va laisser une œuvre, lui. Longtemps après sa mort, j'en suis sûre, des gens seront heureux parce qu'il aura vécu et travaillé. Et mon œuvre à moi, ce sera quoi ? D'avoir balancé des comptes pendant quarante ans ? D'avoir élevé pour mon plaisir égoïste un petit garçon abandonné par une malheureuse, sans prendre la peine de lui préparer un avenir ? Mon œuvre, se dit-elle tout à coup en serrant les poings, ce sera de retrouver la mère de ce pauvre enfant... et de la sauver ! rien de moins ! Oui, mon Dieu, si vous laissiez Joséphine me donner un coup de main comme elle savait si bien le faire, sans trop vous occuper de nos histoires, je referais une mère toute neuve à cet enfant, la mère qu'il aurait toujours dû avoir. Mais il me faut quelques années de santé pour cela — et pas trop d'embêtements, vous comprenez ?

Le lendemain, elle se réveilla d'excellente humeur et — crut-elle — tout à fait remise de son abattement de la veille. Mais vers dix heures, après avoir fait quelques courses et rangé la chambre de son petit-neveu, elle eut un moment de défaillance et dut se recoucher ; sa santé restait fragile, prête à craquer comme une feuille de mica. Elle se souvint alors du conseil que lui avait donné Rachel de ménager ses forces en faisant appel à un détective pour retrouver sa nièce, quitte à effectuer elle-même des recherches de son côté, selon ses capacités.

— Chacun son métier, après tout. J'aurai beau me démener, il n'y a rien comme une poule pour pondre des œufs et un pompier pour éteindre un feu, pensa-t-elle en fouillant dans les pages jaunes. On va sans doute mettre trois jours là où j'aurais mis trois ans.

Et, malgré qu'on fût samedi, elle s'installa au téléphone.

— Vous recherchez une personne disparue ? fit Peter Jeunot de l'*Agence Peter Jeunot Inc.* C'est notre spécialité, madame. S'agit-il d'un homme ou d'une femme ? Une femme ? Parfait ! Nous nous spécialisons particulièrement dans les *femmes* disparues... Quand désirez-vous nous rencontrer ?

— Aujourd'hui même, si c'est possible.

— Hum... aujourd'hui samedi... j'ai une journée assez chargée... Enfin, prenez une chance et passez à nos bureaux vers onze heures, quoi.

— Je ne veux pas *prendre de chance*, répliqua Juliette, je veux vous rencontrer. Je suis une personne malade et je n'aime pas me déplacer inutilement.

— Je serai à votre disposition alors, clarifia laconiquement Peter Jeunot.

Juliette raccrocha, puis, consultant sa montre :

— Mais j'ai tout juste le temps de me rendre, fit-elle, étonnée. Autrement dit, il me reçoit tout de suite. Qu'est-ce que c'est que cette fameuse « journée chargée » ?

En sortant de la maison, elle vit la fourgonnette d'un entrepreneur de construction stationnée devant chez elle. Des sacs de ciment étaient empilés sur le trottoir près de la haie. Elle tendit le cou et aperçut deux ouvriers qui longeaient la maison, transportant des feuilles de contreplaqué.

— Qu'est-ce qu'elle peut bien se faire construire ? Une chambre forte ? Un abri antiatomique ? Hum... il y a des choses qui me pendent au bout du nez, soupira-t-elle en démarrant.

L'*Agence Peter Jeunot Inc.* occupait deux petites pièces dans un immeuble de brique à deux étages situé au coin des rues Saint-Hubert et Jean-Talon et construit au début des années 50 avec le souci méticuleux d'éviter toute référence à un style quelconque, de sorte qu'on aurait pu tourner l'édifice sur n'importe laquelle de ses faces ou même le mettre à l'envers sans créer de différences notables (sauf pour ses occupants, bien sûr). Juliette poussa la porte vitrée qui donnait accès à un petit vestibule défraîchi jonché de vieilles circulaires où agonisait une fougère en pot, consulta le tableau indicateur, puis fixa d'un air peu réjoui les deux longues volées de marches de *terrazzo* qui menaient au deuxième étage, où l'attendait Peter Jeunot derrière son bureau.

— Allons, fit le détective avec un sourire aimable, venez reprendre haleine sur cette chaise ; je viens d'ouvrir la fenêtre, vous aurez tout l'air qu'il vous faut. Et ne vous pressez pas de me parler : de toute façon, j'ai des dossiers à consulter.

Il tourna une feuille, puis sourit de nouveau et se caressa le ventre :

— Après tout, entre obèses, il faut bien se montrer compréhensifs, hein ?

Juliette, écarlate, ne put répondre que par un vague signe de tête. Elle observait le détective qui, penché de côté, s'était mis à fourrager bruyamment dans un tiroir, jetant à tous moments sur le plancher des feuilles de papier froissées. Il était large d'épaules et grassouillet, vêtu d'un habit de flanelle brune d'un aspect vaguement militaire. Sa chevelure noire et luxuriante, plantée jusqu'au milieu du front, ses sourcils extraordinairement touffus et une énorme moustache en brosse donnaient l'impression que sa tête avait une fonction essentiellement pilaire. De la bouche, toute petite, on ne voyait que la lèvre inférieure, luisante de salive et un peu pendante. Il avait des yeux gris et sans expression, qui virevoltaient derrière de grosses lunettes à monture d'écaille brun foncé d'un effet quelque peu funéraire. Sa peau terne et un peu flasque accusait la quarantaine bien engagée.

— Et alors ? ça va mieux ? demanda-t-il tout à coup en relevant la tête.

Sa bouche s'ouvrit dans un sourire qui en accentua la petitesse ridicule.

— Oui, oui, répondit Juliette, encore haletante. Je m'excuse... Vous ne pouvez savoir comme... je souhaiterais...

Il leva les mains dans un geste magnanime.

— Je suis venue vous voir, enchaîna Juliette, pour ma nièce disparue. Disparue depuis... neuf ans. J'avais commencé moi-même des recherches, mais à cause de ma mauvaise santé, je...

— Madame, coupa Jeunot d'un ton solennel, à partir de cette minute, considérez votre nièce comme retrouvée. Vous pourriez presque lui parler.

Et, comme pour appuyer ses dires, le tiroir d'un classeur au fond de la pièce s'ouvrit avec fracas et une potiche posée sur le meuble tomba et vola en miettes. Jeunot se leva avec un soupir, referma le tiroir et revint à son bureau :

— Ma bonne madame, vous allez me raconter tout ce que vous savez, reprit-il en détachant les syllabes, mais alors là, *tout* ! Car n'oubliez pas une chose : la moindre omission de votre part va se transformer pour vous en facture : ce que je n'ai pas, il faut que je le trouve et pendant que je le cherche, le client paye. Alors, allez-y, et surtout, n'ayez honte de rien.

Juliette se lança dans son récit tandis qu'il prenait des notes, les sourcils froncés, comme si tout ce qu'il entendait était extrêmement désagréable. Quand elle eut fini, il la fixa, le regard sévère :

— Vous n'omettez rien, madame ?

— Non... je ne crois pas... à moins d'un oubli, bien sûr...

— Les oublis, les oublis, murmura-t-il comme pour lui-même, voilà ce qui rend le métier si difficile.

— Enfin, s'il me vient autre chose, je vous le dirai, ajouta Juliette, agacée.

Il lui adressa un sourire pacificateur :

— Là-dessus, madame, j'ai *entièrement* confiance en vous.

Il se leva, contourna son bureau et arpenta la pièce à pas pesants, les mains dans les poches (Juliette remarqua que leurs coutures menaçaient de craquer), la mine soucieuse, la lèvre inférieure remontée dans la moustache, la peau du menton tendue, faisant ressortir une multitude de petits amas graisseux. Manifestement, il jouait un numéro rodé depuis longtemps.

— Vous savez, madame, commença-t-il enfin, lorsqu'il s'agit de recherches policières, dix ans, c'est plus long que le siècle de Louis XIV... ou de Louis XIII, si vous préférez. Elle a pu en faire, du chemin, votre Adèle, depuis tout ce temps... peut-être même du chemin *vertical*, ajouta-t-il d'une voix lugubre en pointant l'index vers le plafond.

— Écoutez, répliqua Juliette, de plus en plus impatiente, à vous entendre tout à l'heure, c'était comme si elle vivait à l'étage au-dessus. Et maintenant, elle serait au ciel. Je ne comprends plus rien. Est-ce que l'affaire vous intéresse ou pas ?

Il pivota sur ses talons et plongea son regard dans ses yeux :

— Extrêmement, madame. Il y a tout le côté *humain*, voyez-vous. Ce pauvre enfant... et vous-même... et toutes ces circonstances... québécoises, si je peux dire... Voilà une histoire exceptionnelle... *pitoyable*, même... Je n'ai pas honte du mot... Mais voilà, c'est un cas difficile, je ne vous le cache pas : il y aura probablement beaucoup de frais.

— Combien ?

— Procédons par ordre. D'abord l'entrevue pour l'ouverture du dossier — cette entrevue-ci — coûte cent dollars. À cela s'ajoutent notre tarif horaire, qui est de vingt dollars, plus, bien sûr, tous les frais occasionnés par l'enquête : déplacements, repas, hébergement, appels téléphoniques, etc. Mais nous sommes toujours *très* raisonnables (Juliette se demanda à qui d'autre qu'à lui-même pouvait s'appliquer ce « nous », l'agence paraissant une bien petite affaire). Par exemple, lorsque je suis en mission, par égard pour nos clients, je me fais toujours un point d'honneur de fréquenter des hôtels et des restaurants *extrêmement* modestes, voyez-vous, de façon à ce que mes désagréments se traduisent pour eux en économies. Et le reste à l'avenant. Vous me comprenez ?

— Je vous comprends, dit Juliette, un tantinet acide.

— Donc, impossible pour nous de vous donner la moindre idée du coût de l'enquête. C'est un de ces cas, hélas, où les dépenses obéissent aux caprices du Destin, comme disait Chesterton (un écrivain). Mais nous avons appris à maintenir ces caprices *dans les limites du raisonnable*. Nous vous demandons, cependant, un dépôt de mille dollars, comptant ou en chèque certifié. Si les frais de l'enquête s'avèrent inférieurs à cette somme, nous vous rembourserons, bien sûr, la différence.

Juliette réfléchissait, indécise.

— Je puis vous assurer, reprit-il d'une voix pressante, que nous déploierons des efforts *inouïs* pour retrouver rapidement votre nièce et, de cette façon, nous pourrons restreindre les dépenses au niveau *le plus minimum*. En nous basant sur les renseignements que vous m'avez fournis, nous avons bon espoir de retrouver votre nièce... dans deux ou trois jours, disons.

Juliette gardait le silence.

— Nous avons connu d'*énormes* succès dans le passé, ajouta-t-il avec une trace de supplication dans la voix. Vous avez sûrement entendu parler de l'affaire Chrétien, non ? Vous savez, ces trois tableaux de Marc-Aurèle Fortin qu'on a retrouvés sur un matelas pneumatique dans une conduite d'égout sous la rue Saint-Paul ? Grâce à qui ? Grâce à nous ! Et qui donc est parvenu à saisir par l'extrême bout du veston ce fin finaud de Jean-Charles Chrétien à Plattsburg ? C'est encore nous. Et puis il y a aussi...

— Bon, ça va, lancez-vous, décida Juliette sans conviction. Mais je ne vous avance que cinq cents dollars pour commencer et je vous préviens : si l'enquête se met à tourner en rond, je vous coupe les vivres. C'est à prendre ou à laisser.

— Hum... cinq cents... Quelle parcimonie ! Enfin c'est vous la patronne, reconnut le détective en écartant les jambes et ramenant les mains derrière le dos dans une sorte de garde-à-vous.

Après lui avoir donné quelques photos de sa nièce parmi les plus récentes qu'elle possédait, Juliette se rendit à une caisse populaire, remit l'argent à Peter Jeunot, puis retourna chez elle, vaguement mécontente. Le lendemain, Jeunot lui téléphona à trois ou quatre reprises pour d'infimes détails, se présenta le surlendemain pour une photo de Denis et un supplément d'avance de trois cents dollars, puis ne donna plus signe de vie.

Une semaine passa.

Pendant ce temps, les travaux se poursuivaient à l'appartement d'Elvina ; ils semblaient imposants. Mais une palissade en feuilles de contreplaqué empêchait qu'on s'en fasse une idée exacte. Fisette croyait qu'elle était en train de construire un escalier pour accéder directement à la cave, au lieu d'utiliser l'entrée commune située au rez-de-chaussée.

— Ma foi, soupirait Juliette, je crois qu'elle a des fissures dans la casserole, la pauvre.

Un matin, deux ouvriers installèrent un convoyeur par un des soupiraux du sous-sol et, après une séance de marteau-piqueur qui plongea la pauvre Noirette dans un état de confusion mentale extraordinaire, ils retirèrent une grande quantité de pierres et de béton, qu'une pelleteuse déversa ensuite dans un camion. Deux jours plus tard, un autre camion apporta des pièces de coffrage et divers outils.

— Ah ! mais je viens de comprendre, ricana Fisette. Elle veut nous jouer le coup du blocus continental et posséder sa propre petite cave à elle toute seule. Comme c'est brillant !

Juliette observait par la fenêtre le va-et-vient des ouvriers :

— Dieu, qu'elle a l'esprit tordu... Si elle continue sur cette pente, on va la retrouver en camisole de force, ma foi.

Fisette lui toucha l'épaule :

— Elle n'a peut-être pas le droit de faire ces changements. Que dit votre contrat de vente ?

— Oh, je ne sais plus trop... Mais, croyez-moi, je n'iraï certainement pas lui intenter un procès pour conserver le privilège de me promener sous ses pieds.

Le jeudi suivant, soit douze jours après sa rencontre avec le détective, elle téléphona à plusieurs reprises à l'*Agence Peter Jeunot*, mais personne ne répondit. Le lendemain, n'ayant toujours pas de nouvelles, elle décida de se remettre elle-même à l'enquête :

— S'il est en train de passer mes économies à se rôtir la bedaine au bord de la mer, le bout des doigts va lui pincer, à ce farceur... En attendant, je vais essayer de mettre la main sur ce fameux Alexandre qui vendait des aspirateurs *Electrolux*.

Elle téléphona à la compagnie et demanda à parler au directeur du personnel. On la mit en attente. Ses aisselles se transformèrent en deux petits marécages.

— Qu'est-ce que je pourrais bien lui raconter ? La vérité, peut-être. C'est ce qui a le plus de chance de le toucher.

— J'écoute, fit une voix de femme un peu sèche au bout du fil.

Tortillant le cordon du téléphone, Juliette s'expliqua du mieux qu'elle put. Il y eut un moment de silence, puis la directrice, d'un ton amusé :

— Si je vous ai bien comprise, vous nous demandez de consulter tous les dossiers de nos représentants qui portent le prénom d'Alexandre et qui ont travaillé pour nous ces onze dernières années ?

— Oui, c'est bien ça, en quelque sorte.

La femme eut un petit rire.

— Je croyais, se risqua Juliette, qu'avec l'informatique...

— Voyez-vous, madame, nos programmes n'ont pas été conçus pour nous permettre de classer nos employés par leurs prénoms... Ça ne nous serait tout simplement d'aucune utilité.

— Mais je suis prête à payer ce qu'il faut pour...

— Il y a un autre problème. Vous me dites que ce représentant travaillait chez nous en 1977. Eh bien, s'il nous a quittés depuis plus de cinq ans, je n'ai plus son dossier, voilà tout.

— Vous... vous n'avez pas d'archives ?

— Nous avons quelque chose qui ressemble à ça, mais la classification en est très rudimentaire. Retrouver votre monsieur nous prendrait un temps énorme.

— Mais si je me rendais chez vous faire moi-même les recherches ? Je vous en supplie, madame... C'est pour moi d'une suprême importance, car...

— Écoutez, rappelez-moi vers la fin de la journée. Je verrai ce que je peux faire. Mais j'aime autant vous prévenir : ne vous attendez pas à grand-chose.

À quatre heures, après avoir passé l'après-midi à bâiller devant la télévision, sortant de temps à autre dans le jardin pour voir les travaux qui se poursuivaient chez sa sœur, où on venait de couler du béton à l'aide d'un énorme camion-pompe, elle rappela la directrice du personnel.

— Bonjour, madame. J'attendais justement votre appel. Eh bien, vous êtes chanceuse. Une de nos secrétaires — elle travaille pour nous depuis une quinzaine d'années — a réussi à se souvenir de trois représentants au prénom d'Alexandre ; deux d'entre eux nous ont quittés, mais le troisième travaille chez nous depuis 1955. Je lui ai demandé de vous appeler, mais en ajoutant que j'ignorais pourquoi vous le cherchiez. N'allez pas me trahir... Comme il s'agit d'un prénom assez peu courant, il y a de bonnes chances qu'il s'agisse de votre homme... Ce n'est rien, je vous en prie. Rappelez-moi, au besoin... Et bonne chance dans vos recherches.

Vers sept heures, le téléphone sonnait :

— Madame Pomerleau, s'il vous plaît, fit une grosse voix gutturale, pleine de bonhomie et de cordialité commerciale. Alexandre Portelance à l'appareil. Madame Corigliano, de la compagnie *Electrolux*, m'a dit que vous désiriez me parler. Qu'est-ce que je peux faire pour vous ?

— Ah ! bonjour, monsieur, bredouilla Juliette, écarlate et toute en sueur. Je vous remercie de vous être donné la peine de... (Surtout, ne fais pas fuir le gibier, tête de linotte.) C'est que, voyez-vous, il m'est... un peu difficile de vous expliquer au téléphone ce qui m'amène à vous... c'est une question... personnelle, si je puis dire...

— Est-ce que nous nous sommes déjà rencontrés, madame ? demanda le vendeur en se renversant sur son *lazy boy*, pieds nus, un *Télé-Hebdo* ouvert sur les genoux.

— Non, je ne pense pas... Mais, croyez-moi, monsieur, jamais je ne me serais permis de vous déranger pour une futilité.

— Je n'en doute pas, je n'en doute pas, fit-il d'une voix joyeuse et avenante. Vous désirez peut-être une démonstration d'appareil ?

— Non. Mais, en fait, peut-être que oui, se reprit-elle aussitôt. À bien y penser, ça serait peut-être l'occasion en même temps de... mon aspirateur fonctionne mal depuis un mois et...

— Où demeurez-vous, madame ?

— À Longueuil, rue Saint-Alexandre, répondit-elle en bafouillant légèrement, comme s'il s'était agi d'une faute.

— Hum... ce n'est pas à la porte : j'habite Laval-des-Rapides.

— Mais je peux me rendre chez vous, proposa aussitôt Juliette.

— Ouais, ouais, marmonna-t-il, songeur, en frottant doucement ses pieds l'un contre l'autre.

Il hésita un moment, puis :

— Est-ce que je peux vous demander, ma chère madame, si votre appel est en rapport avec un aspirateur qu'un certain Gérard Chapdelaine vous aurait vendu ?

— Non, monsieur, absolument pas.

— Bon bon bon, fit-il avec soulagement et de plus en plus réjoui de voir que sa soirée, qui s'annonçait morne et vide, allait se garnir d'un petit imprévu qui le mettrait en contact avec une femme d'un certain âge à la voix chaude et agréable (il était veuf, sa femme étant morte trois ans plus tôt dans l'effondrement d'un balcon). Écoutez, ma bonne madame, je suis peut-être naïf comme un baril d'huîtres, mais ça me fait plaisir d'aller vous rencontrer, même si je n'ai pas la moindre idée de ce que nous allons nous dire.

— Je vous remercie infiniment, monsieur.

Il consulta sa montre :

— Il est sept heures dix... Le temps de me changer... Je pense pouvoir être chez vous vers huit heures quinze.

— Écoutez, monsieur, j'ai une proposition à vous faire : pourquoi ne ferions-nous pas chacun la moitié du chemin ? Je me sens un peu mal à l'aise de vous obliger à parcourir...

— Pas bête, ça. Je connais justement un petit coin tranquille, rue Jean-Talon : le *Café Flora*. Y êtes-vous déjà allée ?

— Non, mais j'y serai à l'heure qui vous conviendra.

Ils s'y donnèrent rendez-vous à huit heures. Juliette raccrocha, s'épongea le front, fit quelques pas hésitants dans la salle à manger. Denis venait de partir au dépanneur *Françoise* avec Yoyo. Un besoin irrépressible la saisit de raconter sa conversation à quelqu'un. Elle sortit dans le hall, gravit l'escalier et alla frapper à la porte de Martinek, puis à celle de Fisette ; personne ne répondit. Elle redescendit lentement chez elle et, arrivée devant son appartement, s'arrêta un moment, songeuse, puis, se retournant vers la porte de sa sœur :

— Quelle histoire, se dit-elle. Dieu sait comment cela va finir... Il faudra bien que j'aille lui parler un jour.

Elle entra chez elle, alla s'asseoir au salon, mais se releva aussitôt : elle étouffait, il lui fallait le grand air. Elle sortit dans le jardin et, après avoir fait les cent pas devant le bosquet de vieux lilas au fond de la cour, tourna le coin de la maison.

À cinq mètres devant elle, sa soeur se promenait le long de la haie, le dos tourné, avec sa chienne en laisse. Absorbée dans l'observation des ornières que les camions avaient creusées dans le gazon, elle ne l'entendit pas approcher.

— Elvina, appela timidement Juliette.

La vieille fille se retourna brusquement ; son expression soucieuse et concentrée se changea en une grimace tellement haineuse que Juliette se figea. Faisant volte-face, l'autre s'éloigna à grandes enjambées, tirant sauvagement sa chienne derrière elle ; la bête sautillait de côté en gémissant, les yeux fixés sur Juliette comme pour l'implorer.

L'obèse se promena encore quelques minutes, marmonnant et soupirant. Puis, elle monta dans son auto.

Le *Café Flora* occupait une grande salle rectangulaire, haute de plafond et peinte en beige, d'un aspect assez commun ; son propriétaire, monsieur Carlo Bergonzi, époux d'une ravissante et fébrile Milanaise qui lui avait donné trois garçons et fourni son prénom à la raison sociale de l'établissement, venait de faire recouvrir le plancher d'une moquette brun foncé, fort coûteuse ; le vendeur avait assuré que, malgré l'affluence des clients, la moquette serait encore à l'état neuf lorsque les enfants Bergonzi seraient en âge de se marier. C'est de la plus ou moins grande véracité de cette affirmation que discutaient Portelance et l'Italien lorsque Juliette poussa la porte du café. Portelance s'arrêta net de parler, estomaqué par les proportions de la comptable, tandis que le cafetier allait rejoindre sa femme derrière la machine à *expresso*.

— Madame Pomerleau ? fit-il en s'avançant avec le grand sourire cordial que ses trente-trois années de vente avaient rendu automatique. Si vous voulez, on va s'asseoir au fond, c'est plus tranquille, dit-il à voix basse en prenant, Dieu sait pourquoi, un air malicieux.

Juliette, toute rougissante sous les regards faussement imperturbables des clients, le suivit aussi vite qu'elle le pouvait, tandis qu'il s'avançait parmi les tables, repoussant de temps à autre une chaise pour lui faciliter le passage.

Il la fit asseoir, puis s'installa en face d'elle :

— Aimez-vous le vrai bon café fort, madame ? demanda le quinquagénaire.

— Oui, à l'occasion.

Il leva le bras :

— Carlo ! deux capucinos !

Se penchant vers elle :

— Je suis un vieux client. Le midi en semaine, on se tape ici des petits plats... mioum ! pour la moitié de rien du tout. Et puis, quant à la propreté... la place est plus nette que la baignoire de la reine d'Angleterre. Flora est la plus grande frotteuse de Montréal. Elle abuse même un peu de l'eau de Javel, ajouta-t-il sur un ton confidentiel.

Juliette, intimidée, hochait la tête en souriant, tandis que la machine crachait son café.

— Et alors ? fit Portelance après que le patron, flegmatique et impeccable, eut déposé devant eux les tasses de café débordantes d'une mousse onctueuse saupoudrée de chocolat. J'ai bien hâte de savoir ce qui vous amène ! Depuis votre téléphone, j'ai le dedans de la tête qui brasse comme une machine à laver.

Juliette cilla des yeux et, craintivement :

— Il faut d'abord me promettre, monsieur, de ne pas vous fâcher.

Alexandre Portelance se mit à rire :

— Me fâcher, moi ? Je payerais cher l'homme qui pourrait me montrer comment faire une vraie bonne colère (il mentait). J'ai toujours souffert d'un surplus de bonne humeur, comme qui dirait. Dans mon métier, c'est parfois bien utile, vous savez, de montrer un peu les dents. Mais quand je le fais, les gens se mettent à rire. J'ai perdu bien de l'argent à cause de ça : les clients véreux ne me craignent pas. Je me console en pensant aux autres. Allons, déboutonnez-vous. Je suis tellement curieux de ce que vous allez me dire que je suis prêt à entendre n'importe quoi.

— Je suis à la recherche d'une de mes nièces, commença Juliette avec une petite moue douloureuse.

Elle raconta son histoire posément, du début à la fin, sous le regard attentif puis étonné du représentant, qui l'écoutait avec un petit air sucré et semblait prendre de plus en plus d'agrément à la rencontre. Arrivé à l'épisode où un certain Alexandre était entré dans la vie de sa nièce, Juliette s'arrêta, rougit violemment, croisa et décroisa les mains, puis :

— À présent, monsieur Portelance, je tiens à vous dire avant de poursuivre... que je ne suis pas venue chercher querelle à personne... Malgré mon âge, je suis une femme, vous savez, aux idées très larges... Je veux dire... l'honnêteté avant tout, bien sûr, mais je me fiche pas mal de la façon dont mon voisin mène sa vie, pourvu qu'il ne me dérange pas... Jamais je ne me permettrais de juger, par exemple, un homme qui...

— Êtes-vous en train de me dire, coupa le vendeur en souriant, que vous ne m'allongeriez pas une claque en plein visage si je vous avouais que j'ai déjà obtenu les faveurs de votre nièce sans prendre la peine de passer avec elle devant le curé ?

— Exactement, répondit Juliette, la gorge sèche, maîtrisant avec peine le tremblement de ses mains. De toute façon, telle que je l'ai connue, on n'était pas obligé de lui tordre le bras longtemps pour... Tout ce qui m'intéresse, c'est de la retrouver, comprenez-vous ? Je me fiche du reste... Est-ce que vous la connaissez ? Pouvez-vous me dire où elle se trouve ?

Portelance prit une gorgée de café, déposa doucement la tasse dans la soucoupe, puis :

— Jamais entendu son nom. Quel âge avait-elle en 1977 ?

— Vingt et un ans.

— Avec ce que vous m'en avez dit, je n'oserais pas jurer que je n'aurais pas succombé à une petite tentation si elle m'avait fait de l'œil, mais je n'ai jamais vu l'ombre du bout de l'oreille de son chien, je vous le jure. Mais dites donc, ça me revient tout d'un coup, lança-t-il avec un sursaut : j'en ai connu un, Alexandre, qui travaillait pour *Electrolux* à l'époque, Alexandre Lemay... ou plutôt Lemire... quoique à bien y penser... c'était un bonhomme bien trop pépère et constipé, à mon avis, pour avoir une histoire de femme (excusez l'expression). D'ailleurs, ça fait une mèche qu'il ne travaille plus pour la compagnie. Il a dû nous quitter il y a dix ou douze ans...

Juliette se pencha vers lui, les mains crispées sur le rebord de la table :

— Sauriez-vous me dire où je peux le trouver ?

— Hum... je crois qu'il est déménagé à Valleyfield, sans en être tout à fait sûr... Ce n'était pas un gars très agréable. Ni un très bon vendeur non plus. Voilà pourquoi il n'a pas duré longtemps chez nous... Mais adressez-vous au service du personnel, madame. Après tout, c'est grâce à eux que vous m'avez pêché. Elle a vraiment un beau visage, se dit-il. Ça fait presque oublier sa corpulence.

Juliette secoua la tête :

— Après cinq ans, le service transfère aux archives les dossiers des anciens employés. Et on m'en refuse l'accès.

Alexandre Portelance avança délicatement les lèvres, prit une minuscule gorgée de café, puis, avec un sourire enjoué :

— J'ai un peu de temps libre demain. J'essaierai d'aller y jeter un coup d'œil. Je connais très bien madame Sabourin, l'archiviste.

— Si vous me rendiez ce service, monsieur, répondit Juliette d'une voix fervente, je ne sais ce que je ferais pour vous.

Une plaisanterie osée traversa l'esprit du vendeur ; il la garda prudemment derrière ses lèvres, se contentant d'esquisser un sourire :

— Mais attention... je ne vous promets rien ! Leurs archives, c'est quatre ou cinq rangées de boîtes de carton empilées jusqu'au plafond et remplies à la vrouche que vrouche ! On peut passer des semaines à fouiller là-dedans.

— Je comprends, monsieur, acquiesça humblement Juliette.

Ils se mirent à causer de choses et d'autres. Portelance, de plus en plus sensible aux charmes abondants de sa compagne, la fit parler d'elle-même et réussit à conserver un visage parfaitement flegmatique lorsqu'il apprit qu'elle était veuve depuis de nombreuses années et vivait avec son petit-neveu. Il hasarda alors un ou deux compliments sur sa bonne mine, mais sentant aussitôt que sa galanterie risquait d'être mal reçue, il battit prudemment en retraite et se replia sur les aspirateurs, sujet qui lui permettait de faire admirer dans tout son éclat sa virtuosité verbale.

— Neuf heures et demie ! s'exclama soudain Juliette. Mon Dieu, excusez-moi, monsieur Portelance, mais il faut que je rentre tout de suite à la maison pour aller coucher mon petit Denis... il doit s'inquiéter de mon absence !

Le représentant se leva et, malgré les protestations de sa compagne, paya l'addition, puis la reconduisit jusqu'à l'auto. Au moment de la quitter, il fut à deux doigts de l'inviter à venir goûter un de ces beaux jours aux petits plats succulents de Flora, mais jugea préférable au dernier instant de s'abstenir. L'obèse lui tendit la main :

— Merci pour tout. Vous avez été si aimable...

— J'espère pouvoir l'être encore, fit le vendeur en riant. Je vous donne des nouvelles très bientôt. Ah ! mais j'oubliais ! et cet aspirateur ? Vous désirez toujours le changer ?

— Euh... oui, bien sûr, répondit Juliette en rougissant. Je vous ferai signe.

— Ne vous pressez pas, madame. La compagnie *Electrolux* n'est pas à la veille de fermer ses portes. Eh bien, voilà, annonça-t-il le lendemain matin au bout du fil, j'ai réussi à mettre la patte sur votre gibier !

Juliette, qui sirotait son café en robe de chambre dans la cuisine, leva les yeux vers l'horloge murale au-dessus du frigidaire ; elle marquait dix heures moins quart :

— Monsieur Portelance, s'exclama-t-elle sur un ton de reproche, vous vous êtes rendu au bureau exprès pour moi. Vous allez me faire mourir de gêne !

— Ne mourez pas, ne mourez pas ! Ça serait en pure perte. Je devais rencontrer le directeur des ventes de bonne heure ce matin et comme il était en retard, j'ai eu tout le temps de faire mes petites recherches, qui m'ont pris à peine un quart d'heure, je vous le jure : j'ai trouvé notre bonhomme dans la deuxième boîte sur une pile de dossiers.

En fait, il était arrivé au bureau presque à l'aube, sans rendez-vous avec quiconque, avait eu un mal de chien à convaincre le gardien de lui ouvrir, puis avait passé deux heures à manipuler des boîtes, suant et pestant dans la poussière.

— Avez-vous un crayon et du papier ? Bon. Alors, voilà. En 1977, votre Alexandre Lemire demeurait au 712, rue Bernard, à Outremont ; son nom figure toujours dans le bottin.

Il lui donna le numéro de téléphone et lui souhaita bonne chance :

— Si jamais je puis vous être encore utile, madame, n'hésitez pas à m'appeler...

Sur ce, il hésita lui-même une seconde, puis :

— J'ai... beaucoup apprécié en quelque sorte notre petite jasette d'hier. Ce n'est pas tous les jours que... Enfin, en d'autres mots, si on peut dire, je vous trouve bien sympathique, vous savez.

— Moi de même, monsieur, répondit Juliette, soudain froide et guindée, et je vous remercie encore mille fois. Hum ! fit-elle en raccrochant, ébahie et quelque peu effrayée, est-ce que ce bon monsieur serait en train de me faire la cour ?

Soulevant les bras, elle pencha la tête et contempla son corps difforme avec un sourire qui l'aurait ulcérée s'il était né sur d'autres lèvres, puis, haussant les épaules, elle composa le numéro que venait de lui fournir si galamment le vendeur. Ce fut une voix de femme qui répondit.

— Est-ce que je pourrais parler à monsieur Alexandre Lemire ? demanda doucement Juliette, tandis que ses avant-bras jambonesques se couvraient de chair de poule.

Quelques secondes passèrent, puis :

— Monsieur Lemire est décédé, répondit la femme d'une petite voix placide et raisonnable.

— Décédé ? fit Juliette, atterrée.

— Qui parle, s'il vous plaît ?

— Je... mon nom est Juliette Pomerleau, madame... Voilà, c'est que... je téléphonais pour... il s'agit d'une affaire qui concernait monsieur Lemire, voyez-vous, et j'aurais voulu...

— Je suis madame Lemire, répondit l'autre avec la patience impersonnelle d'une préposée aux renseignements.

— Ah bon... eh bien, voilà... pour tout dire, je suis à la recherche depuis quelque temps... Est-ce que votre mari est décédé il y a longtemps, madame ?

— Il y a trois ans.

— Mon Dieu, comme c'est malheureux... je suis désolée... (Qu'est-ce que je pourrais bien lui dire ? se demanda-t-elle avec désespoir. Je ne vais tout de même pas lui raconter...) J'espère, madame, que je ne prends pas trop de votre temps?

— Je vous écoute.

— Eh bien, voilà... J'essaye d'entrer en contact avec une personne que votre mari a peut-être connue autrefois lorsqu'il travaillait pour la compagnie *Electrolux*...

— Qui vous a donné le nom de mon mari, madame?

— Un de ses confrères de travail, monsieur Alexandre Portelance.

Le silence se fit de nouveau au bout du fil:

— Ce nom ne me dit rien, reprit la femme. Continuez, je vous écoute.

— Eh bien, cette personne que votre mari aurait possiblement connue vers 1977... En fait, il s'agit d'une de mes nièces, voyez-vous... Mais je m'aperçois que je vous dérange sans doute inutilement, puisque la...

— Comment s'appelle votre nièce? coupa la femme.

Le ton incisif de sa voix acheva de décontenancer Juliette, qui resta bouche bée.

— Adèle Joannette, répondit-elle enfin à voix basse, comme sur un ton d'aveu.

Le silence se fit encore une fois et s'allongea, s'allongea, comme un élastique sur le point d'éclater.

— Allô? fit la comptable, dont le corps était devenu une masse humide. Êtes-vous encore là, madame?

— Et que lui voulez-vous, à cette Adèle Joannette? demanda la voix avec un léger frémissement.

Juliette sentit qu'elle venait de toucher une corde sensible et que sa réponse serait décisive. Devait-elle se présenter comme une amie d'Adèle ou laisser entendre au contraire que leurs relations laissaient à désirer? Elle croisa l'index et le majeur, prit une courte inspiration et opta pour une solution mitoyenne:

— Nous avons des comptes à régler ensemble. Elle me doit de l'argent.

— Eh bien, moi aussi, madame, figurez-vous que j'ai des comptes à régler avec elle. Mais je n'aime pas parler de ces choses au téléphone.

La voix s'était brusquement relâchée, comme si une énorme tension venait de se dissiper.

— Moi non plus, répondit Juliette, joyeuse et soulagée. Est-ce que je peux vous rencontrer ? Je pourrais me présenter chez vous dans une vingtaine de minutes, si vous voulez.

— J'allais faire des courses. Mais je suis libre après dîner.

— À une heure alors ? proposa Juliette.

— Je vous attends.

Et elle raccrocha. L'envie la prit d'esquisser un pas de danse, mais elle se contenta, plus réaliste, de balancer les bras en chantonnant, puis alla se verser un grand verre d'eau glacée, car les parois de sa gorge voulaient s'agglutiner. Elle revint ensuite au téléphone, composa le numéro de l'*Agence Peter Jeunot* et laissa sonner une dizaine de coups :

— Si dans trois jours je n'ai pas de ses nouvelles, grommela-t-elle en raccrochant avec fracas, je lui envoie une lettre recommandée pour lui dire de tout arrêter et de me rembourser.

Quelqu'un frappa à la porte.

— Entrez ! Mon Dieu, comme tu es belle ! s'exclama Juliette en apercevant Rachel. Où as-tu trouvé cette robe blanche ?

La violoniste se jeta dans ses bras :

— Madame Pomerleau, je suis presque sûre d'être acceptée à l'Orchestre symphonique ! Le responsable du comité de sélection vient de me téléphoner ; je dois me présenter aux bureaux de l'O.S.M. à deux heures. Il n'a rien voulu ajouter, mais il ne faisait que rire à mes questions et m'a quittée en me disant : « Bonne chance... si ça peut vous être encore utile. » Il fallait absolument que j'en parle à quelqu'un.

Juliette lui saisit les mains, tout émue :

— Comme je suis contente... Tu es une petite bonne femme tellement courageuse et pleine de talent que ça ne pouvait manquer d'arriver. Est-ce que Bohu le sait ?

— Pas encore. Il est parti de bonne heure ce matin pour une promenade sur l'île Sainte-Hélène. J'ai envie d'aller le rejoindre. Oh ! madame Pomerleau, s'écria-t-elle en se blottissant de nouveau contre elle, est-ce que je rêve ? Faire de la musique avec Charles Dutoit dans un des meilleurs orchestres d'Amérique ?

— Eh bien, moi aussi, j'ai une bonne nouvelle à t'apprendre, annonça Juliette en lui caressant les cheveux.

Rachel eut un léger sursaut et se dégagea.

— Je pense être sur une piste. Je dois rencontrer tout à l'heure une certaine dame Lemire qui semble savoir des choses sur Adèle. Elle n'a pas l'air de l'aimer ! Ma chère nièce a dû couchailler avec son feu mari vers la fin des années 70. Il y a des épouses qui n'aiment pas ça. Elle doit avoir le goût de lui faire avaler des chandelles allumées.

— Soyez féroce contre Adèle, inventez n'importe quoi, et vous verrez, elle va s'essorer le cœur devant vous.

Madame Lemire habitait une charmante et vieille conciergerie construite au début des années 20 ; la façade de brique rouge vin rehaussée d'ornements de grès sculpté amenait à l'esprit des scènes de leçons de piano, de broderie et de parlotte au coin du feu dans l'arôme délicat du *Earl Grey*. En arrivant au troisième étage, Juliette fut intriguée par la vue de deux énormes fauteuils victoriens recouverts de velours grenat et placés dans le corridor de chaque côté de la porte de l'appartement numéro 33, où demeurait justement la veuve.

— Elle doit se préparer à déménager, se dit Juliette en sonnant.

Un glissement de pas rapides se fit entendre, suivi d'un cliquetis de chaîne et la porte s'ouvrit.

— Madame Pomerleau ? fit une petite femme maigre en écarquillant des yeux de myope. Entrez, entrez. J'espère que vous n'attendiez pas depuis trop longtemps, je passais l'aspirateur dans ma chambre à coucher.

Elle la fit pénétrer dans un grand salon à demi vide, ne possédant plus comme meuble qu'un canapé du même style que les fauteuils du corridor, une lampe sur pied et une table à café posée sur un tapis à motif qui représentait un berger et une bergère gambadant au clair de lune dans une prairie. L'endroit où se trouvaient les deux fauteuils se devinait à de légères éraflures sur le plancher verni.

— Assoyez-vous, je vous en prie, l'invita madame Lemire en lui désignant le canapé, je reviens à l'instant.

Juliette la vit bientôt réapparaître avec une chaise pliante qu'elle ouvrit en face du canapé. De plus en plus intriguée et mal à l'aise, Juliette sourit, se cala dans les coussins, et comme son hôtesse, assise en face d'elle, continuait de l'observer en silence, les mains sur les genoux, avec une mine rêveuse et affligée, elle crut bon de remarquer :

— Vous habitez un bel immeuble. Demeurez-vous ici depuis longtemps ?

— Trente et un ans.

— C'est tranquille. Le quartier est très joli. J'ai toujours rêvé d'habiter Outremont.

Madame Lemire se contenta de soupirer, sans rien répondre.

— Ma foi, on dirait qu'elle est un peu dérangée, se dit Juliette. Et qu'est-ce que c'est que cette idée de vider son salon dans le corridor ? Est-ce que vous êtes de Montréal ? reprit-elle.

— Je suis née à Valleyfield, répondit la femme comme si la chose avait été un désastre.

— Et vous habitez Outremont depuis longtemps ?

— Trente et un ans.

Juliette eut un sourire aimable :

— Eh bien, il n'y a pas à dire : vous êtes une personne stable.

— Et ainsi, fit tout à coup madame Lemire avec un accent de rage contenue, vous êtes la tante de cette Adèle Joannette ?

— Hé oui, madame, et je m'en passerais bien.

La veuve se pencha en avant, le regard intense et brûlant :

— Qu'est-ce qu'elle vous a fait, à vous ? souffla-t-elle d'une voix saccadée.

La comptable leva le regard au plafond pour se donner le temps de fabriquer une réponse :

— Ah mon Dieu, par où commencer ? D'abord j'ai dû la prendre chez moi pendant quelques années, car elle était orpheline, figurez-vous. Quel caractère, madame ! Ce n'est pas bien de parler contre son prochain, et encore moins contre ses proches, mais la langue me sécherait dans la bouche si je vous disais que j'ai connu là les plus belles années de ma vie ! Et ensuite, après son départ de chez moi, quels tracas ! La moindre rencontre tournait en chicane. J'avais beau mettre vingt paires de gants blancs, je finissais toujours par ulcérer mademoiselle. Et il ne fallait pas cesser de lui rendre service ! Que cela fasse mon affaire ou pas !

Juliette s'éclaircit la gorge, puis, d'une voix très posée :

— Ce qui m'amène chez vous, chère madame, est une question très terre à terre. Au cours des années, je lui ai prêté, par petits et gros morceaux, une somme d'argent assez rondelette. Elle a toujours négligé de me rembourser. Mais aujour...

— Il y a longtemps que vous l'avez vue ? coupa la femme.

— Une éternité : depuis le 15 mars 1977, pour être exacte.

L'autre marmonna quelques mots, puis continua de fixer Juliette, attendant qu'elle poursuive.

— Mais aujourd'hui, reprit celle-ci, j'ai besoin de cet argent. Ma santé s'en va et je ne sais combien de temps je pourrai continuer de travailler. Alors, je me suis mise à sa recherche pour que nous réglions nos comptes, voilà tout. (Ce n'est pas assez, se dit l'obèse.) Et s'il le faut, ajouta-t-elle en élevant la voix, je demanderai l'aide de la justice, hé oui !

— Voilà ! voilà ! s'écria madame Lemire avec un enthousiasme haineux, cette fille a besoin d'un châtiment ! d'un châtiment !

Les deux femmes se regardèrent en silence.

— Alors vous aussi, fit Juliette d'un air compatissant, vous avez eu des problèmes avec elle ?

La veuve se cambra sur sa chaise, redressa le menton et, l'œil à demi fermé :

— Madame... pour tout vous dire... votre nièce... m'a enlevé mon mari... et ensuite, pour combler la mesure... elle me l'a tué.

— Tué !

— J'en ai la preuve, affirma l'autre d'une voix éteinte et saccadée. J'en ai la preuve ici même chez moi.

Un air de dignité funèbre se répandit sur son visage :

— Madame, pendant trente ans, j'ai eu un bon mari, qui m'a donné quatre enfants et tout l'argent nécessaire pour les élever convenablement. Pendant trente ans, jamais de chicane, mais de l'amour, de l'attention, de la délicatesse, oui... Et un beau jour... quelque part au mois de juillet 1977, il a rencontré cette petite garce — excusez le mot, madame, mais réellement, je n'en trouve pas d'autre — et alors, tout a été fini, comprenez-vous ? Tout. Le 5 août au matin, après avoir fait ses valises en cachette durant la nuit, il a quitté la maison en catimini et j'ai été sans nouvelles de lui pendant trois mois. Pendant *trois mois*, m'entendez-vous ? Oh, j'avais bien fini par apprendre qu'il travaillait toujours chez *Electrolux* et logeait quelque part à Montréal. Mais de lui, pas un mot... J'avais beau téléphoner et téléphoner, laisser des messages au bureau, supplier les secrétaires, jamais il ne m'a rappelée... Et puis, le 12 novembre au soir, la police m'a annoncé qu'on venait de le trouver inconscient dans une chambre de motel à Terrebonne et qu'il était en route pour l'hôpital Sacré-Cœur. Mon frère Charles m'a conduite auprès de lui. Il se trouvait au service des soins intensifs et n'avait toujours pas repris connaissance. Un médecin est venu me trouver. Mon mari venait de faire une thrombose cérébrale et on ne pensait pas qu'il en réchapperait... Mais il en a réchappé, ajouta-t-elle avec une grimace amère. Un mois plus tard, on me l'a ramené à la maison, un petit vieux tout sec qui tenait à peine sur ses jambes et ne se rendait au bout de ses journées qu'à coups de pilules. J'en ai eu soin jour et nuit durant huit ans, madame, jusqu'à ce qu'on le mette en terre... J'y ai laissé le sommeil et la santé, et c'est à mon tour aujourd'hui de gober des pilules... Et tout ça, siffla-t-elle, à cause d'une femme de rien du tout qui l'a enjôlé pour son argent, l'a endetté de 12 000 $ en trois mois, lui a ruiné la santé par la débauche et, quand il s'est écrasé à ses pieds dans le motel, s'est sauvée comme une voleuse...

Elle se tapota fébrilement les yeux du bout des doigts, balançant la jambe gauche à coups saccadés. Juliette la regardait, la gorge serrée, dans une grande bouffée de chaleur :

— Voulez-vous... que je revienne une autre fois ? demanda-t-elle enfin.

— Non, non, restez. Tant qu'à m'être mise dans le sujet, aussi bien aller jusqu'au bout.

Elle se leva :

— Je vais préparer du thé, fit-elle avec un air de profonde résolution. Vous en prendrez bien une tasse ?

— Si ce n'est que pour moi, ne vous donnez pas cette peine, je vous en prie.

— Ça va me faire du bien, murmura-t-elle comme pour elle-même en quittant la pièce d'un pas hésitant.

Juliette contempla avec mécontentement ses aisselles marquées par une grande tache de sueur et se mit à examiner le salon, puis la salle à manger attenante où se dressait une table de noyer monumentale dont les pattes massives, terminées en serres d'aigle crispées sur une boule de marbre, semblaient remplies d'une énergie maléfique. Un rectangle jaunâtre sur le mur du fond indiquait l'emplacement d'un tableau. Elle entendit un cliquetis de vaisselle et d'ustensiles, et madame Lemire apparut avec un plateau. Juliette tendit la main en souriant :

— Je vous assure... ce n'était pas nécessaire...

— Pas de sucre ni de lait ? Voyez-vous, poursuivit-elle en se rasseyant, votre visite m'a un peu secouée, car j'ai appris il y a à peine deux mois le nom de cette femme qui a stupidement gâché mes vieux jours.

Le visage de Juliette se remplit d'étonnement :

— Votre mari ne vous a jamais...

— Non, madame. Jamais il n'a fait une allusion grosse comme ça à ces mois de débauche que le bon Dieu lui a fait si chèrement payer, et la seule fois où je me suis risquée à le questionner, il s'est mis dans un tel état que j'ai eu peur qu'il fasse une autre attaque... Vous avez remarqué les deux fauteuils près de ma porte dans le corridor ?

Juliette fit un léger signe de tête.

— Eh bien, c'est là que j'ai pris tous mes renseignements.

— Ah bon.

Elle eut un petit sourire acide :

— C'était la cachette de mon mari. C'est là qu'il dissimulait ses souvenirs d'amour. Au mois de mars dernier, j'étais à quatre pattes dans le salon en train de chercher une bobine de fil lorsque j'ai remarqué que le dessous d'un des fauteuils était décousu et pochait d'une curieuse façon. Alors j'ai glissé ma main dans la fente et j'en ai sorti ceci, fit-elle en se levant.

Elle quitta la pièce et revint avec deux boîtes de carton :

— Il y en avait une dans chaque fauteuil. Tenez, passons à la salle à manger. Nous y serons plus à l'aise pour examiner mes trésors.

Juliette dut s'y prendre à trois fois avant de pouvoir se lever, puis déploya des prodiges d'adresse pour se glisser entre la table et la chaise qu'on lui avait désignée et que la proximité d'un mur empêchait de reculer suffisamment.

— Voilà, fit madame Lemire, solennelle et sarcastique, en soulevant le couvercle d'une ancienne boîte de chocolats *Moir's* remplie à craquer de photos, de lettres et de divers papiers. Amusez-vous. Vous allez voir comme c'est édifiant.

Juliette avança une main fébrile, saisit une photo et ne put retenir un grognement désapprobateur ; Adèle, à demi nue, les seins à découvert, souriait d'un air hébété, allongée sur un lit. À sa droite, on avait déposé sur une table de chevet une bouteille de rhum *Saint James*, des verres et un récipient de plastique contenant des glaçons. L'envers portait une inscription au stylo-bille : « *Ma petite Adèle, Miami, 8 septembre 1977* ». La boîte contenait plusieurs douzaines de photos du même genre, la plupart banales et insipides, mais certaines fort osées, l'une d'elles montrant sa nièce hilare, manifestement ivre, étendue toute nue sur un lit dans une pose particulièrement provocante.

Juliette s'arrêta sur une photo d'Adèle assise dans un canapé près d'un quinquagénaire à demi chauve, l'air un peu bonasse, qu'elle tenait enlacé par le cou.

— Mon mari, se contenta de dire madame Lemire sur un ton pincé. Vous êtes surprise que je n'aie pas jeté toutes ces cochonneries au feu, hein ? Ce n'est pas que je prenne beaucoup de plaisir à les garder, mais le jour où j'attraperai cette petite... garce (elle mordait dans le mot avec un plaisir évident), elles me seront peut-être utiles.

— Est-ce que vous avez commencé des recherches ?

— Non, répondit-elle tout uniment, sans paraître se rendre compte de son inconséquence.

Une liasse d'enveloppes se trouvait au fond de la boîte, toutes adressées à Mlle Adèle Joannette, 1215, rue Wolfe, Montréal, la plupart provenant de la Commission d'assurance-chômage. Le cachet postal indiquait l'année 1977.

La deuxième boîte, plus petite, contenait d'autres enveloppes, un agenda de l'année 1977 dans lequel on avait inscrit de courtes notes, un bâton de rouge à lèvres, un lambeau de coton marqué d'une grande tache jaunâtre et un slip rose tout froissé. Manifestement, Alexandre Lemire avait eu des tendances fétichistes. Juliette se mit à feuilleter l'agenda.

— C'est l'écriture de mon mari. Il aimait noter les adresses de motels, de restaurants, de bars et d'hôtels où votre nièce l'amenait gaspiller son argent.

Juliette avait peine à cacher sa déception :

— Vous n'avez rien de plus... récent ? se risqua-t-elle à demander.

Madame Lemire secoua la tête :

— Mon mari ne l'a jamais revue après sa maladie. Ce n'est pas qu'il s'était mis à la vertu, ajouta-t-elle en ricanant. Mais le vice était devenu au-dessus de ses forces.

Elle remit leur contenu dans les boîtes :

— Malgré tout, il avait encore la force de se traîner à quatre pattes dans le salon pour s'aménager des cachettes... Je peux vous assurer qu'elle ne lui est jamais sortie de la tête, celle-là. Quant à moi, je n'étais plus bonne qu'à passer la vadrouille, faire la vaisselle, changer son lit et voir à ce qu'il prenne ses remèdes... Tenez, emportez tout, décida-t-elle soudain, cela pourra peut-être vous servir...

Elle sourit tristement à Juliette étonnée :

— Dans le fond, je sais bien que je me raconte des histoires : jamais je ne lui verrai le bout du nez, à cette femme. Oh, j'avais bien pensé un temps à mettre quelqu'un sur sa piste, mais, pour être franche avec vous, je n'ai plus assez de nerfs pour ce genre de choses... Je dors à peine deux ou trois heures par nuit, j'ai des maux de tête épouvantables, mon estomac est détraqué... Je préfère oublier... Quand bien même je la ferais mettre en prison pour refus d'assistance, ça ne ressuscitera pas mon mari, hein ? La simple vue de ces deux fauteuils me donnait des palpitations. Alors, la semaine passée, j'ai demandé au concierge de les transporter dans le corridor. Mon gendre doit m'en débarrasser en fin de semaine.

— J'espère que vos problèmes de santé vont se régler, madame, compatit Juliette en faisant glisser les boîtes vers elle. Vous devriez voyager, vous inscrire dans un club, je ne sais pas... Il faut vous changer les idées, sinon cette histoire va vous empoisonner jusqu'à la fin de vos jours...

Elle voulut se lever, mais resta coincée.

— Poussez un peu sur la table, suggéra aimablement madame Lemire, ma femme de ménage a dû la déplacer la semaine dernière.

Juliette s'arc-bouta sur les fesses et la pointe des pieds, déplaça le meuble d'un centimètre ou deux et réussit à se dégager :

— Merci mille fois. Vos renseignements me seront sûrement utiles. Est-ce que vous désirez que je vous tienne au courant de mes recherches ?

Madame Lemire hésita, puis, agitant mollement la main devant elle, comme pour chasser une mouche :

— Non, je ne veux plus entendre parler de rien. Je vais suivre vos conseils et m'occuper de mes filles et de mes petits-enfants, c'est tout.

Elle se leva à son tour et la reconduisit à la porte :

— Si ma santé se rétablit un peu, j'irai peut-être en Floride dans quelques semaines avec une amie. Bonne chance, dit-elle en lui tendant une main osseuse et parcheminée. Vous n'avez pas besoin de fauteuils, par hasard ?

Juliette secoua la tête.

— Soignez-vous bien, fit l'obèse en s'éloignant. Tout ça est bien joli et croustillant, grommela-t-elle en déposant les deux boîtes sur la banquette de l'auto, mais je ne suis pas plus avancée. Enfin... sait-on jamais ? j'examinerai ça plus à fond tout à l'heure.

Elle venait à peine de stationner devant chez elle que Denis surgissait de l'allée en courant :

— Il y a un monsieur Jeunot qui vient de téléphoner, lança-t-il, tout excité. Il demande que tu le rappelles au plus vite, c'est très important.

— Eh bien, l'animal ! il était temps qu'il montre le bout du nez, répondit-elle en se hâtant vers la maison.

Elle saisit le combiné :

— Où vous cachiez-vous ? s'exclama-t-elle. Voilà deux semaines que j'attends de vos nouvelles.

— Ma chère madame, vous m'aviez demandé de chercher une personne disparue. Il fallait bien que je disparaisse à mon tour si je voulais mettre la main dessus, non ? Comment descendre au fond de la mer sans quitter le bateau ?

— Alors, l'avez-vous trouvée enfin ? demanda Juliette d'une voix tremblante.

Debout en face d'elle, Denis la dévorait des yeux. Le détective eut un petit rire satisfait :

— Bien sûr que je l'ai trouvée. Douteriez-vous de moi, par hasard ?

— Je vous avoue que je commençais. Où est-elle ? Vite, dites-moi où elle est !

— J'allais justement vous proposer de venir la rencontrer avec moi cette après-midi.

— Elle se trouve donc à Montréal ?

Denis se planta devant Juliette, les bras croisés :

— Je veux que tu m'emmènes, ma tante.

— Un instant, monsieur Jeunot, coupa Juliette.

Elle posa la paume sur le récepteur :

— Il n'en est pas question. Je vais d'abord la rencontrer seule. Elle n'a peut-être pas envie de te voir tout de suite, tu sais. Et alors, vous disiez ? poursuivit-elle en reprenant le combiné.

— J'allais dire, ma chère madame, qu'effectivement elle se trouve à Montréal. Mais Montréal, c'est une grande ville ! Il y en a, des portes, des murs et des fenêtres, sans compter les puits de lumière ! J'ai eu pas mal de misère à la dénicher ! Mais voilà, c'est fait. Passez donc à mon bureau vers cinq heures. De là nous irons chez elle.

— Dites-lui... ou plutôt non, ne lui dites rien.

— Vous avez raison. Ce sera encore plus émouvant.

Elle raccrocha et vit son neveu qui s'apprêtait à soulever le couvercle d'une des boîtes de madame Lemire.

— S'il te plaît, monsieur l'indiscret, lança-t-elle en se précipitant. Ce sont des affaires *personnelles*.

Elle s'en empara, se rendit à sa chambre et les cacha au fond de la garde-robe.

À cinq heures moins dix, Juliette stationnait devant l'*Agence Peter Jeunot*. Se tournant vers Denis assis près d'elle, le regard braqué droit devant lui, les mâchoires serrées, l'air maussade :

— Ma foi, dit-elle, je dois retomber en enfance... Je n'arrive toujours pas à comprendre pourquoi je t'emmène, tête dure. Tu me jures de ne pas sortir de l'auto avant que je te fasse signe, hein ?

— Ça fait dix fois que je te le jure, répliqua l'enfant, excédé.

— Attends-moi ici, j'en ai pour trois secondes, fit-elle en ouvrant la portière.

Elle s'éloigna pesamment sur le trottoir :

— Pourvu que tout se passe bien, se dit-elle, soucieuse.

Un adolescent habillé de cuir noir déboucha au coin de la rue, tenant à la main un énorme transistor, et s'arrêta net en la voyant, puis, avec un perfide sourire, mit le volume au maximum quand elle passa près de lui.

— Comment va-t-elle ? demanda Juliette, hors d'haleine, en entrant dans le bureau du détective.

Jeunot s'avança, sourire aux lèvres, et lui serra la main :

— Mais bien, très bien. Un peu pâle, si vous voulez, mais solide comme le pont d'Avignon. Enfin, ce qui en reste. C'est encore une *très* belle femme. Allons la voir.

Il allait sortir ; elle lui saisit le bras :

— Mon neveu est avec moi. Il m'a fait une scène pour que je l'emmène. Pensez-vous que j'aurais dû le laisser à la maison ?

Peter Jeunot la prit par les épaules et la secoua gentiment :

— Ma bonne madame Pomerleau, écoutez-moi : elle *meurt d'envie* de le voir, cet enfant. Ce sera un des plus beaux jours de votre vie — et de la sienne !

— Alors, pourquoi n'est-elle jamais venue chez moi en dix ans ? Je n'ai jamais changé d'adresse.

— Mystères de l'âme humaine, dit sentencieusement le détective en penchant la tête de côté, l'œil à ras de sourcil.

Ils descendirent l'escalier. Jeunot voulut lui prendre le bras, mais elle se dégagea brusquement et continua sa descente seule, accrochée d'une main à la rampe.

— Ah bon ! s'écria le détective en apercevant Denis adossé contre la voiture. Le voilà, le petit chanceux qui est à la veille de revoir sa maman ! Comment vas-tu, mon garçon ?

— Bien, répondit l'enfant à voix basse.

— Est-ce que je peux me permettre de suggérer que nous prenions votre auto ? fit Jeunot qui semblait rempli d'une bonne humeur à toute épreuve. J'ai dû mener la mienne au garage ce matin.

Ils prirent place dans la *Subaru*.

— L'adresse ? fit Juliette en démarrant.

— Rue Marmette. Prenez le boulevard Saint-Joseph vers l'ouest.

Tandis que l'auto s'ébranlait, il examina le tableau de bord, puis les banquettes, et se mit à gigoter sur son siège, tournant la tête en tous sens :

— Vraiment ! un véritable petit bijou motorisé, madame. Il y a longtemps que vous l'avez ?

— Deux ans, répondit Juliette, traversée de frissons et de bouffées de chaleur. Comment l'avez-vous trouvée ?

— Je... votre nièce ? Oh ! c'est une longue histoire. Vous lirez tout ça dans mon rapport.

Recroquevillé sur le siège arrière, Denis semblait rêver. Juliette l'entendait gratter sans relâche la moquette de l'auto avec son talon. Cinq ou six minutes s'écoulèrent. L'auto venait de quitter la rue Saint-Denis pour enfiler le boulevard Saint-Joseph.

— Allez jusqu'à la rue Coloniale, conseilla Jeunot, et tournez ensuite à gauche. Marmette est parallèle au boulevard Saint-Joseph, la première rue au nord.

C'était en fait une ruelle minuscule, d'aspect plutôt misérable, coincée entre des entrepôts et des manufactures, qui allait de la rue de l'Hôtel-de-Ville à la rue Saint-Dominique et ne comptait qu'un seul bâtiment à trois logis, situé à quelques mètres de la rue Coloniale en face d'une grande cour d'école déserte.

Juliette éteignit le moteur et se mit à examiner l'édifice de brique à un étage, un peu miteux avec ses fenêtres à demi pourries et son perron en ruine bordé par un treillis brisé le long duquel gisaient, flétris par le froid, des touffes de bardane et quelques œillets parmi la mauvaise herbe. L'ensemble avait quelque chose de doucement pathétique, comme une sorte de souvenir à demi effacé de la campagne avant l'impitoyable envahissement de la ville avec sa turbulence et ses misères.

— Elle demeure au 79, annonça Jeunot. Depuis deux ans. J'en ai la preuve.

Juliette se tourna vers son petit-neveu :

— Je verrouille les portières de l'auto ; je te défends d'ouvrir à d'autre qu'à moi. Je ne pense pas que ce soit très long.

— Oui, ma tante.

— Allons-y, fit-elle en allongeant une jambe au-dessus du trottoir.

Peter Jeunot sortit vitement de l'auto, fit le tour du véhicule et alla lui tendre la main. On aurait dit qu'il se retenait pour ne pas sautiller de joie. Juliette posa sur lui un regard anxieux :

— Vous êtes sûr qu'elle nous attend ?

— Elle nous attend.

L'obèse fit un signe de la main à son petit-neveu pelotonné sur la banquette. Il lui répondit par un sourire si pâle et si misérable que les larmes lui montèrent aux yeux.

— Ah ! sainte pitié ! soupira-t-elle en traversant la rue aux côtés du détective, je me demande des fois où le bon Dieu a la tête...

Peter Jeunot fit un petit entrechat et passa devant elle dans l'escalier. Il se rendit à la troisième porte, posa solennellement l'index sur la sonnette et sourit à Juliette qui finissait de gravir les marches.

— Attendez-moi un peu, ronchonna-t-elle, je ne suis pas un papillon.

Elle s'avança en soufflant et alla se placer derrière le détective. Une boîte aux lettres oblongue avait été fixée près de la porte et on avait collé dessus un morceau de sparadrap, maintenant grisâtre et tout échiffé, sur lequel se lisait, écrit au stylo-bille :

A. Joannette

La porte s'ouvrit et une jeune femme au teint jaunâtre, aux yeux immenses et brillants, la tête enveloppée d'un turban bleu pâle, apparut dans l'embrasure. Juliette béa d'étonnement et recula d'un pas.

— Entrez, fit l'inconnue.

Elle s'éloigna dans un petit corridor tapissé d'un papier bleu foncé à motif de fleurs blanches, décollé à plusieurs endroits, et disparut par une porte à droite.

Juliette et Peter Jeunot pénétrèrent à sa suite dans une sorte de salon-bibliothèque où régnait un grand désordre. Elle était déjà assise dans un fauteuil au fond de la pièce et leur fit signe de prendre place à sa gauche sur un futon informe orné d'une grande tache de jus de raisin et au-dessus duquel s'ouvrait une fenêtre masquée par des rideaux à ramages. Juliette et le détective s'assirent tandis que leur hôtesse s'allumait nonchalamment une cigarette. Une table à café occupait le milieu de la pièce. Trois livres s'y trouvaient, parmi une demi-douzaine de cendriers pleins de mégots : *Les Fiancés*, de Manzoni, *La Fiancée de Messine*, de Schiller et *Fiançailles tragiques*, de Madeleine Girouard.

— Comment allez-vous ? demanda la jeune femme en s'adressant à Juliette.

— Très bien, merci. Où est Adèle ?

— C'est moi.

Et elle ajouta :

— Je suis Adèle Joannette.

Quelques instants passèrent. Juliette se tourna vers le détective :

— Je crois qu'il y a erreur, monsieur. Il ne s'agit pas de ma nièce.

— Ah bon, fit Jeunot, étonné. Comme c'est curieux ! En tout cas, madame ici présente reconnaît bien être la mère de votre petit-neveu Denis.

— Mais je vous avais donné des photos ! Il suffit d'avoir des yeux pour voir que ce n'est pas la même personne !

— On change en dix ans, répondit calmement le détective. Et puis, il y a une ressemblance.

— Allons donc !

La jeune femme poussa une longue bouffée, se pencha en avant, les coudes appuyés sur les genoux, le regard fixé sur Juliette, et ses yeux s'agrandirent et brillèrent encore plus :

— Mon nom est Adèle Joannette et j'ai un fils de dix ans qui s'appelle Denis, né le 8 mai 1978, dont j'ai dû me séparer lorsqu'il avait un an.

— Mais où donc m'avez-vous amenée, monsieur Jeunot ? éclata la comptable. Je vous répète que cette femme n'est pas ma nièce. Je ne la connais pas. Elle n'est pas la mère de mon petit-neveu et nous perdons notre temps ici. Bonjour !

— Minute, minute, lança Adèle Joannette en se levant. J'ai quelque chose à vous montrer.

Elle disparut derrière une tenture. Juliette fixait le détective, l'œil furibond ; elle ressemblait à un buffle prêt à charger ; il posa un doigt sur ses lèvres tandis que sa main gauche s'agitait doucement dans un geste pacificateur.

— Ces deux fous sont de connivence, se dit-elle.

Une pensée horrible lui traversa l'esprit. Elle se retourna sur le futon, bousculant un peu son compagnon, écarta les rideaux et aperçut avec soulagement Denis qui l'attendait sagement dans l'auto. Son regard tomba sur l'appui de la fenêtre : trois mouches mortes y avaient été déposées symétriquement, formant un triangle.

— Voilà, fit Adèle Joannette en écartant la tenture, j'ai quelque chose ici qui va sans doute vous intéresser.

Et elle tendit à Juliette une photo en couleurs. On y voyait en pied un enfant et une jeune femme vêtus de maillots de bain, debout sur une plage et souriant. La femme était manifestement l'interlocutrice de Juliette ; quant à l'enfant, qui devait avoir sept ou huit ans, c'était Denis ou son sosie.

— Insensé, murmura Juliette, sans pouvoir cacher son trouble.

— Et que dites-vous de ceci ? poursuivit Adèle Joannette en sortant de son corsage une autre photo, plus petite.

Elle représentait Denis — ou sa copie — en plan rapproché ; il devait avoir six ou sept ans et portait un gilet de coton rayé rouge et blanc que Juliette reconnut aussitôt : c'était un cadeau d'anniversaire d'Elvina. La photo lui était inconnue.

Juliette dévisagea la fausse Adèle :

— Je ne sais pas ce que vous manigancez, siffla-t-elle d'une voix coupante, mais vous allez me trouver sur votre chemin si jamais vous tentez quelque chose contre cet enfant.

Puis, s'adressant à Jeunot :

— Quant à vous, vous avez des comptes à me rendre. Je ne vous ai pas donné du bon argent pour m'amener perdre mon temps chez une détraquée.

Elle se leva avec beaucoup de difficultés et enfila le corridor, suivie du détective qui poussait des exclamations confuses en agitant les bras, tandis que la femme au turban, adossée au chambranle, les observait calmement.

En les voyant apparaître sur le perron, Denis sortit de l'auto et s'avança vers eux.

— On s'en va, mon pauvre enfant, ta mère n'est pas ici, s'écria l'obèse en descendant l'escalier qui poussait des gémissements inquiétants.

— De grâce, je vous en prie, réfléchissez avant qu'il ne soit trop tard, l'exhortait le détective d'une voix fervente, presque joyeuse. Je n'ai pas eu le temps de placer deux mots !

Juliette mit le pied sur le trottoir et, levant la tête :

— Eh bien, placez-les tout de suite, vos mots, espèce d'incapable, que je voie jusqu'où peut aller votre bêtise. Mais n'essayez surtout pas de noyer le poisson : je veux mon argent, *tout* mon argent, et je l'aurai jusqu'au dernier sou !

Puis, les bras croisés, elle s'appuya contre une aile de l'auto, qui s'inclina brusquement de côté, et attendit les explications de Jeunot. Loin de le décontenancer, la colère de sa cliente semblait avoir fait naître en lui une allégresse fiévreuse :

— Ma chère, ma bonne madame Pomerleau, commença-t-il, m'avez-vous demandé de retrouver votre nièce ou la mère de Denis ?

Juliette eut un sourire méprisant :

— Les deux, mon pauvre monsieur, les deux, parce qu'il s'agit — figurez-vous donc — de la même personne.

— En êtes-vous réellement sûre ?

— Oui ! mais je suis encore bien plus sûre d'une autre chose : c'est que vous vous êtes acoquiné avec cette cinglée. Et vous êtes encore bien plus cinglé qu'elle si vous pensez m'arracher mon argent grâce à deux ou trois photos truquées.

Le détective se mit à rire et caressa même les cheveux de Denis qui observait la scène, ébahi :

— Madame, madame, vous nagez dans la colère en faisant des vagues grosses comme des montagnes, mais en vingt-cinq ans de métier, j'en ai vu d'autres ! Et je vous dirais même que votre réaction me réconforte. Oui ! Figurez-vous que vous n'êtes pas le premier client qui, après m'avoir demandé de faire enquête, n'est pas satisfait des résultats. Mais je ne peux apporter que le fruit de mes découvertes et je découvre habituellement la vérité ! Vous vouliez rencontrer la mère de votre petit-neveu ? C'est fait, sauf qu'il ne s'agit plus de votre petit-neveu, mais cela ne me regarde pas. Cela regarde Adèle Joannette I et II... et vous-même ! C'est à vous, en effet, de voir si vous allez vous plaire ensemble, pas à moi, n'est-ce pas ?

Juliette le saisit par les épaules et se mit à le secouer :

— Mon argent, m'entendez-vous ? Je veux mon argent ! Comment peut-on penser un instant que cette pauvre folle est sa mère ! Monte, ordonna-t-elle à Denis en ouvrant la portière.

Elle le suivit, mit le moteur en marche, puis, baissant la glace :

— Quant à vous, espèce d'imbécile, vous avez jusqu'à demain midi pour me remettre mes huit cents dollars, sinon je porte plainte.

— Oh ho ! voilà ce que j'appelle avoir du tempérament ! s'extasia Jeunot. Écoutez, puisque vous semblez si insatisfaite de mon travail, je vous propose de le poursuivre jusqu'à ce que...

— Mon cher monsieur Jeunot, avec le talent que vous possédez, je n'aurais pas assez d'argent pour vous faire trouver une baignoire dans une salle de bains. Mes huit cents dollars demain midi ou c'est l'avocat !

Et elle s'éloigna en faisant crisser les pneus.

Tandis qu'elle tournait le coin, les rideaux d'une des fenêtres du 79, rue Marmette ondulèrent doucement.

— Je te le répète : ce n'était pas ta mère, déclara-t-elle à Denis qui la pressait de questions. Cette espèce de fou a déniché une femme aussi timbrée que lui, qui porte le même nom que ta mère et qui prétend — Dieu sait pourquoi — que tu es son fils. Tout ça n'est que poussières et crottes de chat ! Et ils se sont même arrangés pour falsifier des photos ! Ah ! quelle histoire ! Et tout ce temps perdu !

Denis lui saisit le bras :

— Ma tante, fit-il, angoissé, peut-être qu'ils ont... tué ma mère et qu'ils lui ont pris ses photos ?

— Ah non ! ne commence pas à faire du tapis volant, toi aussi ! Comment veux-tu que ta mère possède une photo de toi à l'âge de sept ou huit ans ? Elle ne t'a pas vu depuis que tu étais bébé. Ce n'est pas moi qui lui en ai donné, tout de même ! D'ailleurs, je n'avais jamais vu ces photos.

Son humeur, déjà sombre, devint franchement exécrable à son arrivée à l'appartement. Elle aperçut un billet fixé à sa porte. « Urgent. Montez me voir tout de suite », avait écrit Rachel.

Elle sortit son trousseau de clefs, entra et poussa une exclamation de désespoir : une immense flaque d'eau s'allongeait dans le corridor jusque dans la salle à manger et le salon. Denis s'arrêta sur le seuil, sidéré, tandis qu'elle s'avançait dans un clapotement sinistre pour aller inspecter la cuisine et la salle de bains : l'évier, le lavabo et la cuvette des toilettes avaient débordé tous ensemble, déversant une eau trouble légèrement savonneuse qui gagnait peu à peu l'appartement, menaçant sa chambre et celle de Denis, seules intactes.

— Ah ! enfin, c'est vous ! s'écria Rachel en ouvrant la porte. Je viens d'appeler un plombier. Il devrait arriver d'une minute à l'autre.

— Mais qu'est-ce qui se passe ? s'écria Juliette, atterrée. Les égouts sont bloqués ?

— C'est ce que je pense, répondit Martinek en apparaissant derrière la violoniste, tout agité. Mais il n'y a que chez vous — et possiblement chez votre sœur — que l'inondation s'est produite. C'est sans doute l'eau de mon bain qui se retrouve dans votre appartement. Comme si le collecteur principal était bouché.

Une fillette d'une douzaine d'années, le visage emmitouflé dans un long foulard jaune, apparut près de lui, un cartable à la main, se faufila entre Juliette et Rachel et descendit l'escalier.

— Bonsoir, Lucie, lança le musicien. À la semaine prochaine.

Elle lui fit un léger signe de tête.

— Je m'en suis aperçue par hasard, poursuivit Rachel. Vers trois heures, en allant frapper à votre porte pour emprunter un timbre, j'ai entendu des bruits étranges.

Alors j'ai pris la clef que vous nous aviez prêtée, j'ai ouvert et...

Juliette pâlit, s'adossa au mur :

— Mon Dieu... je suis sûre que c'est Elvina qui...

Rachel la prit par le bras :

— Allons, venez vous asseoir... Nous allons nous occuper de tout. Les dégâts sont sans doute moins pires qu'ils ne paraissent. Bohu, qu'est-ce que tu attends ? Va lui chercher un verre d'eau.

— Ça va, ça va, fit Juliette après avoir pris une gorgée, assez d'eau comme ça, j'en ai jusque dans mes souliers...

Elle s'essuya les lèvres :

— Quelle journée... Tout va de travers. Est-ce qu'il s'en vient, ce plombier ?

Elle n'avait pas achevé sa phrase que la sonnette retentissait. Martinek sortit au pas de course et dévala l'escalier, suivi de Denis.

— J'y vais, décida Juliette en se levant.

— Laissez-moi prendre votre bras, fit Rachel dans l'escalier, je n'aime pas du tout votre mine. Vous auriez dû rester chez nous. Que voulez-vous faire en bas ?

Juliette s'arrêta brusquement et, le visage crispé de colère :

— Ma fille... il s'agit de *ma* maison. Et jusqu'à nouvel ordre, c'est *moi* qui la mène.

Une grande flaque d'eau s'allongeait dans le hall devant sa porte entrouverte, d'où parvenaient des bruits de voix. Rachel pointa la porte close d'Elvina :

— Je suis de votre avis. Le coup vient de là. Ça doit ricaner là-dedans.

Juliette haussa les épaules et pénétra dans l'appartement. Debout dans la salle de bains, le plombier contemplait alternativement le bain, la cuvette et le lavabo, tandis que, derrière lui, son apprenti s'amusait à faire de petites vagues avec la pointe de son pied. Soudain, le jeune homme aperçut Juliette. Un wow ! retentissant faillit jaillir de sa bouche. Il reporta précipitamment son regard vers le bain. Le plombier se retourna à son tour et fit un bref salut de la tête à la comptable (c'était une vieille cliente) :

— Eh bien, madame, c'est pas votre journée. Le collecteur d'égout principal doit être bloqué. Toutes les eaux d'au-dessus refoulent chez vous. Il ne faut plus ouvrir un robinet. J'ai pas vu ça depuis quinze ans. L'entrée de la cave se trouve dans le hall, je pense ? Va me chercher mon coffre dans le camion, ordonna-t-il à l'apprenti.

Rachel apparut tout à coup nu-pieds dans l'embrasure ; il sourit, son regard mollit, devint presque sirupeux :

— Bonjour, mademoiselle, fit-il d'un ton curieusement douceâtre et affecté.

Puis, s'adressant à Juliette :

— Vous n'auriez pas par hasard un de ces aspirateurs qui sucent l'eau, vous savez ? Il faut assécher au plus vite vos beaux planchers de bois franc. Sinon, j'ai bien peur, ils vont virer en montagnes russes.

— Je m'en occupe, fit la violoniste qui s'éloigna en toute hâte dans un grand éclaboussement.

— Quant à vous, ordonna Juliette, saisissant Martinek et Denis par le bras, commencez tout de suite à éponger l'eau en attendant qu'elle revienne. Il y a des vadrouilles et des chaudières dans le placard de la cuisine. Et maintenant, allons à la cave, poursuivit-elle d'une voix martiale en voyant apparaître l'apprenti.

Elle refusa la main que le plombier lui tendait et descendit l'escalier.

— Quand est-ce que vous avez fait construire ça ? demanda ce dernier à la vue des deux murs de béton qu'Elvina venait de faire couler, isolant toute une section de la cave.

— Ce n'est pas moi, c'est ma sœur. Les travaux viennent de se terminer.

— Pourquoi l'avez-vous laissée faire ?

— Je n'y pouvais rien : elle est propriétaire.

L'apprenti, tenant son coffre à deux mains, descendait l'escalier en ahanant. Le plombier s'approcha d'un gros tuyau de fonte qui traversait le plafond et s'enfonçait dans le plancher de béton, tâta de sa grosse main le regard de nettoyage qui formait une saillie sur la colonne à quelques centimètres du sol et tendit sa main ouverte :

— Ma clef, ordonna-t-il au jeune homme.

Après quelques minutes de violents efforts, il parvint à dévisser le bouchon, introduisit un furet de dégorgement dans l'ouverture et actionna la manivelle. Il s'arrêta presque aussitôt, surpris.

— Ça bloque à deux mètres, dit-il à la comptable.

Il actionna de nouveau la manivelle, fouilla quelque temps avec son appareil dans l'ouverture :

— Rien à faire. C'est dur comme du béton. Votre tuyau, voyez-vous, part d'ici et court sous terre. Ils ont dû briser une section en construisant leur mur. C'est pas qu'une petite affaire...

Il contemplait le mur en tiraillant sa moustache, perplexe :

— Il faut que j'aille de l'autre côté, moi. Tous les tuyaux se rejoignent là-bas. Elle aurait dû prévoir une porte.

— C'est pas très brillant, laissa échapper l'apprenti avec un air de profond mépris.

— Pour aller de l'autre côté, il faut passer par son appartement, je suppose ?

— Eh oui, fit Juliette.

— Une histoire de chicane, ça ?

— *Sa* chicane, pas la mienne.

Le plombier et son apprenti échangèrent un regard qui montrait avec éloquence le caractère unique de l'expérience qu'ils étaient en train de vivre.

L'obèse recula tout à coup : des gouttes d'eau tombaient sur son épaule. Au-dessus de leurs têtes, des taches sombres s'élargissaient lentement. Tout autour, on entendait un bruit de ruissellement lugubre qui se mêlait aux glissements des vadrouilles dans le corridor et la salle de bains. Un aspirateur se mit à mugir.

— Allons chez ma sœur, décida Juliette. J'espère qu'elle va nous ouvrir...

Et, l'air farouche, elle saisit la rampe de l'escalier tandis que l'apprenti, sous l'œil amusé de son patron, secouait sa main pour exprimer la vastitude de son ébahissement devant les proportions de la comptable.

Une fois parvenue dans le hall, elle s'accorda un court répit pour reprendre haleine, puis frappa à la porte de sa sœur.

— Elvina, ouvre-moi, fit-elle au bout d'un moment. Elvina, reprit-elle d'une voix plus forte, je t'en prie : ouvre-moi !

Un silence de fond d'océan régnait de l'autre côté. Tout le monde contemplait la scène, silencieux. Alors, elle assena trois coups, qui furent une rude épreuve pour la porte et une bonne partie du mur. Quelques secondes passèrent. On entendit soudain un cliquetis de chaîne et un mince entrebâillement se fit, laissant voir un bout de joue flétrie et un petit œil brun pétillant de malveillance derrière des lunettes.

— Elvina, annonça Juliette d'une voix tremblante, mon appartement est inondé. Le bain, la toilette, l'évier et le lavabo, tout a débordé. Est-ce qu'il est arrivé quelque chose au collecteur d'égout ?

— Je l'ai fait bloquer, répondit calmement celle-ci.

Et, devant l'expression ahurie de sa sœur, elle ajouta :

— Je suis dans mon droit. L'appartement m'appartient et tout ce qui est en dessous avec. Ton tuyau passait sur mon terrain. Je pouvais le faire bloquer, je l'ai fait. Si tu ne me crois pas, relis ton contrat.

Juliette s'appuya d'une main au mur, essaya d'avaler sa salive, mais n'y parvint pas.

— Elvina, murmura-t-elle enfin dans un filet de voix rauque, est-ce que tu as perdu la tête ? Te rends-tu compte que l'édifice tout entier est privé d'égout ?

— Relis ton contrat. Si tu n'es pas contente, va en justice. Je n'ai rien à craindre.

— Mais ça ne tient pas debout ! s'écria l'obèse, désespérée. Qu'allons-nous faire ? Mon appartement est devenu une piscine !

— Ce n'est pas mon problème. Fais-toi installer un nouveau collecteur.

Et elle claqua la porte. Juliette, Rachel, Martinek, Denis, le plombier et son apprenti se regardèrent en silence.

— Eh ben, tabarnac ! s'écria le jeune homme, à la fois ravi et sidéré, ça, c'est à faire péter un mort !

— Va chercher le coffre dans la cave, mon blond, ordonna le plombier, on s'en va.

Puis, enveloppant Juliette d'un regard compatissant :

— Ma pauvre madame, c'est pas moi qui peux débloquer votre tuyau, mais un homme de loi. Et comme je vois l'affaire, vous êtes pas au bout de vos peines. En tout cas, si j'étais vous, j'y penserais à deux fois avant de me lancer dans un procès. Votre collecteur risque de vous coûter plus cher que si vous le faisiez faire en or.

Il la salua de la main et s'éloigna avec son apprenti qui secouait la tête d'un air incrédule. C'est à ce moment qu'arriva Yoyo, la tête enfouie dans une tuque vert blanc rouge au pompon gros comme une pomme et tenant deux sacs de croustilles à saveur de vinaigre. Il entra dans le hall, regarda le plancher, puis Juliette :

— Qu'est-ce qui se passe ? Y'a un tuyau de pété ?

Denis s'avança :

— Je pourrai pas jouer avec toi, Yoyo, dit-il à voix basse. Il faut que j'aide ma tante.

On termina l'assèchement des planchers, on suspendit les tapis sur des cordes à linge et on ouvrit toutes les fenêtres afin de permettre à l'humidité de se dissiper. Puis un conseil de guerre se tint chez Martinek, auquel se joignit Clément Fisette en arrivant de son travail. Sur la recommandation de ce dernier, Juliette téléphona à maître Jules Pimparé, que Fisette connaissait vaguement pour avoir fait chez lui des séances de photo quelques mois auparavant.

Le soir même, elle se rendait à son bureau, chemin de Chambly, avec son contrat de vente à la main. Maître Pimparé était un homme dans la trentaine, mince, nerveux, peu loquace et un peu sec, mais bûcheur, méticuleux et l'esprit vif. Après avoir laissé Juliette exposer brièvement son problème, il prit le contrat et le lut à voix basse en s'aidant d'une règle qu'il faisait glisser de ligne en ligne.

— Pourquoi votre notaire n'a-t-il pas inscrit une servitude d'écoulement des eaux de passage pour votre collecteur d'égout principal ?

Juliette haussa les épaules :

— Je ne sais pas.

Maître Pimparé fit rapidement tourner la règle entre ses doigts :

— Il aurait fallu. En lui vendant l'appartement et la partie de terrain située dessous, vous vous trouviez à faire passer votre collecteur sur sa propriété.

Juliette posa les mains sur le bureau :

— Êtes-vous en train de me dire qu'elle avait le droit d'agir comme elle l'a fait ?

— Je ne veux pas dire exactement cela, répondit l'avocat d'un air patient et appliqué, mais je constate qu'il y a une lacune dans votre contrat et que votre sœur en a profité pour vous ennuyer. Il m'apparaît évident qu'elle agit d'une façon délibérément gratuite et malicieuse à votre égard — et cela ne jouerait pas en sa faveur devant un juge — mais il est également vrai que le terrain lui appartient et que vous en utilisez une partie sans sa permission.

— Mais le collecteur passe dans ce coin de la cave depuis la construction de la maison ! s'exclama Juliette, indignée.

Maître Pimparé eut un léger soupir :

— Malheureusement pour vous, ma chère madame, le code civil, en matière de servitudes, est d'une clarté aveuglante.

Il saisit un gros livre posé à sa droite, le feuilleta quelques instants, puis :

— « Article 549, lut-il. Nulle servitude ne peut s'établir sans titre ; la possession, même immémoriale, ne suffit pas à cet effet. »

Il releva la tête et l'observa de son œil fatigué et un peu triste.

— Mais je ne comprends pas ! éclata soudain Juliette. C'est de l'agression pure et simple ! Elle empêche six personnes d'ouvrir un robinet ou de tirer la chasse d'eau et vous dites qu'elle en a le droit ?

— Je ne dis pas qu'elle en a moralement le *droit*, mais l'imprécision contenue dans votre contrat lui en donne la *possibilité*, voilà tout. Devant un juge, nous pourrions prouver sa mauvaise foi et sa malice, utiliser l'argument de l'abus de voisinage, par exemple ; nous pourrions même nous appuyer sur la garantie contre l'éviction, mais tout cela n'est pas aussi clair qu'un coup de poignard dans la cuisse, voilà ce que j'essaye de vous faire comprendre.

— Qu'est-ce que cette garantie contre l'éviction ?

Maître Pimparé ferma les yeux, se massa les paupières un moment, puis :

— Lorsqu'une entente intervient entre deux parties, lors d'un contrat de vente, par exemple, la loi suppose que chacun des contractants est de bonne foi et doit laisser à l'autre tous les droits nécessaires pour l'utilisation du bien dont traite le contrat. Je ne peux pas vous vendre un litre de peinture et vous interdire en même temps de peinturer.

— Mais alors, voilà ! Nous avons ce qu'il nous faut ! En bloquant le collecteur qui passe sur son bout de terrain, elle m'empêche d'utiliser une partie de ma maison ! Invoquez la garantie contre l'éviction !

— Mais pour cela, fit l'avocat avec un sourire condescendant, il faut un procès. Est-ce que vous êtes prête, madame, à patienter cinq ou six ans avant de passer en cour supérieure, avec toutes les dépenses en honoraires et frais de justice qu'un procès implique ?

— Combien cela me coûterait-il ?

— Sept ou huit mille dollars, au bas mot.

Juliette se mit à réfléchir ; l'avocat frappait machinalement avec le bout de la règle sur le contrat, observant sa cliente dont le visage s'affaissait peu à peu.

— Non, bien sûr, reprit-elle au bout d'un moment, impossible d'attendre... il faut que ça se règle tout de suite. Quelle histoire de fou...

Elle leva la tête :

— Mais on ne peut pas obtenir une injonction ?

— On peut. Cela coûte environ 1 500 $. Vous pourriez passer en cour dans une dizaine de jours. Mais, si je me fie à vos propos, votre sœur m'apparaît comme une personne particulièrement vindicative. Elle risque de répliquer par une injonction interlocutoire et nous ne serons guère plus avancés. D'autant plus qu'injonction ou pas, l'affaire doit se terminer par un procès et l'issue d'un procès, madame, il n'y a que le juge qui la connaît, et encore ! On perd de bonnes causes, on en gagne de mauvaises. Dans ce domaine, c'est souvent comme à la pêche : les beaux hameçons n'attrapent pas toujours les gros poissons. À votre place, je ne me lancerais pas dans une affaire aussi hasardeuse pour un bout de tuyau et j'essayerais plutôt de trouver un arrangement.

— Impossible ! Elle a investi une petite fortune dans cette folie de cave séparée ! Jamais elle ne voudra lâcher prise. Je sais ce qu'elle cherche, moi : que je retombe malade et que je meure. C'est la seule chose qui la rendrait heureuse.

— Remarquez que je peux toujours lui envoyer une mise en demeure. Ça ne coûte pas cher et ça fait souvent bouger.

— Bouger ? Ma sœur, c'est un pilier de béton, monsieur. Ne gaspillez pas votre papier.

— Alors faites-vous installer un autre collecteur et intentez à votre sœur une poursuite en dommages et intérêts. Vous avez un délai de deux ans pour le faire. Je pourrais l'aviser de cela par lettre. Pour l'instant, je ne vois pas d'autres solutions.

Le visage de Juliette s'éclaircit :

— Voilà une bonne idée. Écrivez-lui. Ça ne fera pas de tort et ça pourrait même faire du bien, sait-on jamais ? Telle que je me connais, je ne lui intenterai sans doute jamais de poursuite, mais le peu de temps qu'elle craindra que je le fasse sera autant de gagné. J'aurais le goût, cependant, mon cher monsieur, reprit-elle soudain, de poursuivre quelqu'un d'autre, et jusqu'en enfer, s'il le fallait !

Et elle lui raconta sa mésaventure avec le détective Jeunot.

— Décidément, fit l'avocat avec une moue ironique, vous ne collectionnez pas les aubaines par les temps qui courent, vous.

— Je vous demande d'envoyer une mise en demeure à ce farceur. Je veux mon argent !

Il prit un bloc-notes et un crayon, posa quelques questions, puis, se levant :

— Les deux lettres partiront demain. Avec votre détective, j'ai bon espoir que l'affaire se règle assez vite. Ces agences-là fonctionnent en zone grise et elles ont horreur des recours en justice.

Elle lui serra la main et quitta le bureau, toute ragaillardie.

— J'appelle un entrepreneur demain matin, décida-t-elle en prenant place dans son auto.

Une inspiration subite la saisit :

— Et dès que mon nouveau collecteur est installé, je vends la maison et je fiche le camp ! Finie, la chicane !

Mais à la pensée que son départ la priverait de la compagnie de ses amis, une roche lui tomba sur le cœur et elle fondit en larmes :

— Ah méchante, méchante que tu es. Me gâcher ce qui me reste de vie pour une misérable question d'argent. Maman avait bien raison de dire que tu avais un cœur de tôle.

* * *

Le lundi 19 décembre, elle se présentait en début de matinée au service des zonages et permis, rue d'Auvergne, pour obtenir l'autorisation de faire installer un nouveau collecteur. On la renvoya chez elle chercher son certificat de localisation.

— Nous nous chargeons des travaux d'excavation jusqu'à votre ligne de terrain, lui expliqua le fonctionnaire. Cela va vous coûter environ 2 000 $. Pour le reste, vous vous arrangez avec l'entrepreneur et votre plombier. Nous confions ce genre de travaux en sous-traitance à la *Compagnie C. E. Bédard.*

Vers midi, Juliette téléphona à Bohuslav Martinek pour lui annoncer que l'installation du nouveau collecteur se ferait le lendemain.

— Ah bon. Bravo ! Je vais pouvoir enfin prendre une douche. Mais je n'aime pas beaucoup votre voix, madame Pomerleau. Vous me paraissez terriblement fatiguée. Vous avez besoin d'un peu de musique, je crois. Où êtes-vous ?

— Chez moi.

— M'accorderiez-vous dix minutes ? Oui ? J'arrive tout de suite. Je vais vous jouer la version pour piano du *scherzo* de ma nouvelle symphonie, dit-il en pénétrant chez elle, une partition à la main. Vous verrez, ce n'est pas si mal.

Il prit place devant le clavier :

— À propos, Rachel n'a pas cru le moment propice hier pour vous l'annoncer, mais elle a été engagée par l'Orchestre symphonique de Montréal. Allons, qu'est-ce qui se passe ? Vous n'allez pas vous mettre à pleurer, tout de même ? Vous ne voulez plus que des mauvaises nouvelles, à présent ?

— Non, non, sûrement pas, répondit Juliette en riant à travers ses larmes. Si vous saviez... je suis tellement contente... c'est justement ce que j'avais besoin d'entendre. Ça réconforte tellement de voir les choses s'arranger pour quelqu'un, de temps à autre.

Rachel signait son contrat le jour même et participait à sa première répétition dès le lendemain. Elle avait passé une nuit blanche et accablait le pauvre Martinek de questions sur le métier de musicien d'orchestre, car ce dernier, dans sa jeunesse, avait été altiste pendant quelques années à l'Orchestre philharmonique tchèque.

Juliette écouta le *scherzo* — écourté de quelques notes, enrichi de plusieurs fausses — assise sur le canapé, le dos calé par des coussins. Au début, elle n'entendit que bruits confus et grands éclats creux, qui ne semblaient mener à rien.

— Mon Dieu, se demanda-t-elle avec angoisse, où est-ce qu'il s'en va comme ça? On dirait une avalanche d'assiettes à tartes.

Puis les contours de la musique se dessinèrent graduellement, des liens se créèrent entre les parties, les dissonances se laissèrent pénétrer, puis goûter ; un timide sourire d'aise apparut sur ses lèvres et elle se détendit un peu.

Martinek se tourna vers elle :

— Et alors ? comment trouvez-vous ?

— Merveilleux, fit-elle en essayant d'y mettre de la conviction.

— Non, non. Prometteur, tout au plus... je le vois bien à votre air. Il y a beaucoup de retouches à faire... et le trio me laisse un peu sur mon appétit. Et puis, disons-le, il est presque impossible de rendre justice à cette musique avec seulement deux mains et un piano.

Il se pencha en avant, les coudes sur les genoux, de plus en plus inquiet :

— Vous n'aimez pas tellement, hein ?

— Mon cher Bohu, je vous en prie, ne vous fiez surtout pas à mes impressions. Comment voulez-vous qu'une grosse bête comme moi puisse juger un génie comme vous ?

— Madame Pomerleau, deux choses : d'abord, vous n'êtes pas une grosse bête, mais une femme sensible et chaleureuse que j'admire beaucoup ; deuxièmement, je déteste ce mot de *génie*. Il me met l'estomac à l'envers. C'est un mot tout à fait vide, un mot d'agent de publicité ou de marchand de partitions. Il n'y a que deux choses qui comptent : la musique... et les oreilles de ceux qui l'écoutent. Tout le reste n'est bon que pour les manuels — qu'il faut lire le moins souvent possible, décréta-t-il en agitant doctoralement l'index.

Juliette lui saisit la main :

— Vous avez fini votre sermon ? Je vous invite au *Bistroquet à Maxime*. Et pour vous remettre l'estomac sur le piton, je vous promets de ne parler que de vos défauts. Nous pourrons causer tranquillement comme deux petits vieux, Denis dîne à l'école aujourd'hui.

Au moment du café, Juliette lui raconta son étrange conversation avec dame veuve Lemire. Martinek, fort intrigué, demanda à voir les deux boîtes de carton. Ils retournèrent chez elle. La comptable se rendit à sa chambre, retira les photos où l'honneur de la famille avait été le plus compromis, puis apporta les boîtes dans la salle à manger. Elle allait se rasseoir lorsque le téléphone sonna.

— Madame Pomerleau ? fit une grosse voix gutturale, pleine de bonhomie. Alexandre Portelance. Vous me replacez ? Le représentant d'*Electrolux*... Comment allez-vous, madame ?

— Très bien, merci. Et vous-même ? fit Juliette sur un ton quelque peu circonspect.

— Bien, très bien, merci.

Il semblait haleter légèrement. Juliette l'entendit prendre une courte inspiration, puis :

— Je ne vous dérange pas, au moins ?

— Heu... non... pas vraiment, bafouilla-t-elle, gagnée par le malaise qui semblait affecter son interlocuteur. C'est à dire que...

Elle se retourna vers Martinek absorbé dans la contemplation d'une photo :

— C'est-à-dire que j'ai présentement de la visite, mais si...

— Voulez-vous que je vous rappelle plus tard ? Écoutez, je voulais tout simplement prendre de vos nouvelles. Est-ce que vous avez réussi à rejoindre votre Alexandre Lemire ?

Juliette, qui, sans trop savoir pourquoi, avait rougi et tortillait fiévreusement de l'index le cordon du combiné, lui résuma en quelques mots sa rencontre avec madame Lemire, jetant des regards pleins de détresse au compositeur, qui feuilletait maintenant l'agenda. Après s'être abondamment désolé de la mort de son ex-collègue, qui lui fermait la seule piste qu'elle eût trouvée jusqu'ici, le vendeur reprit un peu d'assurance et passa à des sujets tellement anodins qu'il devint manifeste qu'il était en train de se fabriquer une transition. Soudain, il se râcla bruyamment la gorge, souffla fortement par les narines, puis :

— Écoutez, madame, je me demandais tout à l'heure... c'est-à-dire que j'avais pensé... Est-ce que... est-ce que vous avez déjà vu le film *Autant en emporte le vent* ?

Il se produisit alors chez Juliette un bouleversement de viscères qui lui donna l'impression que son cœur venait de doubler de volume et que ses poumons remontaient doucement vers la gorge :

— Non, répondit-elle d'une voix éteinte.

— Ah bon. Eh bien, c'est un très beau film, vous savez. Il y a même des gens qui disent que c'est le plus beau film au monde. Je l'ai vu deux fois, quant à moi, mais ça fait très longtemps. Il passe cette semaine au *Ouimetoscope*, vous savez, le cinéma de répertoire. Je... je voulais vous inviter à venir le voir ce soir... ou demain, si vous voulez. Vous n'avez pas le temps ? Des problèmes d'égout ? C'est pas drôle, ça... Remarquez qu'il reprend l'affiche dimanche... Et si je vous rappelais samedi ? Je peux ? fit-il avec un accent de jubilation touchante. Ça ne vous ennuie pas, vous en êtes sûre ? Bon. Parfait. À samedi.

Juliette raccrocha, défaillante, tandis qu'à Montréal, rue Saint-Zotique, Alexandre Portelance, l'œil un peu égaré, sortait d'une cabine téléphonique et passait près de terrasser un vétéran de la Deuxième Guerre mondiale. Il ramassa le chapeau du vieillard, qui avait roulé dans la rue, lui présenta des excuses-fleuves et l'amena finalement prendre un café au restaurant.

Martinek déposa l'agenda et, l'œil malicieux :

— Vous avez des amoureux, maintenant ? Non, non, non, ne vous en défendez pas, s'écria-t-il en riant devant les protestations de son amie. Rachel et moi, nous avons toujours pensé qu'une femme aussi bonne et aussi saine que vous ne pouvait passer le reste de sa vie comme une colombe en cage.

— Belle colombe que je fais ! rétorqua Juliette en levant ses avant-bras massifs. Une colombe-hydravion, quoi ! Allons, cessez de vous moquer de moi, monsieur Martinek, et retournez à votre musique. Il faut que je vous quitte, j'ai une course à faire. N'oubliez pas de dire à

Rachel de venir me voir après le souper pour me raconter sa journée.

Elle pointa les boîtes :

— Avez-vous trouvé un filon ?

— Il y en a un, j'en suis sûr, mais je ne le trouverai pas. Clément pourrait, lui. Il a la tête qu'il faut pour ce genre d'affaires. Montrez-les-lui.

Elle reconduisit le musicien à la porte, puis retourna s'asseoir à la salle à manger et se mit à feuilleter l'agenda. Ici et là, le vendeur avait inscrit une adresse, suivie d'un numéro de téléphone, sans doute ceux d'un client. Parfois, il s'agissait du nom d'un restaurant ou d'un bar. À la date du 6 septembre, Lemire avait écrit : « Départ pr Miami 10 h 15 vol 355 ». Le 22, on lisait : « Passer chez *Birks* avant 4 h. Chercher Adèle 8 h chez Paula ». À partir du mois de novembre, les pages étaient vierges. Juliette le feuilleta encore une minute, bâilla, puis, le déposant sur la table, enfila son manteau et quitta l'appartement.

Rachel et Clément Fisette vinrent frapper à sa porte au milieu de la soirée. Le photographe s'était fait raconter par Martinek l'aventure loufoque de Juliette avec le détective Jeunot, puis sa visite chez madame Lemire. Frémissant de curiosité, il venait grappiller d'autres détails, une mèche sur le front, avec ce sourire à la fois enfantin et un peu inquiétant qui avait tant frappé Juliette lorsqu'elle l'avait rencontré pour la première fois. Il écouta d'abord avec intérêt le récit que fit Rachel de sa première journée à l'orchestre et profita de l'occasion pour l'embrasser sur les joues (le deuxième baiser tomba sur un coin de sa bouche), puis se fit longuement raconter par Juliette ses démêlés avec Jeunot.

— Et de quoi a-t-elle l'air, cette fausse Adèle ?

— D'une détraquée, mon cher. Plutôt petite et mince, les cheveux poivre et sel sous un turban graisseux, avec l'air de se ficher que je sois devant elle ou en Amérique du Sud. Mais, de temps à autre, elle nous lançait à travers une bouffée de cigarette un de ces regards pointus et un peu égarés qui me faisait courir des frissons sur tout le corps et me donnait envie de l'écraser avec le talon comme une araignée.

Fisette sourit et s'empara de l'agenda de monsieur Lemire sur la table :

— Elle va venir vous ennuyer. Soyez sur vos gardes.

— À votre place, conseilla Rachel, j'avertirais la police.

Fisette haussa les épaules :

— La police ne fera rien. Tant qu'on ne vous attaquera pas à coups de couteau, ils ne bougeront pas. J'aimerais bien, moi, m'occuper de ce genre de personnes.

— Je vous la laisse, je vous la donne, s'écria Juliette. J'en ai déjà plein les bras avec ma nièce, ma sœur et mon collecteur d'égout.

— Quant à la *vraie* Adèle, reprit Fisette, Bohu m'a dit tout à l'heure que vous n'aviez pas encore réussi à trouver grand-chose ?

— Eh non, soupira Juliette, et elle reprit encore une fois le récit de sa rencontre avec veuve Lemire, puis lui montra le contenu des deux boîtes de chocolat.

— Est-ce que vous me les prêteriez une heure ou deux ? J'aimerais examiner tout ça tranquillement chez moi.

— Vous me remettez *tout*, absolument *tout*, hein ? fit Juliette en pointant vers lui un index menaçant. Je connais votre goût pour les curiosités.

— Que je sois transformé en tuyau d'égout, madame, si je garde une tête d'épingle.

À neuf heures, Juliette alla border Denis et passa un long moment à tenter de le tranquilliser, car l'histoire de la jeune femme de la rue Marmette avec ses photos truquées l'avait fort impressionné.

— Et si elle avait tellement changé, ma mère, que tu ne pouvais plus la reconnaître ?

— Impossible, monsieur le grand douteur. Ta mère, je l'ai tricotée. Je la reconnaîtrais sous dix épaisseurs de toile en pleine nuit. Allons, bobichon, essaye d'oublier toutes ces folies et pense à Noël qui approche. J'ai déjà choisi tes cadeaux, tu sais.

— J'espère qu'il va y avoir le livre sur le naufrage du *Titanic*... et la base spatiale de la *Galaxie 14*.

— Ah ça, fit Juliette en riant, ne compte pas sur moi pour te le dire. Secret d'État !

Elle l'embrassa, se dirigea vers la porte et ferma le commutateur.

— Ma tante ?

— Oui, bobichon ?

— Sais-tu le plus beau cadeau de Noël que tu pourrais me faire ?

Elle hésita une seconde.

— Qu'est-ce que c'est ? demanda-t-elle avec une légère appréhension.

— Ce serait d'arrêter de chercher ma mère. Tu ne peux pas savoir comme ça m'énerve.

— Folle que tu es de l'avoir entraîné dans une pareille histoire, pensa-t-elle en s'éloignant.

À onze heures et quart, après s'être préparé un grand verre de lait glacé au sirop d'ananas, elle prit son baladeur, écouta les *Sylphides* de Chopin, puis décida de se coucher. Denis tournait encore dans son lit en soupirant. Et Fisette n'avait toujours pas rapporté les boîtes.

Elle ramenait les couvertures à son menton lorsqu'on frappa à la porte. Denis s'élança de son lit et alla ouvrir.

— Qui est-ce ? demanda Juliette dans le corridor.

— Clément, ma tante. Il veut te parler. Il dit que c'est important.

— Dis-lui de venir, fit-elle en enfilant sa robe de chambre, et cours tout de suite te recoucher, mon lapin. Il est tard sans bon sens et tu as de l'école demain.

Fisette apparut dans l'embrasure avec les deux boîtes, le visage tellement radieux qu'il en avait l'air rajeuni :

— Ma très chère madame, je pense avoir découvert une piste !

La comptable mit un doigt sur ses lèvres et lui fit signe de fermer la porte.

— Vous ne pouvez pas savoir, dit-elle à voix basse, combien je regrette d'avoir mêlé cet enfant à une histoire pareille. Il va en devenir fou, ma parole.

Elle lui désigna un fauteuil :

— De quoi s'agit-il ?

Fisette s'empara de l'agenda :

— J'espère ne pas me tromper. Sinon, jamais vous ne me pardonnerez d'avoir violé l'intimité de votre chambre à coucher, ajouta-t-il avec un petit ricanement.

Il s'assit, allongea les jambes, posa l'agenda sur ses cuisses :

— Essayez de vous rappeler... Quand est-ce que notre vieux commis-courailleur a fait sa fameuse attaque dans le motel ?

— Hum... il a quitté sa femme quelque part au début du mois d'août 1977 et son escapade a duré trois mois.

— Cela nous mène début novembre. Et ensuite ? Il a passé un bon bout de temps à l'hôpital, n'est-ce pas ?

— Un mois, je crois.

— Donc en décembre, il se trouvait en convalescence à la maison ?

— Il n'en est plus jamais ressorti, mon cher.

— Sa femme devait donc se taper toutes les courses, continua Fisette avec une exaltation grandissante, et il était peut-être suffisamment rétabli pour qu'elle le laisse seul une heure ou deux. Donc il avait tout le temps voulu pour effectuer ses petites recherches.

Assise sur le bord de son lit, Juliette tiraillait le cordon de sa robe de chambre :

— Quelles recherches ?

— Oh ! ce n'est qu'une hypothèse ! Mais si ce monsieur Lemire était, comme vous me l'affirmez, si amouraché de votre nièce, il se peut fort bien qu'il ait eu envie de lui parler coûte que coûte. Je vous dis ça parce qu'à la date du 28 décembre — elle travaillait comme serveuse, n'est-ce pas ?

— C'était un de ses trente-six métiers.

Il feuilleta fébrilement l'agenda :

— ... eh bien, à la date du 28 décembre, je trouve une curieuse inscription.

Il tendit le carnet à Juliette. On pouvait y lire, griffonné d'une écriture tremblante :

Le Sainte-Rose 756-4484
Le Luxor 758-2281
Le Miss Joliette 756-1137
La Rose des Bois 745-9909

— J'ai vérifié : les quatre restaurants se trouvent à Joliette. Pourquoi un homme si malade, condamné à garder la maison, se passionnerait-il tout à coup pour les restaurants de Joliette ? Parce qu'il veut absolument rejoindre sa maîtresse adorée ! Je suppose qu'au moment de leur dernière rencontre il était vaguement au courant de ses projets d'aller travailler là-bas. Alors, dès que ses forces sont un peu revenues, il s'est mis à faire comme nous faisons : à la chercher.

— Avez-vous... avez-vous téléphoné ?

Fisette eut une moue condescendante :

— Non, ça ne vaut rien. D'abord, telle que vous me décrivez votre nièce, elle a dû quitter la place depuis longtemps. Et puis les gens ont horreur des enquêtes téléphoniques. Ce qu'il faut faire, c'est se rendre sur les lieux, repérer un bon informateur et, mine de rien, lui tirer doucement les vers du nez.

— Je vais aller à Joliette demain, décida Juliette, galvanisée. Voulez-vous m'accompagner ?

— Difficile... j'ai du travail par-dessus la tête. Mais nous pouvons fabriquer tout de suite une bonne petite histoire pour justifier vos démarches.

14

Le lendemain vingt décembre, à sept heures dix, un énorme rugissement s'éleva en face de la conciergerie de Juliette Pomerleau et l'excavatrice prit une première bouchée de rue en faisant légèrement frémir les édifices d'alentour. Quelques instants plus tard, trois voisins en robe de chambre apparaissaient simultanément sur leur galerie et jetaient sur l'engin un regard dénué de bienveillance. Denis sauta en bas de son lit et se précipita à la fenêtre du salon.

— Ma tante ! on va pouvoir prendre notre bain ce soir, lança-t-il à Juliette qui s'avançait à petits pas dans la pièce, le visage dévasté de fatigue.

— Je l'espère bien, murmura-t-elle d'une voix rauque.

L'enfant regarda quelques instants l'excavatrice qui laissait tomber d'épaisses galettes d'asphalte dans un camion-benne, puis leva la tête :

— Qu'est-ce qu'il est venu te dire, Clément, hier soir ?

Juliette évita son regard :

— Il pensait avoir découvert une autre façon de retracer ta mère, mais je ne suis pas sûre que ça va marcher.

Elle resta un moment devant la fenêtre, poussant des bâillements immenses qui lui amenaient les larmes aux yeux ; l'excavatrice s'attaquait maintenant à une terre brune et onctueuse qu'elle déposait sur le trottoir ; la terre lui rappelait du gâteau à la mélasse et cette association déclencha un petit gargouillement dans son estomac. Elle décida de faire une entorse à son régime et de préparer des crêpes pour le déjeuner.

— Mais ils vont me le tuer ! s'écria-t-elle tout à coup.

— Tuer qui ? demanda Denis.

— Notre peuplier ! répondit-elle en s'éloignant à grands pas vers sa chambre.

On entendit des claquements de tiroirs.

— Leur tranchée passe à trois pieds de l'arbre. Si je ne les fais pas obliquer, ils vont lui manger la moitié des racines.

Elle retraversa le salon, vêtue d'une robe vieux rose qui lui donnait vaguement l'air d'une bavaroise aux fraises, enfila son manteau et sortit. Le contremaître essayait de la rassurer à l'aide d'exemples pris dans sa longue et honorable carrière lorsque Denis apparut sur le perron :

— Ma tante, c'est tante Elvina qui veut te parler.

— Ah ! quel début de journée, bougonna Juliette en retournant à la maison. Est-ce que le ciel va me tomber sur la tête ?

Sa sœur l'attendait dans le hall, campée devant sa porte, les lunettes sur le bout du nez, le menton dressé comme un éperon de galère :

— Je veux simplement t'avertir, fit-elle en détachant les syllabes, que je te tiendrai responsable de tous dégâts, fissures, salissage, affaiblissements de la structure, que tes travaux causeront à ma propriété.

— C'est ça... on s'en reparlera devant la Cour suprême.

Et elle lui tourna le dos.

Aussitôt après le départ de son petit-neveu pour l'école, Juliette téléphona au compositeur pour lui demander de jeter un coup d'œil de temps à autre sur les travaux. Puis elle se maquilla soigneusement, monta dans son auto et prit l'autoroute 40 en direction de Joliette. Le ciel, gris et frileux, semblait s'alourdir d'instant en instant. Des gouttes clairsemées s'écrasèrent contre le pare-brise. Elle alluma la chaufferette et ouvrit la radio pour tenter d'éloigner le cafard qu'elle sentait rôder autour d'elle. La voix chaude et précise de Raymond Charette, pleine d'une sensibilité contenue qui rivait aussitôt l'attention, donnait des détails

biographiques sur Carl Philipp Emanuel Bach. Puis des accords d'orchestre éclatèrent sèchement et la musique nerveuse et imprévisible du maître de Hambourg, travaillée par une mélancolie anxieuse, se combina dans l'esprit de Juliette avec ces nuages maussades qui menaçaient de crever ; une profonde tristesse s'empara d'elle.

Elle revit soudain sa dernière rencontre avec Adèle, lors de la vente aux enchères qui avait suivi la mort de Joséphine. Elles étaient sorties de la belle maison du boulevard Dorchester sous un ciel et par un temps exactement semblables, tandis que Félicien Bourdage embarquait dans la camionnette les dernières acquisitions de sa jeune maîtresse. Adèle l'avait embrassée sur les deux joues, puis, la fixant avec un air de gravité inhabituel :

— Souhaitons-nous bonne chance, ma tante, la vie n'est pas toujours facile.

Juliette l'avait alors invitée à venir souper chez elle avec son ami la semaine suivante ; Adèle avait accepté avec empressement, mais s'était décommandée à la dernière minute en promettant de rappeler sans faute le lendemain pour qu'elles s'entendent sur une autre date ; mais Juliette ne l'avait jamais revue.

Il était presque dix heures trente lorsqu'elle passa devant la gare désaffectée du *Canadian Pacific Railways*, puis franchit le pont Chevalier au-dessus de la rivière L'Assomption. Elle n'avait pas mis les pieds dans la ville depuis une éternité. Jusqu'à l'âge de seize ans, elle y venait régulièrement avec sa tante Joséphine, dont la meilleure amie enseignait le piano, rue de Lanaudière.

— Mon Dieu, qu'est-ce qu'ils ont fait à la ville ? murmura-t-elle, stupéfaite. La petite rue du Canal a perdu ses maisons ?

Elle emprunta le boulevard Corbeil et arriva au coin de Saint-Charles-Borromée et Notre-Dame ; elle jetait des regards atterrés sur les ouvertures béantes laissées ici et là par les édifices démolis. Elle emprunta la rue Notre-Dame, passa devant le restaurant *Sainte-Rose* et, ne trouvant pas de stationnement, continua jusqu'à la place Bourget et s'arrêta devant un feu rouge. La place avait bien changé elle aussi ; on avait rasé les deux beaux édifices de brique qui se faisaient face au centre, et plusieurs autres sur le pourtour. Ceux qui subsistaient étaient pour la plupart méconnaissables, recouverts d'aluminium ou de stuc, comme si leurs propriétaires, honteux de leur âge, avaient voulu le cacher aux passants.

Des coups de klaxons rageurs éclatèrent soudain derrière elle.

— Hey ! la grosse ! lança une voix d'homme ivre, es-tu en train d'accoucher dans ton char ?

Juliette pressa l'accélérateur, faillit emboutir l'aile d'une camionnette qui venait de déboucher à sa droite et exécuta un demi-tour spectaculaire avec dérapage et crissement de pneus qui l'amena malgré elle devant un espace de stationnement libre, tandis que la voix s'étranglait de rire quelque part à sa gauche.

— Espèce de voyou, grommela-t-elle en éteignant le moteur.

Elle sortit un mouchoir de son sac à main, s'épongea le front, vérifia dans le rétroviseur si son maquillage avait tenu le coup, puis repassa dans sa tête la petite histoire qu'elle devait raconter. Et si par hasard sa nièce travaillait encore à un de ces restaurants ? Comment l'aborderait-elle ?

— Allons, ma vieille, se dit-elle avec un haussement d'épaules, tu te racontes des peurs... Adèle travailler dix ans de suite à la même place ! Les arbres se seraient mis à pousser la tête en bas !

Elle sortit de l'auto et un grand frisson la traversa. Son regard s'arrêta sur la facade de granit de la *Banque Royale*, un des rares édifices épargnés, et elle se souvint tout à coup d'une après-midi torride de juillet où sa tante Joséphine, étourdie de chaleur et de soleil, s'était adossée contre un mur de l'édifice et l'avait envoyée — Juliette venait d'avoir dix ans — chercher un verre d'eau froide à une des roulottes à patates frites qui se dressaient à l'époque au milieu de la place. Puis, une fois remise et craignant que le soleil n'indispose sa nièce également, elle l'avait amenée au *Woolworth*, qui se dressait toujours de biais à droite, pour lui acheter un immense chapeau de paille à ruban bleu que Juliette avait conservé durant des années.

Elle revint rue Notre-Dame et se dirigea d'un pas résolu vers le restaurant *Sainte-Rose*.

— Il portait un autre nom, à l'époque, je crois... Quelque chose comme *Mocambo* ou *Monaco*, je ne sais plus... C'est là que j'ai mangé mon premier *club sandwich*.

Une dame mûre aux cheveux blonds, l'air expérimenté, se tenait derrière la caisse, un combiné entre l'oreille et l'épaule. Juliette attendit qu'elle ait terminé, sous le regard hypnotisé de deux petits garçons assis sur une banquette avec leur mère devant un parfait au chocolat ; la bouche ouverte, ils la détaillaient avec un étonnement naïf.

— J'habite aux États-Unis, fit Juliette quand la caissière eut raccroché, et je suis en visite chez des parents au Lac-des-Français. On m'a dit qu'une de mes nièces a déjà travaillé ici et que...

— Son nom ? coupa la femme.

— Adèle Joannette.

La caissière ferma l'œil à demi, comme pour évaluer le nombre de spaghettis et de tartes aux pommes qui avaient été nécessaires pour constituer une pareille montagne de graisse.

— Connais pas. Il y a longtemps qu'elle a travaillé ici ?

— Oh oui. Environ une dizaine d'années.

La caissière tourna la tête :

— Réal, cria-t-elle d'un ton légèrement impatient, Adèle Joannette, ça te dit quelque chose ? Elle aurait travaillé ici il y a dix ans.

— Connais pas d'Adèle Joannette, répondit une voix d'homme embarrassée (on aurait dit qu'il était en train de se brosser les dents).

La femme regarda Juliette avec l'air de dire :

— Satisfaite ? Est-ce que je peux me remettre à mon travail, à présent ?

— Pourquoi elle est si grosse, maman ? entendit l'obèse en poussant la porte vitrée.

Elle fit quelques pas sur le trottoir, ouvrit un calepin :

— *Le Luxor*, maintenant, 75, Place Bourget. C'est à deux pas.

Elle se dirigea lentement vers l'extrémité nord de la place, où se dressait le vieux palais de justice de l'autre côté de la rue Saint-Louis. *Le Luxor* se trouvait à sa gauche, presque au coin de Saint-Viateur. C'était un bâtiment d'un étage, au rez-de-chaussée percé d'immenses vitrines. De fausses persiennes d'aluminium peintes en vert essayaient tant bien que mal de donner un air campagnard à la façade de pierres artificielles où s'accrochait une grande enseigne au néon.

Elle arrivait en face du restaurant lorsqu'un homme vêtu d'un complet marron en sortit. Il leva le regard vers elle et s'arrêta pile devant la porte. Ses bras se tendirent et il s'avança comme pour l'étreindre, puis, s'apercevant de son erreur, s'éloigna à grands pas en marmonnant des excuses.

— Qu'est-ce que j'ai fait à cette ville ? grommela Juliette en pénétrant dans le restaurant. Il ne m'arrive que des choses désagréables, ma foi.

L'intérieur du restaurant était lambrissé de boiseries sombres ; un sapin artificiel scintillait près d'une cheminée ; des guirlandes argentées suspendues en festons couraient tout autour de la salle ; des tables circulaires se découpaient sur une moquette bleue dans l'éclairage rosâtre dispensé par de gros coquillages illuminés de l'intérieur et fixés aux murs. Une jeune femme à col de dentelle, les cheveux nattés en chignon à l'ancienne mode, vérifiait une addition, appuyée au comptoir. Elle releva la tête :

— On ne sert pas de repas avant midi moins quart, madame, fit-elle avec un sourire aimable.

— Je... je ne viens pas manger, répondit Juliette, à demi suffoquée. (Ouf ! pendant une seconde, j'ai cru qu'il s'agissait d'Adèle !)

Elle s'approcha et débita son histoire de vieille tante franco-américaine en tournée familiale au Québec.

Une serveuse apparut au fond de la salle et se mit à disposer sur les tables des serviettes pliées en cône. Elle se tourna vers la comptable :

— Adèle Joannette ? fit-elle d'une voix rauque et masculine de fumeuse. Ça me dit quelque chose. Elle ne travaille sûrement plus ici depuis longtemps. Le patron pourrait peut-être vous renseigner. Il est parti faire une course à la pharmacie, mais je l'attends dans la minute. Voulez-vous vous asseoir ?

Juliette prit place à une table.

— Prendriez-vous quelque chose en attendant ? demanda doucement la jeune femme au comptoir, qui avait repris son addition.

— Un martini rouge avec beaucoup, beaucoup de glaçons, répondit l'autre en déboutonnant son manteau.

Une troisième serveuse apparut par la porte de la cuisine, portant un plateau chargé de verres. En apercevant l'obèse, elle s'immobilisa une seconde, puis se dirigea vers le bar en chantonnant. Les mains posées sur la table, Juliette examinait les lieux. À mesure que l'œil s'habituait à la pénombre, la salle prenait des dimensions de plus en plus imposantes. On pouvait y recevoir une centaine de clients. La jeune femme à l'addition s'approcha sans bruit et déposa un plateau sur la table :

— Voilà. Je vous ai apporté aussi un verre d'eau glacée, fit-elle avec un air de connivence affectueuse qui troubla Juliette.

— Est-ce que par hasard elle me connaîtrait ? pensa-t-elle en la regardant s'éloigner.

Elle prit une lampée de martini, toussa, s'essuya la bouche. La présence invisible de sa nièce qu'elle sentait flotter dans la salle pénétrait son corps de frémissements qui lui faisaient serrer les dents et glisser les mâchoires l'une contre l'autre.

La porte s'ouvrit, livrant passage à un homme d'une cinquantaine d'années en complet abricot. Juliette fut frappée par sa somptueuse chevelure blanche plaquée sur les tempes et ramenée en arrière.

— Monsieur Roberge, annonça la serveuse derrière le bar, il y a une dame ici qui voudrait vous parler.

L'obèse le regarda s'approcher et tout de suite il lui déplut.

— Qu'est-ce que je peux faire pour vous, madame ? demanda-t-il.

Il tira une chaise et s'assit, en maître des lieux qui n'a pas besoin d'invitation, et posa sur elle un regard cavalier, soupesant mentalement cette énorme masse de chair ; les mâchoires de Juliette se contractèrent un peu plus.

— J'essaye de retracer quelqu'un que vous avez peut-être connu, commença-t-elle en s'efforçant de sourire. Je demeure aux États-Unis depuis plusieurs années et je suis en visite de famille dans la région. Comme je ne viens pas souvent au Québec et que...

— Fleurette, lança-t-il en l'interrompant, apporte-moi donc un *Bloody Cæsar*, veux-tu ? Alors, vous disiez ? fit-il avec un sourire condescendant.

Son teint rose vif de viveur, son visage bellâtre et vulgaire de sultan sur le retour inspiraient un profond dégoût à Juliette.

— Comme je ne viens pas souvent au Québec, reprit-elle stoïquement, je voudrais en profiter pour rencontrer le plus de parents possible. On m'a dit qu'une de mes nièces aurait travaillé pour vous.

— Comment s'appelle-t-elle ?

— Adèle Joannette, monsieur.

En entendant ce nom, il réprima un sourire et jeta un bref regard à la serveuse aux serviettes qui s'était arrêtée pour suivre la conversation. Elle reprit aussitôt son travail.

— Bien sûr que je la connais, Adèle. C'était une bonne fille, ajouta-t-il en fermant l'œil à demi, d'un air subtilement équivoque. Mais il y a une mèche que j'ai perdu sa trace ! Elle a travaillé ici une dizaine de mois en... attendez que je me souvienne... en 77... fin 77 et début 78, je crois...

Il agita doucement le bâtonnet dans son verre, prit une gorgée, puis :

— Un peu cachottière, cependant, la 'tite fille. Quand j'ai appris qu'elle était en famille, j'ai failli la mettre à la porte : j'ai besoin d'un personnel stable, moi, voyez-vous. Trop de roulement, c'est mauvais pour le service, la réputation du commerce finit par en souffrir. Mais on s'est expliqués, Adèle et moi, et tout s'est très bien arrangé. Très très bien. Quand elle a commencé à faire un peu trop de bedaine, je n'ai même pas été obligé de la renvoyer, on s'est quittés bons amis. Elle est retournée à Montréal, je crois. Ça, c'était en 1978. Depuis...

Il leva les mains en signe d'ignorance.

— Ainsi donc, reprit la comptable, déçue, vous n'avez pas la moindre idée où...

— Pas la moindre, répondit-il en se levant.

Un couple venait de pénétrer dans le restaurant, puis trois autres personnes le suivirent.

— Vous allez m'excuser, ma chère madame : l'heure du dîner approche et...

Il s'arrêta.

— Mais attendez donc une minute, s'exclama-t-il joyeusement, saisi par une pensée subite. J'ai peut-être quelque chose pour vous. Gisèle, ordonna-t-il en passant devant le bar, va donc aider Fleurette à finir de monter les tables.

Il se dirigea vers le fond du restaurant et disparut par une porte capitonnée. Au bout d'un moment, il revint, un sac de papier à la main.

— J'ai retrouvé ça chez moi la semaine passée en faisant du ménage, fit-il avec un sourire quelque peu insolent. Si jamais vous la revoyez, remettez-le-lui donc de ma part.

Il lui tendit le sac :

— Elle l'avait oublié chez moi en partant. Je ne garde jamais les cadeaux que je fais à mes blondes. J'ai toujours été comme ça. C'est une question de principe, voyez-vous.

Juliette sortit sur le trottoir, franchit un coin de rue et jeta un coup d'œil dans le sac. Il contenait un jupon de soie beige à dentelles orné de broderies de couleurs.

— Quel mufle ! murmura-t-elle avec dégoût. Il aurait mérité une paire de gifles. Je lui souhaite la queue molle, et au plus vite !

Elle retourna à son auto et quitta la ville.

* * *

Il était près de deux heures lorsqu'elle déboucha sur la rue Saint-Alexandre. L'excavatrice remblayait une partie de la tranchée creusée le matin, tandis qu'au fond de celle-ci, une dizaine de mètres plus loin, le plombier et son apprenti essayaient de glisser une section de tuyau d'égout sous la semelle des fondations. Elle mit pied à terre et sa jambe engourdie fléchit tout à coup, l'obligeant à s'agripper à la portière, qui heurta durement l'asphalte. Le contremaître s'avança vers elle, réjoui :

— Bonjour, madame. Dans deux heures, tout est fini. Il ne reste plus qu'à faire le raccordement.

Elle lui murmura un vague remerciement et se dirigea vers l'immeuble, la tête basse, son sac de papier à la main, sous le regard attentif du contremaître, curieux de savoir quelle distance une aussi grosse personne pouvait franchir sans s'arrêter pour reprendre souffle.

Elle entra dans son appartement, jeta le sac sur le canapé et passa dans la cuisine.

— Sueur de coq, lança-t-elle à voix haute en se laissant choir sur une chaise, je tourne en rond comme une vache au bout d'une corde !

Le cafard la pénétrait peu à peu, tandis que l'excavatrice rugissait en faisant tinter la vaisselle dans les armoires, comme si un combat de dinosaures se déroulait devant sa maison. Elle entendit le plombier et son apprenti traverser le hall en riant et dégringoler pesamment l'escalier de la cave. Un éclair lui traversa l'esprit. Elle se redressa et assena un grand coup de poing sur la table :

— Je vends cette maudite cabane et j'achète la maison de Joséphine, lança-t-elle d'une voix étranglée de colère. Il ne sera pas dit que cette salope d'Elvina m'aura trituré le système nerveux jusqu'à mon dernier souffle ! J'achète la maison et j'emmène tout mon monde dedans ! Ils peuvent *tous* loger dedans. S'ils m'aiment un peu, ils me suivront. Tu t'en viens avec moi, ordonna-t-elle à Denis qui venait d'ouvrir la porte, son sac d'écolier au dos. On s'en va à Montréal. Je regrette, Vinh, ajouta-t-elle en voyant apparaître l'ami de son petit-neveu dans l'embrasure, il faut que nous partions tout de suite, Denis et moi ; tu reviendras une autre fois.

Les deux enfants la regardaient, étonnés.

— Qu'est-ce qu'il y a, ma tante? demanda Denis, timidement.

— Rien, rien. Il faut que ça bouge, répondit-elle en enfilant le corridor.

— Est-ce qu'on ne pourrait pas aller chez Bohu, ma tante, pendant que tu es partie? Vinh voulait voir sa collection de fusils à eau.

— Bohu travaille, cher. Vous allez le déranger. Allons, viens-t'en.

— Bon, bien... salut, Vinh, fit Denis à voix basse en se tournant vers son ami, un peu dépité. Je sais pas ce qui lui a pris. Je t'appellerai ce soir.

Le Vietnamien lui fit un clin d'œil et partit en courant.

Juliette sortait de l'immeuble lorsque, pivotant lourdement sur elle-même, elle retraversa le hall :

— Allons d'abord voir le plombier, grommela-t-elle, au cas où il serait en train de cochonner son travail.

Denis, de plus en plus étonné, la regarda descendre l'escalier de la cave, puis, fouillant dans son sac, croqua dans une pomme. Elle remonta au bout de quelques minutes, un peu rassérénée, reprit son souffle et fit signe à l'enfant d'approcher :

— Allons, c'est fini, dit-elle en le serrant dans ses bras. Tu sais bien que je n'arrive pas à me fâcher longtemps.

— Tu étais fâchée contre qui ?

— Contre moi-même, je pense. Je n'arrive pas à retrouver ta mère. J'avance comme une fourmi dans une flaque de miel.

Il posa sur elle un regard incisif :

— Où es-tu allée aujourd'hui ?

— Moi ? Euh... à Joliette, figure-toi donc. Ta mère a déjà travaillé dans un restaurant là-bas il y a très longtemps, mais je n'en sais pas plus. Ferme ton robinet, idiote, se dit-elle en voyant son petit-neveu changer de visage, tu vas finir par le détraquer complètement.

Elle le prit par la main :

— Allons, fit-elle avec un entrain forcé, viens aider ta grosse vieille tante à se choisir une maison.

Il se libéra d'un mouvement sec :

— Une maison ? Tu veux déménager ?

— Oui. J'ai besoin de changer d'air. J'en ai jusque-là des chicanes.

— Tu ne veux plus jamais revoir ma tante Elvina ?

— C'est le plus grand plaisir que je pourrais lui faire, je crois.

Ils sortirent et furent aussitôt enveloppés de tapage. Le contremaître salua Juliette de la main et lui montra la tranchée presque comblée. Puis il frappa ses pieds l'un contre l'autre pour les réchauffer. Denis prit place dans l'auto, boucla sa ceinture et, l'air soupçonneux :

— Où est-ce que tu veux déménager ?

— À Montréal peut-être, répondit Juliette en démarrant. Si j'arrive à mettre la main sur la maison que j'ai en tête. Mais, chanceuse comme je suis depuis quelque temps, je suppose que ça ne marchera pas. C'est la maison de ma tante Joséphine, sur le boulevard René-Lévesque, reprit-elle au bout d'un moment. C'est là que j'ai grandi. Pourquoi prends-tu cet air ? Tu ne veux pas quitter Longueuil, mon pauvre lapin ?

— Non, je veux pas, répondit Denis avec humeur. Je vais perdre tous mes amis. Tu n'y as pas pensé ?

Juliette lui caressa un genou (il retira aussitôt sa jambe) et, d'une voix câline :

— Tu t'en feras d'autres, bobichon. Un garçon gentil comme toi ne restera pas trois jours sans ami. Et puis, de toute façon, ajouta-t-elle avec une moue désabusée, on est sans doute en train de parler dans le vide. Qu'est-ce qui me dit que le propriétaire va vouloir me la vendre, sa maison ? C'est une idée qui m'est passée par la tête. On va peut-être tout simplement me rire au nez, et l'histoire va s'arrêter là.

L'auto venait d'enfiler le pont Jacques-Cartier. Denis, silencieux, fixait le parapet par la glace de la portière. Il imagina que l'immense structure d'acier s'élançait d'un bond dans le ciel, comme le voilier de Peter Pan. Il était seul sur le pont, filant au-dessus des nuages sous un ciel criblé de tant d'étoiles qu'une douce pénombre dorée emplissait l'espace, jaunissant le vert-de-gris des poutres. Il déambulait au milieu du tablier, enveloppé d'une brise tiède que l'altitude où il se trouvait et la vitesse du pont-voilier rendaient inexplicable. Soudain, une femme apparut très loin devant lui près du parapet. Elle s'avança en agitant la main. Ce n'était pas sa tante. Sa tante était restée à Montréal dans sa fameuse maison et il se fichait bien de ce qui lui arrivait. C'était une femme jeune et mince, habillée d'une longue robe bleue doucement phosphorescente. Elle continuait de s'approcher, agitant toujours la main. Il se dirigea vers elle, accélérant le pas, puis, n'y tenant plus, se mit à courir. Une dizaine de mètres à peine les séparaient maintenant, mais, chose curieuse, il avait beau écarquiller les yeux, le visage de la femme demeurait flou et comme absent.

— Allons, fit Juliette en lui tapotant le genou, ne fais pas cette tête-là. Si jamais j'achète cette maison, je m'arrangerai pour convaincre Rachel, Bohu, Clément et même monsieur Ménard de venir habiter avec nous, je te le promets ; c'est une maison immense : on pourrait y loger à huit ou dix, je te jure... et puis je te conduirais à Longueuil aussi souvent que tu le voudrais, pour que tu voies tes amis.

Denis haussa les épaules avec une moue incrédule et ne répondit rien.

Il était près de quatre heures lorsque l'auto déboucha sur le boulevard René-Lévesque et fila vers l'ouest. L'heure de pointe commençait. Le boulevard se remplissait d'une masse compacte d'automobiles et de camions qui coulait lentement sous le ciel gris et lourd. À partir de la rue Crescent, le foisonnement de gratte-ciel qui avait défiguré le boulevard, en faisant un immense canyon balayé par le vent et le monoxyde de carbone, se mit à diminuer un peu et on vit apparaître d'anciennes demeures en pierre extraordinairement délabrées, pour la plupart abandonnées, qui attendaient tristement leur mort. Mais quelques rues plus loin, le passé essayait timidement de résister à la destruction. Des hommes d'affaires au nez fin, pressentant la mode nouvelle, avaient acheté à bon compte d'immenses maisons de notables construites au siècle dernier et les avaient transformées en copropriétés, souvent avec goût.

Ou alors, de simples particuliers étaient tombés amoureux d'un de ces vestiges du Montréal d'antan et s'étaient lancés dans l'interminable aventure de leur restauration. On avait commencé à remplacer les arbres morts ou ceux qu'avait éliminés l'élargissement du boulevard au début des années cinquante. Mais des douzaines de constructions hideuses et des terrains vagues parsemés de débris à demi cachés par la neige témoignaient qu'à bien des endroits les secours étaient arrivés trop tard.

La demeure de Joséphine Deslauriers se dressait dans ce quartier plus ou moins en sursis, au coin de la rue Lambert-Closse. L'auto s'arrêta devant.

— Voilà, mon garçon, fit Juliette en montrant l'imposante maison de brique rehaussée d'ornements de granit, c'est ici que j'ai grandi.

Denis contempla l'édifice :

— Mais c'est un château, murmura-t-il, extasié. Tu étais riche, ma tante !

Juliette éclata de rire et s'extirpa lentement de l'auto :

— Pas moi, mais ma tante, qui avait de l'argent de famille. Quoique à la fin, plus tellement, à vrai dire. Son bon cœur lui vidait les poches !

Ils s'avancèrent sur le trottoir. Denis, un peu intimidé par l'aspect de l'édifice, prit la main de sa tante.

Celle-ci montra le minuscule parterre, couvert d'une neige durcie et grisâtre où palpitaient des débris de papier :

— Je me rappelle le temps — oh ! je devais avoir huit ou neuf ans — où il y avait un grand jardin devant la maison et deux rangées de frênes, ici, de chaque côté de l'allée (le terrain à l'époque était beaucoup plus profond). Mon oncle avait fait installer une balancelle là-bas sous les arbres.

Ils gravirent le perron de pierre. On avait fixé au milieu de la porte une couronne de branches de sapin. Le petit rectangle de plastique noir fixé dans la brique à droite de l'entrée et où se lisait :

L’Oasis
chambres au mois et à la semaine

avait subi une cruelle épreuve. Quelqu’un, à l’aide d’un instrument pointu, avait essayé de rendre l’inscription illisible, mais, n’y réussissant pas, avait tenté de l’arracher ; les vis avaient tenu bon, mais le plastique s’était brisé à deux endroits.

Juliette actionna la sonnette, puis, se penchant vers son petit-neveu :

— Tu pourrais avoir une chambre trois fois grande comme la tienne, et avec un foyer en plus !

Il leva de grands yeux vers elle, esquissa un sourire, mais ne répondit rien. La porte s’ouvrit et un petit vieillard en chemise de coton, avec une barbe d’une semaine, avança la tête et, dans un filet de voix éraillée :

— Si c’est pour une chambre, tout est plein, madame. Y’aura rien de libre avant la fin du mois.

— Je ne viens pas pour cela, monsieur, répondit gentiment Juliette. Est-ce que le propriétaire est ici ?

— Monsieur Vlaminck est à son travail, mais sa dame est ici.

Il s’effaça devant eux :

— Moi, je suis seulement chambreur icitte, expliqua-t-il modestement.

Juliette et Denis franchirent le vestibule et pénétrèrent dans un hall rempli de pénombre, au fond duquel s’élevait majestueusement un escalier de chêne. À leur droite, un amoncellement de vieux journaux et de dépliants publicitaires s’étalait sur une console couverte d’éraflures.

— Madame Vlaminck, cria le chambreur en faisant des couacs qui firent sourire Denis, il y a quelqu’un icitte pour vous.

— J’arrive, répondit une voix.

Le vieillard les salua, se rendit au fond du hall et monta l'escalier. Un moment passa, puis des pas traînants se firent entendre et la petite femme boulotte aux cheveux en balai que Juliette avait rencontrée lors de sa première visite apparut, tenant un journal. Juliette s'avança et, de sa voix la plus aimable :

— Bonjour, madame. J'espère que je ne vous dérange pas trop. Vous me reconnaissez, peut-être ?

— Bien sûr. Vous étiez venue me voir au sujet de l'épicier Bourdage. Que puis-je faire pour vous, à présent ? demanda-t-elle avec un léger soupir.

Juliette rougit légèrement :

— Eh bien, depuis ma dernière visite, je... il m'est venu une idée. Est-ce que je vous avais dit que j'ai déjà habité cette maison ?

L'autre haussa imperceptiblement les épaules et continua de l'examiner d'un œil étonné et soupçonneux. Puis elle abaissa son regard sur Denis, à demi caché derrière sa tante.

— C'est mon petit-neveu, expliqua précipitamment l'obèse. Il vit avec moi. Je... est-ce que je pourrais m'asseoir un moment, madame ? Les jambes m'élancent terriblement et...

— Pourrais-je savoir ce qui vous amène ? coupa l'autre avec une trace d'aigreur dans la voix.

— Eh bien, voilà. Je me suis demandé si...

Elle leva la tête et aperçut, au milieu de l'escalier, le chambreur en train d'épier leur conversation. Il disparut aussitôt. Ramenant son regard sur la femme :

— Il s'agit d'une affaire personnelle, madame, souffla-t-elle avec un regard suppliant.

— Suivez-moi, je vous prie, fit l'autre en s'éloignant.

— Pauvre plancher, pensa rapidement Juliette en regardant à ses pieds.

Ils pénétrèrent dans une pièce ornée de boiseries jusqu'à mi-mur et qui prenait jour à l'ouest par une grande fenêtre donnant sur un terrain vague. C'était l'ancienne salle à manger, mais rapetissée de moitié par une cloison percée d'une porte par où l'on apercevait deux gros calorifères de fonte inclinés contre un mur et une vieille commode chargée d'une pile de draps et de couvertures. Les murs de la pièce où ils se trouvaient étaient tapissés d'un papier peint recouvert d'une peinture jaunâtre et décollé à plusieurs endroits. Mais les boiseries montraient encore leur vernis d'origine. Une magnifique cheminée de marbre blanc se dressait devant eux, mais on l'avait condamnée. L'endroit, plutôt encombré, servait maintenant de salon, de bureau et de salle à manger pour les pensionnaires ; le couple Vlaminck, par désir d'intimité, prenait ses repas à la cuisine. La femme désigna aux visiteurs un canapé poussiéreux où s'alignaient quelques lampes-potiches et prit place dans un fauteuil à bascule devant un bureau chargé de paperasses.

Juliette s'assit, et son regard tomba sur une plinthe au vernis craquelé, visible derrière une chaise à sa droite. La pièce de chêne, moulurée à l'ancienne, montrait un jeu de veinures étonnant, qui partait de deux nœuds lisses et foncés, situés à une vingtaine de centimètres l'un de l'autre. Les nœuds et les veinures formaient le dessin de deux oiseaux fantastiques, l'un en train de prendre son envol, l'autre essayant de le suivre en courant. Ces oiseaux lui rappelèrent son arrivée chez sa tante Joséphine à l'âge de sept ans pour un séjour de deux semaines, qui avait duré quinze ans. C'était en mars 1938. La neige fondait dans les rues et le vent était si doux que ses mains brûlaient dans ses mitaines. Son père s'était esclaffé devant la fascination que la plinthe exerçait sur elle. Puis il avait donné à Joséphine de longues instructions au sujet de sa fille et avait quitté la pièce. Quand elle l'avait revu, bien des années plus tard, c'était un vieil homme bizarre, un peu diminué.

Combien de fois, enfant, elle s'était assise devant les deux oiseaux pour s'envoler avec eux vers l'Alaska, l'Égypte ou l'Australie, où son père construisait des routes !

— Et alors, qu'est-ce que je peux faire pour vous? redemanda madame Vlaminck.

Juliette s'éclaircit la gorge, arrangea les plis de sa robe en essayant de la ramener le plus bas possible, puis :

— Vous allez peut-être me trouver étrange, chère madame, mais — comment pourrais-je vous dire ? — il m'est venu tout à l'heure une idée que je voudrais...

— Écoutez, coupa l'autre en posant les mains sur ses cuisses, les coudes levés, je ne voudrais pas vous bousculer, mais j'ai une matinée particulièrement chargée. Si c'est pour me questionner encore sur ce monsieur Bourdage, je vous dirai tout de suite que...

— Je veux acheter votre maison, annonça Juliette un peu sèchement.

— Pardon?

— Je suis venue vous proposer d'acheter votre maison... si votre prix est raisonnable, bien sûr. Je suis en mesure de vous offrir de bonnes conditions.

Madame Vlaminck la regardait, stupéfaite. Elle semblait soudain toute petite, perdue dans sa robe de coton fripée à rayures rouges.

— Comme je vous le disais, j'ai habité cette maison durant ma jeunesse et je l'aime beaucoup, continua la comptable sur le même ton impératif. Je veux y finir mes jours. Jamais je n'aurais dû la quitter.

— Combien... combien êtes-vous disposée à nous offrir?

— Faites-moi un prix. Nous discuterons.

— Évidemment, vous n'êtes pas sans savoir, madame, fit l'autre en reprenant peu à peu son aplomb, que cette maison constitue notre gagne-pain. Mon mari est fonctionnaire municipal, mais une partie très importante de nos revenus provient de la location de nos chambres. Je doute fort qu'il accepte de se départir d'un immeuble aussi lucratif, voyez-vous... Et, dans ce genre d'affaires, c'est lui qui prend les décisions.

— Comme elle parle bien, pensa Denis en appuyant sa tête au dossier poussiéreux. J'aimerais parler comme ça.

— En tout cas, cela ne coûte pas cher de lui en glisser un mot, répondit Juliette, agacée, en actionnant les muscles de ses joues de façon à faire apparaître un sourire.

— Je le ferai. Il vous téléphonera. Mais, comme je vous disais...

Et elle lui exprima d'une façon encore plus entortillée et fleurie ses doutes grandissants sur la possibilité d'une transaction. Denis examinait une figure de lutin, sculptée au-dessus du foyer, qui grimaçait avec une méchanceté incroyable. Il finit par détourner le regard.

— Vous me donnez vos coordonnées ? fit madame Vlaminck en pivotant sur son fauteuil pour saisir un crayon et un cahier tout écorné qui traînaient sur le bureau.

Juliette les lui donna, puis, se levant avec effort, pointa l'index vers la cloison qui divisait la pièce en deux :

— C'est vous qui avez construit ce mur ?

— Oui, nous avons dû... il nous fallait une lingerie. Dommage, n'est-ce pas ? C'était une belle pièce. Elle me rappelait un peu la salle à manger de ma grand-mère à Liège. Enfin, que voulez-vous ? autres temps, autres mœurs, n'est-ce pas ? ajouta-t-elle avec un fin sourire.

— Elle ne veut pas nous vendre sa maison ? demanda Denis quand ils furent de nouveau sur le trottoir.

— Je ne pense pas que ça lui tente beaucoup, en effet.

Elle fit quelques pas, la mine renfrognée :

— Tout ce que je touche tombe en poussière. Il y a de quoi donner le goût de passer le reste de sa vie dans sa chambre, les stores tirés.

Elle ouvrit la portière de l'auto et resta immobile, comme désemparée. Denis s'approcha d'elle et lui toucha la main :

— Ma tante... qu'est-ce que tu dirais d'aller manger une bonne lasagne ?

— Excellente idée ! s'écria-t-elle.

Consultant sa montre :

— Cinq heures ? Parfait. *Le Piémontais* sera tranquille. Ce ne sera pas un mal. J'ai besoin de retrouver un peu mes esprits.

Ils se rendirent au restaurant de la rue De Bullion et Denis dévora sa lasagne avec un plaisir accentué par la satisfaction d'avoir aidé à consoler sa tante, comme par celle — non moins grande — de constater que le projet de déménagement allait sans doute avorter. Juliette, qui avait décidé ce soir-là, par vengeance contre le mauvais sort, de poignarder son régime, vida presque toute une bouteille de *Valpolicella*, mais ne toucha guère à son assiette. Le patron, inquiet, s'amena à la table.

— Non, non, le rassura-t-elle, tout est parfait. C'est moi qui ne suis pas à la hauteur. Il y a des journées comme ça où on devrait se cacher dans un placard.

Monsieur Pompeo insista quand même pour changer son plat et lui apporta à la place un filet de sole aux câpres, plus facile à digérer, le choix idéal, en fait, pour une personne un peu lasse et taquinée par les soucis, comme il semblait qu'elle le fût ce soir-là. Tant de gentillesse diminua un peu son cafard. Elle se força à manger, commanda un moka praliné et un capucino, permit deux desserts à son petit-neveu et termina le repas par un *Grand Marnier* que le patron versa lui-même d'un coude remarquablement léger.

Il était sept heures trente lorsqu'ils parurent de nouveau dans la rue. Un froid sec et intense les pénétra durement. Ils avancèrent à grands pas vers le boulevard René-Lévesque. Le trottoir résonnait sous leurs talons comme si la terre ratatinée par le gel avait laissé un vide sous le béton.

— Qu'est-ce que c'est que ça ? fit Juliette en s'arrêtant.

Elle voulut se pencher et vacilla légèrement. Denis se précipita à ses pieds, saisit un cône de papier ciré dont on avait broché l'ouverture et le lui tendit. Elle l'ouvrit :

— Des roses ! Des roses magnifiques et encore toutes fraîches ! Tombées du ciel, ma parole ! Vite ! à l'auto avant que le froid ne les flétrisse, lança-t-elle en repartant.

Mais elle s'arrêta aussitôt et, levant les fleurs en l'air dans un geste pompeux :

— Ça, bobichon, c'est la Chance qui a décidé de me sourire. Elle se tient encore loin, mais en attendant qu'elle approche, il ne faut pas que je cesse de me débattre.

— Je ne l'aime pas quand elle boit trop de vin, pensa Denis.

Il se remit à marcher derrière elle ; il avait beau scruter les roses, il n'y voyait pas plus de signes de chance que sur la façade de l'édifice d'en face.

— Mon beau lapin, annonça Juliette en pénétrant dans le terrain de stationnement, nous allons faire une petite incursion.

— Où ça ?

— À l'appartement où je t'ai recueilli il y a neuf ans.

Il s'arrêta, saisi :

— Qu'est-ce que tu veux aller faire là-bas ?

— Je ne sais pas. La vie est tellement bizarre, je pourrais tout aussi bien y trouver un bon vieux monsieur qui reçoit des lettres de ta mère tous les deux jours.

— Je ne veux plus qu'elle boive de vin, se dit l'enfant, renfrogné, en prenant place dans l'auto.

Ils filèrent sur le boulevard René-Lévesque, tournèrent à gauche sur la rue Sanguinet, qu'ils suivirent jusqu'à Sainte-Catherine, puis se mirent à rouler vers l'est.

— Tu n'as pas l'air de bonne humeur, fit remarquer Juliette à son petit-neveu.

— Je suis tanné de chercher ma mère.

Puis il ajouta :

— Et j'aime pas ça quand tu bois trop de vin, ma tante.

Elle éclata de rire :

— Oh la la ! mon petit Denis devient de plus en plus sévère ! Je ne pourrai bientôt plus sortir en ville toute seule après sept heures !

Il haussa les épaules et observa la rue. La nuit était tombée tout à fait, camouflant charitablement les blessures des vieux édifices délabrés qui s'élevaient de chaque côté de la rue Sainte-Catherine, auxquels les lueurs bigarrées des néons venaient de donner une jeunesse factice. Des îlots d'animation se voyaient de loin en loin devant certains bars et restaurants, mais autrement, les trottoirs étaient presque déserts ; les rares piétons marchaient à pas pressés, comme recroquevillés sur eux-mêmes, et Denis acquit instantanément la certitude qu'ils étaient tous des malfaiteurs ou, en tout cas, sur le point de le devenir. Ils traversèrent la rue Papineau. L'ancien cinéma *Champlain* apparut à leur gauche, transformé depuis peu en église par la communauté *Vie et Réveil*, dont le nom s'étalait majestueusement sur une enseigne lumineuse.

— Voilà, nous sommes arrivés, murmura Juliette en arrêtant l'auto devant un édifice de brique vétuste, à la façade sillonnée de lézardes en angles droits, et dont le rez-de-chaussée était occupé par une petite boutique, encore ouverte à cette heure. Une enseigne de bois à fond blanc et bordure noire, visiblement toute neuve, s'allongeait au-dessus de la vitrine. De grandes lettres rouges annonçaient :

VARIÉTÉS MARCO
bière froide, cidre et vin
produits naturels
ouvert 6 h a.m. à minuit

Juliette sortit de l'auto et s'arrêta devant une porte vitrée, contiguë à celle de la boutique, et qui portait le numéro 1759. On distinguait vaguement un escalier à travers un petit rideau poussiéreux. Denis vint rejoindre sa tante, de plus en plus maussade, et jeta des coups d'œil à gauche et à droite.

— Allons-y, soupira la comptable, qui venait de perdre tout enthousiasme. Après tout, qu'est-ce que je risque ?

Elle voulut sonner, mais le bouton de sonnette avait disparu, laissant voir deux bouts de fil tordus et desséchés. Elle poussa la porte, qui s'ouvrit toute grande avec un long grincement. Elle regarda l'enfant :

— Viens-tu ?

Il fit signe que non.

— Allons, viens-t'en, lui ordonna-t-elle. Je ne peux pas te laisser seul dans la rue à cette heure.

Il s'approcha, de mauvaise grâce.

— Monte, fit-elle.

Il franchit la porte, gravit deux ou trois marches, puis s'arrêta, tête basse.

— Denis, je t'en prie ! Tu vas me mettre à bout !

Il reprit sa montée et elle lui emboîta le pas. Les marches se mirent à miauler et à craquer comme sous le coup d'une douleur insupportable et l'escalier tout entier trembla comme s'il allait se disloquer. Elle s'arrêta, intimidée. Une porte s'ouvrit au palier du premier étage et un gros homme en camisole, les pieds dans d'énormes pantoufles de fourrure synthétique vert lime apparut, à demi éclairé par la lumière qui s'échappait de l'embrasure.

— Que c'est qu'y a ? Que c'est qui se passe ? demanda-t-il en fixant les visiteurs d'un œil hagard. On dirait que la maison va tomber, bout de bonyeux !

L'enfant recula d'une marche et faillit trébucher.

— Excusez-moi, monsieur, c'est de ma faute, répondit Juliette avec un sourire confus. J'espère que je ne vous dérange pas trop... J'étais venue pour un petit renseignement.

L'homme la dévisageait. Dans la pénombre, il semblait tout juste s'être rendu compte des proportions monumentales de la visiteuse.

— Que c'est que tu veux ? lui demanda-t-il avec une grossièreté ahurie.

— Pardon ?

— J'ai dit : que c'est que tu veux ? Dépêche-toi, la première période vient de commencer.

Juliette eut besoin de quelques secondes pour saisir l'allusion au match de hockey, puis, posant sa main sur l'épaule de Denis, elle lui fit redescendre les deux marches qui les séparaient :

— Je... est-ce que je peux vous demander... est-ce que vous demeurez ici depuis longtemps, monsieur ? Je vous pose la question parce qu'une de mes nièces a déjà habité votre logement il y a quelques années et que...

Il continuait de la fixer, la moitié gauche de son visage baignant dans la pénombre, l'autre vivement éclairée par la lumière provenant de la porte et qui détaillait sans complaisance la peau flasque, l'oreille épaisse et rougie d'où s'échappait une touffe de poils et la barbe grisâtre en mal d'un rasoir depuis quelques jours. Son œil droit se plissa et sa joue s'étira vers le haut.

— C'est-y de tes affaires ? fit-il sourdement.

Puis, se ravisant :

— Comment qu'a s'appelle, ta nièce ?

— Adèle Joannette, répondit Juliette en prenant Denis par la main. Viens-t'en, lui souffla-t-elle, et elle se mit à redescendre.

— La connais pas. Hey dis donc ! cria-t-il à tue-tête. Tu devrais maigrir un peu, grosse torche. Ça ménagerait les escaliers !

Et il claqua la porte. Juliette sortit dans la rue, tenant toujours Denis par la main, et se dirigea vers l'auto.

— Ma tante, murmura l'enfant, regarde, sur le trottoir.

Elle se tourna dans la direction que lui indiquait son petit-neveu. Un oiseau noir à gros bec orange se tenait dans l'ombre d'une encoignure. Il reprit sa marche en boitillant, scrutant le sol, apparemment à la recherche de nourriture.

— Il... il lui manque un pied, ma tante !

Juliette s'approcha et se mit à l'observer. Il venait de s'arrêter et se tenait debout sur sa seule patte, placide et résigné, son moignon levé, le contact avec le sol devant lui être douloureux. Juliette, apitoyée, joignit les mains :

— Mais... c'est un merle, je crois, ou quelque chose du genre... Pauvre lui... il ne traversera jamais l'hiver, arrangé comme ça.

— Je veux lui donner à manger, ma tante. Il doit mourir de faim.

Juliette jeta un regard aux alentours. Tous les magasins étaient fermés.

— Viens, fit-elle en se dirigeant vers les *Variétés Marco*, on pourra peut-être trouver quelque chose ici.

Elle ouvrit la porte et une bouffée de chaleur chargée d'une odeur de chocolat et de papier journal les enveloppa. On entendait à la radio Nathalie Simard chanter *Mon beau sapin*.

Comme chez la plupart des dépanneurs, le magasin était exigu et rempli de marchandises à l'extrême limite de ses capacités. Les murs étaient tapissés jusqu'au plafond de tablettes qui offraient un résumé de la production manufacturière occidentale, taïwanaise et japonaise, et le comptoir principal, où trônait la caisse enregistreuse, était tellement chargé de boîtes de bonbons, de pacotille, de présentoirs à magazines et à cigarettes qu'on ne pouvait y poser un coude. Derrière, se tenait un petit homme propret en chemise bleu pâle et veste de flanelle brune, la chevelure blanche, fine et soyeuse, très clairsemée sur le haut du crâne. Il les salua avec un signe de tête bienveillant, alla fouiller sur une tablette et déposa devant Juliette un sac de grains de maïs. Denis s'en empara et sortit aussitôt. Elle allait le suivre lorsque son regard tomba sur un étalage de magazines. Un exemplaire de *Plaisir et santé* montrait en couverture une ravissante jeune femme en bikini debout sur une plage étincelante. À la hauteur de ses mollets s'étalait en lettres rouges :

L'OBÉSITÉ VAINCUE PAR LES ALGUES

Juliette feuilleta l'exemplaire avec une moue désabusée, le déposa, le reprit, consulta la table des matières, lut quelques lignes, puis le déposa de nouveau.

— Madame ? fit doucement le boutiquier.

— Je m'excuse, répondit précipitamment Juliette en rougissant. Ce n'est pas gentil de feuilleter ainsi les revues sans les acheter.

L'homme eut un sourire plein d'une mansuétude un peu désabusée :

— Oh, il ne s'agissait pas de ça. Je me demandais simplement si c'était vous qui étiez montée tout à l'heure à l'appartement au-dessus.

— Oui, fit-elle. Et le moins qu'on puisse dire, c'est que je n'ai pas été reçue par un monsieur très aimable.

— Vous le connaissez ?

— Du tout. Je venais pour un renseignement.

— Ah bon.

Il aperçut un débris de papier près de la caisse, le jeta dans une poubelle sous le comptoir, puis :

— C'est qu'il faut s'en méfier. C'est un homme parfois très violent. Il est en chômage depuis six mois et ça ne lui va pas. Est-ce que vous avez obtenu votre renseignement, au moins ?

— Oui et non, répondit-elle. (Les murs de cette bâtisse sont comme de la pelure d'oignon. Il a dû entendre toute ma conversation avec ce gros bœuf.)

Puis, saisissant de nouveau la revue :

— Tenez, je vous l'achète, décida-t-elle en s'approchant du comptoir.

— Ne vous sentez pas obligée, répondit l'autre aimablement.

Elle paya, se dirigea vers la sortie, puis s'arrêta tout à coup :

— Dites donc... Il y a longtemps que vous tenez boutique ici ?

— Quinze ans, madame.

— Dans ce cas, vous avez peut-être connu ma nièce, qui demeurait au-dessus en 1979 à la place de ce... monsieur ?

— Comment s'appelait-elle ?

— Adèle Joannette.

— Madame Joannette ? La jolie dame avec un bébé qui est partie si vite un beau matin d'avril, sans dire bonjour à personne ? Bien sûr, je me souviens parfaitement d'elle. C'était la beauté du quartier, madame. Elle descendait parfois me jaser le soir, quand il n'y avait pas de clients. C'était une femme gentille et pleine de vie, qui aimait les belles choses. J'ai même gardé son enfant ici un soir.

— Eh bien, il est en train de nourrir un oiseau, son enfant, répondit Juliette en tendant la main vers la vitrine où l'on apercevait la tête de Denis, accroupi sur le trottoir.

— Pas vrai ! Incroyable.

Et il prononça les phrases que l'on utilise dans ces occasions pour exprimer son étonnement devant la fugacité du temps.

— Comment va sa mère ? J'avais bien du plaisir à l'époque à lui faire la conversation.

Juliette revint sur ses pas et, posant les deux mains sur la caisse enregistreuse :

— Je la cherche, répondit-elle à voix basse. Je la cherche partout.

Son cœur se mit à battre tellement fort qu'elle dut se taire. Un vague pressentiment lui disait qu'un événement capital allait se produire. Le commerçant la regardait en dodelinant de la tête, les lèvres plissées avec un air de compassion polie. Juliette tendit de nouveau la main vers la vitrine :

— Je l'élève depuis qu'il est tout petit, ajouta-t-elle, légèrement haletante. S'il rencontrait sa mère, le pauvre, il serait incapable de la reconnaître.

L'homme hochait la tête de plus en plus, claquant sa langue contre son palais pour montrer toute la tristesse que lui inspirait la situation, tandis que ses yeux scrutaient le visage de Juliette.

— Pauvre femme, soupira-t-il enfin. J'ai cru la reconnaître une fois devant le magasin il y a deux ans.

— Il y a deux ans ?

— Oui, elle était là, debout, juste vis-à-vis de la vitrine, la tête levée, en train de regarder quelque chose, je ne sais trop quoi. J'étais occupé à servir un client. Quand je suis sorti pour lui parler, elle avait disparu.

— Mon Dieu, fit l'obèse en s'appuyant sur le comptoir, vous êtes la première personne à m'en donner des nouvelles un peu fraîches. Êtes-vous bien sûr qu'il s'agissait d'elle ?

— Oui, je pense bien.

Il hésita un instant, puis :

— Vous savez, ce que vous me dites sur elle ne me surprend pas tellement. J'ai toujours pensé qu'elle était... mal mariée, si je peux me permettre cette remarque.

— Je serais bien surprise qu'elle l'ait seulement été. Vous connaissiez l'homme... avec qui elle vivait ?

— Un peu, oui... Il était pas mal plus âgé qu'elle. Ce n'était pas une personne très aimable. Du moins c'est ce qu'on disait dans le voisinage. Mais vous connaissez les gens... Il suffit de froncer les sourcils une ou deux fois par semaine, et on passe pour un monstre.

— Comment s'appelait-il ? demanda Juliette avidement.

— Oh la la... je ne m'en souviens plus... Il ne venait pas souvent ici, vous savez. C'était un homme plutôt distant, qui ne voisinait personne. De temps à autre, il entrait acheter un pain, payait et s'en allait, sans dire un mot.

— Ah bon.

Elle tripota nerveusement un porte-clefs tombé d'un présentoir, puis :

— De quoi avait-il l'air ?

— Plutôt grand et costaud, l'air autoritaire, avec une grosse moustache noire. On l'aurait cru toujours accablé de soucis. Il tenait une librairie, je crois.

— Et vous ne vous rappelez pas son nom ? insista la comptable.

— Attendez un instant, ma femme le sait peut-être.

Il se tourna vers une porte masquée par une tenture :

— Charlotte, il y a une personne ici qui cherche à rejoindre Adèle Joannette, tu sais, la dame qui demeurait à l'appartement de Jean-Pierre Trudeau il y a une dizaine d'années. Te rappellerais-tu le nom du monsieur qui demeurait avec elle ?

Une petite femme boulotte, très maquillée, la mine joviale, écarta la tenture et s'approcha du comptoir. Juliette tendit la main et se présenta.

— Ah bon, fit l'autre d'un air pénétré, vous êtes sa tante, ah bon...

La comptable posa de nouveau sa question.

— J'ai oublié son nom, répondit-elle. Vous savez, on est porté à se souvenir surtout de nos bons clients. Lui ne venait jamais.

— Allons, allons, protesta son mari, il venait parfois acheter un pain.

— Si peu souvent... Et c'était peut-être mieux ainsi.

À la radio, une voix d'homme onctueuse lisait un bulletin de nouvelles :

— *... généralement bien informées ont déclaré aujourd'hui que l'Union soviétique a procédé hier à un nouvel essai nucléaire en Sibérie près de...*

La femme eut une grimace et ferma l'appareil :

— Je me rappellerai toujours... Un soir, vers neuf heures — c'était un peu avant Noël — mon mari était en train de fixer des tablettes à un mur ; il entre en coup de vent et se plante au milieu de la place. « Bonsoir, monsieur », que je lui dis. Il ne me regarde même pas et s'approche d'Antoine : « Votre bruit me dérange. Je suis en train de faire un travail très important. J'apprécierais que vous remettiez votre installation à plus tard », et il s'en va, comme ça, sans ajouter un mot, le cou raide et le nez en l'air. Neuf heures, m'entendez-vous ? On n'était pas en pleine nuit ! La loi, après tout, permet de faire du bruit jusqu'à onze heures...

— Il avait quand même de belles manières, ajouta le boutiquier pour atténuer l'effet des paroles de sa femme. On voyait que c'était un homme instruit.

— Dans le quartier, poursuivit l'autre, les enfants l'avaient surnommé *Pain de son* : il portait toujours le même complet de tweed brun foncé, hiver comme été. Mais j'y pense tout à coup... mon ancienne femme de ménage se rappellerait sûrement son nom. Elle travaillait parfois chez lui. Mais voilà : elle a déménagé à Chicoutimi il y a deux ans et s'est remariée, et je ne me souviens plus du nom de famille de son nouveau mari.

— Vous n'avez pas son numéro de téléphone ?

— Pour le trouver, il faudrait que je trouve d'abord le nom de son mari, expliqua la femme. Rappelez-moi demain en début d'après-midi. Elle m'a envoyé une carte de Noël l'an dernier. Je vais essayer de mettre la main dessus.

Juliette sortit du magasin dans un grand état d'agitation, exhalant des bouffées de sueur acide à chaque mouvement. Elle aperçut Denis à vingt pas près d'une marche, toujours accroupi devant l'oiseau. La panse gonflée, l'animal contemplait d'un œil indifférent le petit monticule de grains de maïs que l'enfant avait disposé devant lui et, gagné par le sommeil, il commençait à songer à un coin de corniche pour y dormir un coup.

— Qu'est-ce que tu penses qu'il va lui arriver, ma tante ? demanda Denis en prenant place dans l'auto. On dit que les oiseaux blessés se font attaquer par les autres oiseaux et qu'ils finissent par se faire tuer. Est-ce que c'est vrai ? Est-ce que c'est vrai, ma tante ? Ma tante, m'écoutes-tu ?

— Hein ? Quoi ? Oui, bien sûr, bien sûr, je t'écoute... Je n'en sais trop rien, mon pauvre enfant. Si les oiseaux sont comme les humains, je plains ton merle.

— Je veux le sauver, se dit Denis.

Il serra les poings :

— Je *vais* le sauver.

En arrivant à la maison, ils aperçurent l'énorme cicatrice brunâtre laissée par l'excavatrice. Elle partait du milieu de la rue, passait sous le trottoir et allait buter contre les fondations après avoir dévasté la pelouse. Ils se rendirent aussitôt à la cave pour inspecter les travaux de raccordement. Clément Fisette s'y trouvait déjà, en train de palper les conduits de plastique noir pour y détecter une fuite. Il leur annonça que le plombier était parti vers six heures et que le travail semblait avoir été accompli selon les règles de l'art.

— Eh bien, je m'en vais prendre un bain, annonça Juliette, qui se tenait un peu à l'écart, craignant d'indisposer le photographe par le petit nuage acide qui l'entourait.

En ouvrant la porte, elle aperçut à ses pieds une lettre arrivée par messager. Elle voulut se pencher pour la prendre et faillit perdre l'équilibre. Alors, elle se rendit au salon, revint avec un tabouret, s'assit dessus et s'empara de l'enveloppe.

Chère madame,

Suite à la mise en demeure que vous avez cruellement cru bon de nous faire parvenir malgré nos bons et loyaux services, nous avons l'honneur de vous faire remarquer que vous trouverez ci-inclus un chèque au montant de deux cent quarante-deux dollars et quatre-vingt-huit sous, représentant le reliquat du dépôt de huit cents dollars que vous nous aviez confié pour des recherches concernant une certaine Adèle Joannette.

Malgré que nous ayons bel et bien découvert ladite personne (sauf déposition prouvant le contraire faite par-devant les autorités de la Section des Personnes Disparues en vertu de l'article 12587 du Code civil, alinéa d, 3e partie et sequitur judiciumque nil abstentia, *etc.) et afin de prouver au su et vu de la totalité que l'*Agence d'investigation Peter Jeunot Inc. *fait partie du* nec plus ultra *des agences de ce genre à travers le monde, nous avons pris la décision de faire à nos propres et entiers frais les recherches nécessaires pour détecter une seconde Adèle Joannette, vous permettant ainsi d'entrer en contact avec deux personnes de ce genre pour le prix d'une seule.*

Espérant le tout à votre entière satisfaction, nous demeurons à votre service,

Peter Jeunot
détective, membre fondateur de la B.I.P.I.R.O.T.O.

— Que le nez lui crochisse et que les oreilles lui pourrissent, fit-elle en laissant tomber le chèque dans son sac à main. Mon bain, à présent.

En se glissant dans l'eau chaude, elle se demanda avec désespoir où elle trouverait la force d'attendre jusqu'au lendemain après-midi les renseignements sur sa nièce.

Pendant ce temps, Clément Fisette remontait vitement chez lui avec Denis sur les talons. Il s'arrêta soudain au milieu de l'escalier :

— Écoute, gagnons du temps : pendant que j'attrape une boîte de carton, va avertir madame Pomerleau que je t'emmène avec moi à Montréal, puis attends-moi dans le vestibule.

— Ma tante, cria Denis en ouvrant la porte, Clément et moi, on s'en va chercher l'oiseau !

— Pauvre toi, lança Juliette dans un grand brassement d'eau, il aura eu le temps de s'envoler mille fois ! Enfin... ne reviens pas trop tard : tu as de l'école demain.

— Fais attention, Clément, murmura Denis, un peu effrayé, en se cramponnant à la poignée de la portière tandis que la *Pinto*, lancée sur le pont Jacques-Cartier, enfilait la redoutable courbe *Familex*. Il y a eu un gros accident ici hier soir.

— Un oiseau unipédiste : quel sujet extraordinaire ! pensait Fisette sans écouter l'enfant. Je vais utiliser ma nouvelle pellicule *Fujicolor MX-227*.

En posant le pied sur le trottoir en face du 1759, Sainte-Catherine Est, Denis poussa une exclamation de dépit : l'oiseau avait disparu, abandonnant ses grains de maïs qu'on apercevait près d'une marche, éparpillés sans doute par le pied d'un passant. Ils arpentèrent le trottoir, fouillant des yeux chaque recoin, puis, parvenus à la rue Cartier, tournèrent à droite en direction du fleuve. Fisette s'avança dans un terrain de stationnement.

— Le voilà ! s'exclama Denis en pointant le doigt vers une touffe de graquias séchée qui sortait d'une crevasse au pied d'un soupirail.

— Mais c'est un merle des Indes ! s'écria Fisette. Il vaut une petite fortune !

L'oiseau, gavé de maïs, éprouvait de telles lourdeurs digestives que la vue du tas de grains avait fini par l'écœurer, lui faisant presque oublier la douleur lancinante de son moignon. Il avait senti le besoin de se retirer un moment à l'écart pour digérer en paix avant de s'envoler vers sa corniche. L'apparition de Denis diminua un peu la crainte que lui inspirait l'étranger qui l'accompagnait. Ce sentiment de plaisir et la difficulté qu'il avait à se déplacer à cause de son estomac trop plein et de sa patte amputée firent qu'il hésita quelques secondes à s'enfuir. Un bruit sourd l'enveloppa brusquement et il se retrouva dans une noirceur opaque. Ses ailes frappèrent désespérément contre une surface rigide qui amplifiait le bruit des battements et augmentait sa terreur.

— Va me chercher le morceau de contreplaqué dans le coffre de l'auto, ordonna Fisette.

Le photographe glissa délicatement le morceau sous la boîte tandis que l'oiseau s'agitait de plus belle, puis la remit à l'endroit, l'ouverture soigneusement bouchée, et se dirigea vers l'auto :

— Ne t'inquiète pas, mon vieux : dans une heure, ton merle se rendra compte que nous sommes ses plus grands amis.

Denis sautillait de joie :

— Qu'est-ce qu'on fait, maintenant ?

— Il va d'abord passer la nuit chez moi. Quand il sera un peu calmé, j'essayerai de le soigner. Et, s'il se montre gentil garçon, je commencerai mes séances de photo.

L'enfant ouvrit des yeux étonnés :

— Tu veux le photographier ?

— Eh oui ! Ce n'est pas tous les jours qu'on tombe sur un merle des Indes à un pied.

— Ma foi, se dit Denis en s'installant sur le siège arrière près de la boîte, ma tante a raison : il n'y a que la photographie qui l'intéresse dans la vie. C'est peut-être pour ça qu'il ne vient presque jamais de filles à son appartement. Bohu est différent, lui.

— Et alors ? fit Juliette en ouvrant à son petit-neveu, drapée dans un monumental kimono rouge feu. L'avez-vous attrapé ?

L'enfant hocha la tête avec un sourire victorieux :

— Il dort chez Clément, en haut du vaisselier. C'est un merle des Indes. Un très bon merle. Il s'est même perché sur mon pouce pendant une minute, et avec une seule patte !

— Eh bien, tant mieux. Il a eu beaucoup de chance de te rencontrer. Je suis sûre que Clément va s'en occuper comme de son propre fils. Et maintenant, vite ! Ton bain, puis au lit ! Imagine-toi donc, mon cher, qu'il est presque dix heures !

Elle retourna dans sa chambre et se coucha. Le bruissement de l'eau dans la salle de bains parvenait faiblement à ses oreilles. Elle prit plaisir à imaginer le moment où, la bonde levée, le bain se viderait de son eau savonneuse, qui filerait dans les tuyaux jusqu'à la nouvelle section de plastique installée en diagonale sous le plancher de la cave, pour arriver, toute refroidie, jusqu'à l'égout collecteur qui l'amènerait à l'usine d'épuration d'où elle irait se perdre dans le fleuve. Elvina, qui avait sûrement entendu fonctionner les robinets au cours de la soirée, devait rager d'avoir englouti tant d'argent pour une vengeance si courte. Mais peut-être en ourdissait-elle déjà une autre ?

— Sûrement, se répondit Juliette à voix haute. Voilà pourquoi il faut absolument que nous partions d'ici. Et ce monsieur Vlaminck qui n'appelle pas... Ce n'est pas bon signe...

Elle se rendit compte alors que l'eau du bain coulait toujours et consulta le cadran lumineux de son réveille-matin. Il était dix heures vingt.

— Pourvu qu'il ne se soit pas endormi, le petit sacripant, fit-elle en jetant les jambes hors du lit.

Elle s'élança de sa chambre pieds nus et enfila le corridor :

— Denis ! qu'est-ce que tu fais ? Denis, répéta-t-elle d'une voix éteinte.

Elle poussa la porte de la salle de bains. L'enfant se retourna, plongeant vivement les mains dans l'eau pour cacher son sexe.

— Allons, dépêche-toi, je t'en prie, ordonna Juliette en retenant un sourire. Tu ne m'entendais pas ? Il est tard sans bon sens. Tu vas ronfler en classe demain... Il devient de plus en plus pudique, se dit-t-elle en refermant la porte, ou alors...

Elle alla se recoucher et essaya de dormir, mais s'aperçut au bout d'un moment qu'elle attendait que la baignoire se vide. La bonde fut enfin levée. Mais les éructations que laissa échapper la baignoire en perdant ses derniers litres d'eau durent réveiller d'obscures appréhensions au fond d'elle-même, car elle fronça les sourcils et son humeur vira au noir. La semaine écoulée lui apparut comme remplie d'une agitation stérile et insensée ; elle avait l'impression qu'au lieu de le contourner, elle s'était stupidement jetée dans un immense marécage où s'épuisaient en pure perte ses forces encore fragiles.

— Pauvre plorine ! Tu te brûles la carcasse à courir après une écervelée qui va se remettre à te compliquer la vie dès qu'elle apparaîtra, comme elle l'a toujours fait. Et le but de tout ça ? Lui confier un enfant sensible et délicat qu'elle va bardasser à gauche et à droite comme s'il était en fonte. À moins qu'elle ne nous envoie tous les deux au diable, ce qui serait sans doute la meilleure chose. Et puis, comme si ce n'était pas assez, tu veux maintenant acheter une vieille maison pleine d'infirmités et amener tes locataires dedans pour jouer à la reine au milieu de sa cour ! Dire qu'il n'y a pas si longtemps, tu avais de la misère à t'envoyer un peu d'air au fond des poumons ! As-tu oublié que c'est un miracle si tu vois la couleur du jour ? Cesse donc de t'enfler la falle et marche selon tes moyens, cuisse de puce ! Achète-toi donc une bonne petite maison neuve pas trop loin du Vieux Longueuil et que le diable emporte Adèle, ses couettes et ses jupons !

Un calme souverain descendit en elle après cette virile admonestation. Elle ferma les yeux et se laissa couler doucement dans le sommeil, toute fière d'être enfin revenue sur la voie du bon sens.

* * *

Le lendemain, vers onze heures, ses bonnes résolutions volaient en éclats. Elle se disposait à monter chez Clément Fisette qui, en l'absence de Martinek et de Rachel, lui avait demandé d'aller jeter un coup d'œil à son merle des Indes, lorsque le téléphone sonna.

— Est-ce que j'ai bien l'honneur de parler à madame Juliette Pomerleau ? fit une voix chantante au bout du fil.

— Oui, c'est moi.

— Marcel Vlaminck à l'appareil. Mon épouse m'a appris que vous étiez venue chez nous hier dans l'intention éventuelle de faire une offre d'achat pour notre... *petit manoir*.

— Si on veut, oui. Ce n'est qu'un vague projet, bien sûr. Tout... dépend des conditions.

— Ma femme m'a également dit, continua Marcel Vlaminck, que vous lui sembliez une personne sérieuse et réfléchie et que vous aviez déjà habité notre *manoir* durant votre jeunesse.

— C'est exact. La maison appartenait à une de mes tantes.

— Eh bien, votre projet — si nous pouvions en arriver à une entente — s'harmoniserait assez bien avec un des miens, car je songe à *vendre*, figurez-vous (le mot semblait s'être transformé en pierre et lui être tombé au fond de la gorge), mais pas à n'importe quelles conditions, bien sûr. J'ai dépensé des quantités d'énergie et d'argent *énormes* pour ce *manoir*, qui constitue pour nous une source de revenus importante, et mon cœur y est très attaché, voyez-vous... peut-être même plus que le vôtre. Cela est difficile à mesurer.

— Oui, bien sûr. Combien voulez-vous le vendre ?

— Eh la la ! vous n'y allez pas par quatre chemins ! Il faudrait que j'y pense un peu, tout de même. Vous connaissez aussi bien que moi la valeur architecturale et *historique* de ce *manoir*.

Juliette éloigna un peu le combiné de son oreille, car celle-ci était devenue toute moite et engourdie.

— Et puis, il faudrait également que je sache si j'ai envie de vous le vendre à *vous* ! poursuivit-il avec un accent de bonne humeur qui émoussait un peu les aspérités de sa remarque. Comment décider d'une chose aussi complexe au cours d'une simple conversation téléphonique ?

— Quand puis-je vous rencontrer, monsieur ? demanda calmement Juliette.

— Malheureusement, je n'ai pas mon agenda devant moi. Je le consulte et je vous rappelle vers la fin de l'avant-midi. Ça vous va ? Mes salutations, madame.

— Hum, se dit Juliette en raccrochant, je pense, ma vieille, que tu es mieux d'oublier ton *manoir* tout de suite. Il ne veut pas vendre, ou il cherche à faire un coup d'argent.

Elle montait chez Fisette lorsque le téléphone sonna de nouveau. Retrouvant une prestesse qu'elle croyait perdue à tout jamais, elle parvint à mettre la main sur le combiné à la troisième sonnerie. C'était madame Longpré, la boutiquière des *Variétés Marco* qui, après de longues recherches, venait de retrouver la carte de Noël de son ancienne femme de ménage sous une pile de serviettes de bain.

— Dieu sait qui l'avait fourrée là... Je l'ai découverte quasiment par hasard. Si les enfants de ma sœur n'avaient pas mis mon armoire à linge sens dessus dessous la semaine dernière, je serais encore en train de la chercher.

La femme de ménage en question, qui, lors de son remariage, avait changé son nom de Métivier pour celui de Lachapelle, demeurait au 1235 de la rue Murdoch, à Chicoutimi. Trois minutes plus tard, Juliette lui parlait.

— Le nom du monsieur qui demeurait au-dessus des *Variétés Marco* ? fit-elle d'une voix gutturale et caverneuse, comme si elle parlait du fond d'un puits. Je ne suis pas près de l'oublier ! Il ne m'a jamais payé mon dernier mois, le cochon. Qu'est-ce que vous lui voulez ?

— Rien de particulier. Je suis à la recherche d'une de mes nièces et je viens d'apprendre qu'il a déjà vécu avec elle.

— Parlez-vous de madame Joannette ?

— Oui.

— Mais je l'ai très bien connue ! Mon Dieu qu'elle avait l'air malheureuse avec lui, la pauvre ! Elle était gentille, elle, au moins. Elle me faisait la conversation, s'informait de mes enfants, m'offrait du café... mais lui !

— Quel est son nom ? demanda Juliette d'une voix pressante.

— Fernand Livernoche. Quand il parlait, c'était pour bougonner. Et quand il ne bougonnait pas, c'est qu'il m'espionnait. Et suce-la-cenne ! Il comptait les secondes, madame. Si je partais à cinq heures moins dix plutôt qu'à cinq heures, vous pouvez être sûre que ça paraissait sur ma paye. Les pantalons toujours fripés, les souliers jamais cirés, les mains couvertes de marques de stylo, il n'avait pas grand air, je vous prie de me croire. Mais, par contre, il fallait que son appartement soit prêt à recevoir le pape. Il me demande un beau jour de laver le plancher de son corridor. La veille, je m'étais donné un tour de rein, le médecin m'avait mis aux *292*, mais je ne dis pas un mot et je le lave (de toute façon, avec lui, on n'avait pas le choix !). Eh bien, savez-vous ce qu'il a fait quand le plancher a été séché ? Pendant que je nettoyais sa salle de bains, il a enlevé ses souliers, enfilé des chaussettes blanches et il s'est amusé à patiner dans le corridor pendant dix minutes. Ensuite, il est venu me mettre sous le nez le dessous des chaussettes, qui était un peu gris. Je ne sais pas ce qui m'a retenue de lui envoyer une claque en pleine face.

D'autres anecdotes suivirent. Juliette s'exclamait, compatissait, s'indignait de son mieux, avide de connaître les moindres détails de la vie et du caractère de ce Fernand Livernoche qui la conduirait peut-être jusqu'à sa nièce.

— Quel était son métier, à ce monsieur ?

— Vendeur de livres d'occasion, madame. Il tenait une petite librairie sur la rue Ontario, près d'Amherst. J'y suis allée une fois. Bonne sainte Anne ! quelle cabane ! Il devait y avoir plus de souris que de livres !

— Et vous n'avez pas idée où il se trouve présentement ?

— Pas la moindre. Un bon jour — c'était en 1978, au mois de novembre... ou plutôt en 79, je pense — il a déménagé à la sauvette en emportant avec lui trois mois de loyer... et ma paye pour quatre journées de ménage — et je ne lui ai jamais revu le bout du nez. Si vous le retrouvez, faites-moi donc signe. J'aimerais lui rappeler mon nom.

— Et ma nièce, vous n'en avez plus jamais entendu parler non plus ?

— Eh non ! Je pense souvent à elle, vous savez, et à son bébé, qui doit être un grand garçon maintenant. J'allais le garder parfois l'après-midi. Elle donnait un coup de main de temps à autre à la librairie ou alors, elle sortait pour se changer les idées. À vivre avec ce gros sans-cœur, elle devait en avoir besoin !

La bonne dame s'apprêtait à continuer sur sa lancée lorsqu'elle se souvint tout à coup qu'il s'agissait d'un interurbain :

— Mon Dieu ! mais je suis en train de vous mettre dans la rue avec ma grand-langue. Excusez-moi, madame. Je vous laisse. Bonne chance ! Et quand vous reverrez votre nièce, n'oubliez pas de lui dire que sa bonne Gilberte pense toujours à elle.

Juliette, songeuse, tapota de ses doigts boudinés le guéridon où reposait l'appareil, puis s'empara du bottin de Montréal et se mit à le feuilleter, affalée dans un fauteuil. Aucun Fernand ou F. Livernoche n'y apparaissait. Elle regarda au mot « librairie » sans plus de succès.

— Seigneur ! le merle ! s'écria-t-elle soudain.

Elle gravit de nouveau l'escalier. Des palpitations l'obligèrent à s'arrêter un moment au premier étage, puis un peu plus longuement au second.

— Quarante-deux marches pour aller voir... si un merle à une patte se porte bien, marmonna-t-elle d'une voix sifflante.

Fouillant dans la poche de son tablier, elle saisit une clef et ouvrit la porte. L'oiseau, perché sur le dossier d'un canapé, frémit légèrement à son apparition, mais ne quitta pas sa place. Il la fixait en roulant des yeux un peu effarés et les griffes de sa patte s'enfonçaient spasmodiquement dans le tissu.

— C'est vrai qu'il est magnifique, fit Juliette en s'épongeant le visage.

Elle s'assit dans un fauteuil en face du merle :

— Qui a été assez méchant pour te mutiler ainsi, mon pauvre ? Dieu que j'ai chaud !

L'oiseau l'observa un moment, puis se dirigea en clopinant au bout du canapé et poursuivit son examen. Un léger malaise se répandit en Juliette. Le regard du merle semblait avoir perdu son inexpressivité un peu stupide et s'être chargé d'une tristesse profonde, si pleine de doux reproches qu'on aurait dit qu'il allait se mettre à parler. Le salon ensoleillé en parut lugubre. Elle se leva et se dirigea vers la porte :

— Allons, puisque tu sembles aller bien, je te laisse à tes réflexions et je retourne à mes affaires.

Elle redescendit à son appartement, s'installa au téléphone et prit d'assaut le service de renseignements, fouillant les quatre coins du Québec à la recherche d'une librairie Livernoche. Une heure plus tard, elle avait acquis la certitude d'être sur une fausse piste. Elle eut faim et alla se préparer une omelette aux champignons.

Dans la cour, des moineaux se disputaient une croûte de pain gelée. Quelques jours auparavant, le peu de neige tombé avait fondu, puis le temps s'était de nouveau refroidi. On n'annonçait aucune précipitation.

— Noël dans quatre jours, et je n'ai pas un seul cadeau d'acheté, pensa la comptable avec un serrement de gorge. Il faut que je trouve le temps d'aller en ville. Ah ! ces magasins remplis d'excités qui se marchent sur les pieds. Je vais demander à Bohu d'aller me choisir un sapin.

Le regard du merle des Indes, la description hostile que l'ancienne femme de ménage avait faite de Fernand Livernoche et le mystère impénétrable qui entourait sa nièce se combinèrent peu à peu dans sa tête en une sorte de vapeur sombre qui la plongea dans l'angoisse. Elle repoussa son assiette à demi pleine et, posant les mains sur les hanches, soupira :

— Bon Dieu ! qu'est-ce que je vais faire ? Je me sens comme une mouche dans un pot de colle !

Le téléphone sonna.

— Comment va mon merle ? demanda Fisette d'un ton faussement détaché.

— Mieux que moi, répondit Juliette. Je ne sais plus où j'en suis. Je viens d'apprendre le nom de l'homme avec qui vivait ma nièce en 1979, quand elle m'a laissé Denis. Mais impossible de le retracer. Voilà une heure que je suis au téléphone. J'en ai l'oreille en compote.

— Comment s'appelle-t-il ?

— Fernand Livernoche. Une sorte de libraire. C'est sans doute lui, reprit-elle, saisie par une idée subite, qui m'a appelée ce fameux 6 avril pour m'annoncer qu'Adèle avait un empêchement et ne pourrait me rencontrer qu'en début de soirée. Évidemment, c'était pour lui donner le temps de filer, en me laissant Denis sur les bras. C'est peut-être lui, d'ailleurs, qui l'a forcée d'abandonner l'enfant, sait-on jamais ? Je cours peut-être après un malfaiteur, une crapule, un assassin !

— C'est peut-être aussi le fils naturel de Hitler, répondit Fisette, pince-sans-rire. Il s'est monté une armée secrète. Il va s'emparer du Québec, puis attaquer les États-Unis. Dans trois jours, nous serons en pleine guerre nucléaire.

Il s'esclaffa, puis :

— Alors, vous êtes allée voir mon merle ? Il n'a pas trop crotté l'appartement, au moins ?

— Je n'ai pas vu de crottes et je l'ai trouvé très calme. Il est beaucoup plus sérieux que vous.

— Pourquoi n'allez-vous pas à la bibliothèque de Montréal ? poursuivit l'autre sans relever la remarque. On y trouve tous les annuaires téléphoniques du Québec. Vous pourriez y faire une provision de Fernand Livernoche et fouiller dedans pour dénicher le bon.

— Enfin, une parole sensée. J'y vais tout de suite.

— Pas si vite ! J'avais autre chose à vous demander.

Quelques secondes passèrent.

— Eh bien ! Qu'attendez-vous ?

— Je... Est-ce que vous auriez le temps, fit-il, presque honteux, d'aller faire un autre petit tour à mon appartement vers le milieu de l'après-midi ? Je tiens beaucoup à cet oiseau. J'ai en tête une série de photos extraordinaires.

— J'essaierai. Mais je ne peux être partout à la fois, quand même. Sueur de coq, murmura-t-elle en raccrochant, si je ne le connaissais pas si bien, il me ferait presque peur. Ce qu'il peut être bizarre, parfois... On dirait qu'il va l'épouser, son merle !

* * *

Vers une heure trente, Juliette pénétrait dans la bibliothèque municipale et commençait ses recherches. Deux heures plus tard, sa provision de Livernoche était faite. C'était plutôt maigre : deux Fernand et quatre F. Livernoche. Elle retourna chez elle en vitesse et recommença ses appels. Le Fernand Livernoche de Mont-Laurier avait soixante-douze ans et venait de vendre son épicerie à son fils Hector ; au cours de l'entretien téléphonique, il exprima plusieurs fois avec véhémence sa haine viscérale pour les vendeurs de livres (et en particulier pour les vendeurs d'encyclopédies), malgré les assurances répétées de Juliette qu'elle ne vendait rien du tout, mais cherchait plutôt un libraire qui était son homonyme. Le deuxième Fernand ne répondait pas. Des quatre F., il ressortit que l'un se prénommait Fabien, l'autre, François, et le troisième, Fortunat, qu'aucun d'eux ne semblait avoir touché à un livre depuis des lustres et ne connaissait Fernand Livernoche, libraire. Quant au dernier, lui non plus ne répondait pas.

Denis arriva de l'école sur ces entrefaites et Juliette soupçonna aussitôt à son air qu'il venait de se passer quelque chose de grave.

— Non ! j'ai rien ! répondit l'enfant, irrité. Laisse-moi tranquille.

Elle le regardait, bouche bée, toutes ses appréhensions confirmées. L'enfant lui tourna le dos et se retira dans sa chambre. Elle resta debout au milieu de la pièce, désemparée, puis retourna au téléphone et composa une seconde fois le numéro du Fernand Livernoche de Valleyfield. Il venait tout juste d'arriver dans son minuscule deux-pièces en sous-sol, dont les fenêtres donnaient sur la bruyante rue Dufferin, et s'apprêtait à jeter dans une poêle quatre bouts de saucisses et quelques tranches de pommes de terre bouillies, qui devaient constituer son repas solitaire. C'était un célibataire de cinquante-deux ans, concierge dans une école. D'une petite voix timide et terne, que les coups de klaxons couvraient à tous moments, il répondit à Juliette qu'elle se trompait, de personne ; il avait bien connu autrefois un certain Livernoche — son prénom lui échappait — qui vendait des encyclopédies dans la région de Nicolet, mais il en avait perdu toute trace depuis longtemps.

— Un autre cul-de-sac, soupira la comptable en quittant la salle à manger.

Elle se dirigea vers la chambre de son petit-neveu qu'elle trouva sur son lit en train de lire un *Astérix*. Il feignit d'ignorer sa présence, mais rougit légèrement et son visage se crispa. Elle lui demanda de nouveau ce qui n'allait pas. La seconde d'après, il fondait en larmes et se vidait le cœur.

C'est ainsi que Juliette apprit que depuis deux jours, à son retour de l'école, il se faisait suivre par une jeune femme jusqu'à la maison. Cette après-midi, elle l'avait abordé pour lui annoncer qu'il était son fils et lui demander ce qu'il souhaitait comme cadeau de Noël.

Juliette le regardait, atterrée.

— Est-ce que c'est vrai que je suis son fils ? demanda l'enfant d'une voix tremblante.

— Décris-la-moi. Il s'agit de la fausse Adèle, bien sûr, se dit-elle quand Denis eut terminé. Ce maudit détective m'a jeté une folle dans les jambes, comme si je n'étais pas déjà assez empêtrée. Écoute-moi, fit-elle en le prenant par les épaules. Cette femme n'est *pas* ta mère. C'est une malade qui *se croit* ta mère. C'est la femme chez qui nous sommes allés l'autre jour avec ce niaiseux de détective qui ne fait pas la différence entre une locomotive et un piano. Je vais tout de suite dénoncer cette folle à la police et, s'il le faut, je me rendrai chez elle lui mettre les points sur les i. Mais en attendant, je ne veux pas que tu t'éloignes seul de la maison, m'entends-tu ? À partir de demain, j'irai moi-même te conduire et te chercher à l'école jusqu'à ce qu'on arrête cette malade. Qui sait ? Elle est peut-être dangereuse.

Une heure plus tard, deux policiers se présentaient chez elle pour enregistrer sa plainte. Il fut convenu que dans les jours suivants Denis serait soumis à une surveillance policière durant son parcours entre l'école et la maison et que les abords de celle-ci seraient également surveillés.

— N'allez pas chez cette femme, recommandèrent les policiers à Juliette. On va s'en occuper nous-mêmes. Vous pourriez frapper un nœud. Les têtes fêlées, c'est rempli de toutes sortes d'idées.

— Et toi, mon beau merle, est-ce que tu as besoin de ta mère pour être heureux ? chuchotait Denis qui, aussitôt après avoir raconté l'incident, était monté en courant à l'appartement de Fisette.

L'oiseau boitilla jusqu'au milieu de la cuisine, puis, quittant le plancher dans un battement d'ailes saccadé, atterrit sur la table juste devant l'enfant. Son regard imperturbable fixé sur Denis, il avança le bec à quelques centimètres de son nez et demeura immobile. Cela constitua pour ce dernier une réponse très claire, qu'il reçut avec émotion.

Des coups résonnèrent soudain à la porte et la voix de Martinek s'éleva :

— Allons, jeune homme, je t'ai entendu passer tout à l'heure. Ouvre-nous pour nous montrer la merveille du siècle.

— Quel magnifique oiseau, murmura Rachel tandis que le merle, tout effaré, allait se poser sur le frigidaire.

Elle grimpa sur une chaise pour mieux l'examiner et, dans le mouvement qu'elle fit, une odeur troublante et capiteuse s'échappa de sa jupe et enveloppa l'enfant, toujours assis.

— Quel plumage magnifique, reprit la violoniste, extasiée. Mais il lui faut une prothèse, à ce pauvre animal. Est-ce que Clément y a pensé ?

15

— Eh bien ! mon dernier Fernand Livernoche vient de voler en éclats, annonça tristement Juliette en déposant au milieu de la table un plat de brioches à la cannelle.

Vers six heures, elle avait invité Martinek, Rachel et Fisette à prendre le dessert afin de faire le bilan de la situation.

— Il est mort avant-hier à l'hôpital universitaire de Sherbrooke à l'âge de 96 ans. Ce n'était pas notre homme, je pense.

Clément Fisette s'amusa un instant à tenir en équilibre une pacane sur la pointe de son couteau.

— Fin des Fernand, conclut-il avec un sourire moqueur. Avez-vous pensé à contacter l'Assoc...

— L'Association des libraires du Québec ? Vous m'auriez pris pour une cruche si je ne l'avais pas fait, hein ? Eh bien, oui, je leur ai téléphoné tout à l'heure, mais les bureaux venaient de fermer. Je les rappelle demain matin.

— S'il est encore libraire et s'il est membre de l'Association, il va tomber dans votre assiette comme un gros poisson tout cuit et il ne nous restera plus qu'à le déguster.

Martinek fit alors une timide plaisanterie sur l'intérêt que sa propriétaire semblait manifester depuis quelque temps pour les hommes, puis Rachel enchaîna par des questions malicieuses sur Alexandre Portelance.

— Je vous trouve bien chanceux d'avoir le cœur à rire, mes enfants. Cela prouve que vous êtes heureux. Quant à moi, pour l'instant, je collectionne les tuiles et les cheveux blancs.

Elle leur fit part de l'incident de la fausse Adèle et des mesures que la police avait cru bon de prendre pour protéger l'enfant.

Rachel se rembrunit :

— Oh oh ! je n'aime pas ça du tout...

Fisette se leva brusquement :

— Venez avec moi, madame Pomerleau. Nous allons rendre une petite visite à cette charmante personne.

— Il n'en est pas question. On me l'a défendu.

— Personne ne me l'a défendu à moi, répondit le photographe en souriant. Je meurs d'envie d'avoir une conversation avec cette... mère chronique.

On eut beau le supplier, Fisette persista dans sa résolution. La curiosité et le goût de jouer un mauvais tour l'obnubilaient. De guerre lasse, l'obèse se décida à l'accompagner pour l'avoir à l'œil. Pointant vers lui un doigt menaçant :

— Vous êtes averti : une seule petite bêtise et je vous jette à la porte, monsieur l'amateur de farces plates.

— La Régie me protège, ricana Fisette, et surtout votre bon cœur.

Il s'avança et lui ouvrit la porte :

— Cela dit, je vous promets obéissance et docilité jusqu'à mon refroidissement final.

— Clément, fit Juliette lorsque l'auto du photographe déboucha sur le boulevard Saint-Joseph, si jamais il y avait le moindre indice que la police se trouve sur les lieux ou dans les alentours, on file tout droit, hein ?

— On file tout droit.

— Voilà, nous sommes presque arrivés. Vous tournez à gauche sur Coloniale. La ruelle Marmette se trouve à votre droite. Je ne vois personne, constata Juliette après avoir longuement examiné les lieux. Stationnez-vous plus bas, le long de cette cour d'école.

— Tout ce que vous voudrez, répondit le photographe avec un sourire moqueur.

Ils sortirent de l'auto et remontèrent lentement la pente de la rue Coloniale.

— Finalement, mon cher, fit Juliette, vous avez peut-être eu une bonne idée de m'amener ici. Cela va me faire le plus grand bien de secouer un peu les poux à cette détraquée. Voilà un mois que je m'use les nerfs en pure perte. J'ai besoin d'une bonne engueulade.

Les touffes de bardane devant le perron, toutes brunies par le gel, avaient l'air plus misérables que jamais. Fisette contempla l'édifice. Les fenêtres des trois logis étaient obscures.

— C'est au 79, souffla la comptable. Allez donc voir si elle s'y trouve, cela me sauvera des marches.

Fisette lui fit un clin d'œil et traversa la rue. Sa démarche avait subtilement changé. Il avançait d'un pas souple et glissant, les épaules arrondies ; une intense excitation lui faisait tourner la tête par petits mouvements saccadés comme ceux d'un oiseau.

— Il va faire une gaffe, se dit Juliette, qui partit aussitôt derrière lui.

Il grimpa le perron en deux sauts, se rendit au 79, appuya son nez contre la vitre, puis souleva le couvercle de la boîte aux lettres. Elle était pleine à craquer.

— Mais que faites-vous là ? Laissez ça ! s'écria Juliette en arrivant près de lui.

Le photographe examina rapidement le courrier, le remit dans la boîte et, appuyant l'index sur le bouton de la sonnette :

— Il y a une lettre qui porte le cachet postal du 18 décembre. Je doute qu'elle demeure encore ici. D'après moi, elle a senti la soupe chaude et filé chez tante Sauvette.

Trois fois, ils entendirent la sonnette résonner faiblement. Après une dernière tentative :

— Eh oui, fit-il, maussade, notre *mater dolorosa* est allée cacher sa peine ailleurs.

Il se rendit au bout du perron, enjamba la balustrade et, s'accrochant d'une main à la boîte aux lettres, se pencha en avant pour jeter un coup d'œil par la fenêtre, malgré les protestations scandalisées de sa compagne.

— Les meubles y sont encore, il faudra revenir, dit-il en sautant du perron dans une touffe de bardane séchée ; de petites boules épineuses s'accrochèrent au bas de son pantalon.

— Dès qu'elle croira l'orage passé, ajouta-t-il, nous allons revoir son grand nez, j'en suis sûr.

— Qu'est-ce qui nous pend au-dessus de la tête ? soupira l'obèse en se rassoyant dans l'auto.

Fisette lui adressa un étrange sourire :

— Nous avons raté une belle scène. Mais ce n'est que partie remise.

Ils roulaient sur le boulevard Saint-Joseph.

— Ça vous dérangerait si je vous laissais au métro ? Comme je suis en ville, j'en profiterais pour aller faire ma vérification comptable mensuelle chez *Virilex*.

Le photographe pénétra dans la station Laurier, songeur. Où cette satanée fausse Adèle avait-elle bien pu se nicher ? Peut-être à Longueuil, afin de se rapprocher de son enfant chéri ? Il brûlait de la confondre par ses questions subtiles, puis de la voir monter dans un panier à salade.

En arrivant chez lui, pour se consoler de sa déception, il s'amusa à confectionner une patte à son merle avec du papier mâché et de la colle époxy.

16

À neuf heures pile le lendemain matin, Juliette téléphonait à l'Association des libraires du Québec et apprenait qu'un Fernand Livernoche faisait commerce de livres au 83 de la rue Saint-Antoine à Trois-Rivières, sous l'enseigne de *La Bonne Affaire — livres neufs et usagés*.

— Surtout, n'allez pas téléphoner, lui enjoignit Fisette qu'elle avait rejoint à son travail. Écoutez, fit-il après quelques secondes de réflexion, je vais essayer d'obtenir congé pour vous accompagner là-bas. Elle commence à m'intéresser, votre nièce.

— Ah ! vous êtes gentil, répondit Juliette, soulagée. Je n'osais vous le demander. Pour ne rien vous cacher, je suais comme un glaçon au soleil à l'idée d'y aller toute seule... Mais j'allais oublier : il faut d'abord que je trouve quelqu'un pour s'occuper de Denis à son retour de l'école. Il n'est pas question de le laisser seul à l'appartement après ce qui s'est passé hier. Je vous rappelle dans deux minutes.

Elle téléphona à Bohuslav Martinek et lui demanda s'il pouvait accueillir l'enfant vers quatre heures et le faire souper.

— Bien sûr. J'en profiterai pour lui donner sa leçon de piano.

Juliette le remercia, rappela Fisette, puis griffonna un mot à l'intention de son petit-neveu et alla le fixer sur la porte d'entrée, tandis que le photographe quittait le *Studio Allaire*, sa trousse d'appareils photographiques accrochée à l'épaule.

* * *

En homme délicat, Bohuslav Martinek avait déployé les plus grands efforts pour cacher à Juliette qu'elle venait de le tirer du lit. Il avait travaillé jusqu'à deux heures du matin pour terminer l'orchestration de sa nouvelle symphonie, puis, les jambes flageolantes, la tête lourde et remplie de pensées confuses, il s'était dirigé vers sa chambre à coucher où Rachel dormait depuis longtemps. Mais le café dont il avait abusé pendant son travail lui réservait un mauvais tour. Il s'endormit en posant la tête sur l'oreiller et se retrouva aussitôt dans une pièce richement meublée qui prenait son jour d'une baie vitrée ayant vue sur un grandiose paysage des Alpes. Debout devant lui, Richard Strauss — dont il n'avait jamais trop aimé la musique — lui donnait une leçon d'orchestration. C'était un monsieur grassouillet, dans la cinquantaine avancée, l'air prospère et bon vivant, la mine avantageuse, vêtu d'un pantalon de toile blanche et d'une chemise de soie bleu pâle largement échancrée. L'un des boutons de la chemise s'était défait et Martinek apercevait un bout de la bedaine de monsieur Strauss, recouverte d'une toison blanche dont la vue lui déplaisait souverainement. Il souhaitait passionnément s'en aller, car les propos du compositeur allemand l'ennuyaient à mourir, mais, pour une raison mystérieuse, il ne le pouvait pas. Monsieur Strauss s'alluma un cigare et la pièce se remplit soudain d'une fumée âcre et opaque ; le massif des Alpes disparut, et monsieur Strauss aussi.

— Elle est pas mal, votre symphonie, poursuivait néanmoins le compositeur, mais l'orchestration est à refaire complètement. Vous allez la reprendre tout de suite en vous inspirant de mon poème symphonique *Ein Heldenleben*. Sinon, lança-t-il, jetez tout à la poubelle et fichez-moi la paix !

Une main perça le nuage de fumée, tenant la partition du poème :

— Voilà, mon ami. Lisez-moi ça. Et n'oubliez pas, hurla Strauss : les trombones toujours en double, et n'ayez pas peur des trompettes !

Martinek, toussant de plus en plus, se retrouva debout devant un secrétaire et se mit à réorchestrer sa symphonie à une vitesse effarante, jetant l'œil à tous moments sur la partition de son professeur. Le résultat de son travail l'horripilait. Soudain, il se mit à pleurer à chaudes larmes, rejeta ses couvertures et s'assit sur le bord de son lit dans la lumière du petit matin. Rachel, soulevée sur un coude, le regardait, effrayée :

— Qu'est-ce que tu as, Bohu ?

Il posa sur elle un œil égaré :

— J'ai fait un rêve affreux. Richard Strauss m'obligeait à reprendre ma symphonie. Ah... j'en suis encore tout oppressé...

Il se recoucha, tourna un peu dans son lit, puis s'endormit. À neuf heures, l'appel téléphonique de Juliette le réveilla pour de bon, le privant des trois heures de sommeil dont il aurait eu besoin pour abattre sans peine sa journée de travail. Il revint dans sa chambre et s'habilla. Rachel était partie à huit heures pour sa leçon de violon chez madame Turovsky ; malgré la satisfaction qu'on lui témoignait à l'orchestre, elle voulait continuer à se perfectionner.

— Les répétitions, les concerts, les leçons de madame Turovsky et ces trois élèves qu'elle s'obstine à garder, tout cela est trop, pensa Martinek en boutonnant sa chemise (le tissu froid et soyeux lui fit serrer les dents). Elle va finir par s'épuiser et son jeu, au lieu de s'améliorer, va se gâcher. Ambitieuse, va, lança-t-il en se dirigeant vers la cuisine.

Il aperçut la cafetière de porcelaine blanche sur la table et lui jeta un regard venimeux. Pourtant, deux minutes plus tard, il mettait en marche le moulin à café et remplissait la bouilloire. Pendant que l'eau chauffait, il jeta un coup d'œil à la fenêtre. La rue Saint-Alexandre baignait dans une lumière dure et un peu sèche, donnant aux arbres et aux maisons une apparence d'inaltérabilité réconfortante. Même les feuilles jaunâtres et flétries qui jonchaient le sol, au lieu de faire naître des idées de mort et de décomposition, avaient l'air tout simplement d'un somptueux tapis qu'on pourrait admirer indéfiniment, année après année.

Martinek voyait tout cela, mais il avait en même temps l'impression qu'une pellicule transparente le coupait insidieusement de la réalité, l'empêchant de la saisir avec son acuité habituelle.

— Ma mauvaise nuit, soupira-t-il. Aussi bien me résigner : je ne ferai rien de bon aujourd'hui.

Quelqu'un frappa à la porte.

— Écoute, Bohu, fit Clément, l'air agité, j'ai un petit service à te demander. Je pars à l'instant pour Trois-Rivières avec madame Pomerleau. Je pense que nous sommes enfin tombés sur une bonne piste. Dans une heure ou deux, nous pourrons peut-être voir ce fameux Fernand Livernoche, et même la nièce, figure-toi donc. Je ne sais pas quand nous reviendrons. Peux-tu aller jeter un coup d'œil de temps à autre sur mon merle ? Ce matin, je lui ai posé sa nouvelle patte. Ça l'a secoué, le pauvre. Je ne voudrais pas qu'il l'arrache. Un peu de compagnie lui changerait peut-être les idées.

— Eh bien, apporte-le-moi ici.

— Non, non, pas tout de suite. Je veux d'abord qu'il se remette.

— Clément, est-ce que vous venez ? lança Juliette, impatiente, au pied de l'escalier.

— Tiens, voici la clef. Salut. Je te donne des nouvelles ce soir, ajouta le photographe en dégringolant les marches.

Martinek revint à la cuisine. La bouilloire, prise d'une rage folle, poussait des jets de vapeur qui s'arrondissaient sous la hotte de la cuisinière. Il la soupesa, la remplit de nouveau, se planta devant la fenêtre et croqua dans une pomme. La *Subaru* de Juliette tourna le coin et disparut.

Quelques instants plus tard, la bouilloire se remettait à ronronner. Il rinça la cafetière, déposa la mouture dans le filtre, versa l'eau bouillante, puis, tandis que le café coulait, se dirigea à pas traînants vers son piano. La partition de sa symphonie, dont un grand cerne de café maculait la première page, reposait sur une table près de lui dans un fouillis de feuilles, de livres et de crayons. Il posa la main droite sur le clavier, plaqua quelques accords en grimaçant, puis décida d'aller chercher son courrier.

— Dire qu'à Paris je pouvais veiller jusqu'aux petites heures du matin et me taper ensuite toute une journée de travail en sifflant. Je vieillis, soupira-t-il en descendant l'escalier.

Parvenu au premier étage, il entendit claquer la porte du vestibule et, sans savoir pourquoi, accéléra le pas. En arrivant dans le hall, il aperçut à travers les portes vitrées une jeune femme en manteau gris qui s'éloignait rapidement dans l'allée. Elle se retourna, le fixa une seconde, puis disparut. Martinek s'était arrêté, perplexe. Puis il pénétra dans le vestibule et prit son courrier ; une enveloppe ornée du logo de *Specta-Musique*, la compagnie qui lui avait commandé le mois précédent les arrangements pour le récital de Ginette Reno, lui tira un sourire, car elle contenait vraisemblablement un cachet. Il revint dans le hall et son regard tomba sur un petit colis déposé devant la porte de Juliette Pomerleau. Le musicien s'approcha et lut :

À Monsieur Denis Joannette.
Pour Être Remis En Main Propre.

Il soupesa le colis, qui était léger, puis le secoua légèrement sans obtenir le moindre indice sur son contenu. Il le replaça devant la porte et remonta chez lui.

— Je devrais peut-être l'ouvrir, se dit-il tout à coup en s'arrêtant au milieu de l'escalier. C'est cette femme qui est venue le porter. Ce doit être la fausse Adèle.

Mais la crainte de paraître indiscret le retint et il poursuivit sa montée. En arrivant chez lui, il se versa une tasse de café, revint s'asseoir au piano et, l'esprit embrumé par la fatigue, le visage engourdi, les membres sans force et comme remplis d'un vague chatouillement, il se demanda avec désespoir ce qu'il ferait de sa journée. La tête ballante, il se mit à rêvasser devant le clavier et soudain, sans crier gare, un cafard sombre et gluant s'abattit sur lui comme une avalanche de boue. La lumière dure et sèche qui baignait la ville se répandit dans sa tête et il se vit soudain tel qu'il était, obscur musicien de cinquante-huit ans condamné à finir sa vie besogneuse en pays étranger, composant en pure perte depuis des lustres, admiré par une poignée de gens sans influence, son œuvre aussi sûrement promise à l'oubli qu'une bille jetée dans l'Atlantique. Il se mit à craindre que le plaisir de composer — sa principale raison de vivre — ne l'abandonne tout à coup, le laissant dans un vide intolérable. Il se leva et se mit à faire les cent pas dans le studio, s'arrêtant de temps à autre pour prendre une gorgée de café. Puis, se plantant devant la table de merisier vernie, il saisit sa partition, l'ouvrit au hasard, mais la referma aussitôt, dans l'appréhension de tomber sur un passage qui le décevrait et augmenterait son accablement.

— Écoute, mon cher Bohuslav, dit-il à voix haute, tu es devenu complètement dingue. Ce qu'il te faut, c'est une bonne promenade pour t'oxygéner le sang et détruire les toxines. Par le ciel, il faut éviter que Rachel te voie dans un pareil état, cela va gâcher son concert de demain.

Laissant là son café, il enfila ses bottes et son manteau, quitta l'immeuble et s'éloigna sur la rue Guillaume en direction du chemin de Chambly, les mains dans les poches, s'arrachant des rognures d'ongles avec le pouce.

— Un petit tour dans le Vieux Longueuil, se dit-il, suivi d'une bonne sieste, et ton destin va changer de couleur, tu verras. Et ensuite : en avant la musique !

Mais ses paroles sonnaient creux et ne mordaient pas du tout sur son abattement, qui augmentait. Au coin de Saint-Laurent, il aperçut des ouvriers de l'autre côté de la rue en train d'installer un panneau devant l'ancien collège de Longueuil, transformé depuis peu en centre administratif par la commission scolaire. Des buées de vapeur montaient toutes droites au-dessus de leurs têtes et s'évanouissaient aussitôt.

— Ah oui... le fameux musée, murmura-t-il.

Et, cherchant un dérivatif à son humeur morose, il traversa la rue et se mit à les observer. Deux d'entre eux enlevaient les formes d'une base de béton, tandis que deux autres, armés de clefs anglaises, fixaient le panneau sur ses montants d'aluminium anodisé. Il lut :

MUSÉE MARIE-VICTORIN
OUVERT AU PUBLIC
LES MERCREDI, SAMEDI ET DIMANCHE
DE 10 H À 17 H

Après s'être un peu fait tirer l'oreille, la commission scolaire avait finalement accepté d'ouvrir un petit musée en l'honneur de l'illustre botaniste dans les appartements qu'il avait occupés au collège jusqu'à sa mort en 1944.

— En voilà un, au moins, se dit Martinek, qui aura laissé des traces, une œuvre utile... tandis que moi...

ICI VÉCUT DE 1974 À 1997
LE COMPOSITEUR BOHUSLAV MARTINEK
AUTEUR DE NOMBREUSES ŒUVRES
INSIGNIFIANTES
TOUTES JETÉES À LA POUBELLE

Il se mit à rire tout bas. Un ouvrier leva la tête et lui jeta un regard intrigué. Tournant le dos, Martinek retraversa la rue pour se diriger vers l'ouest, bifurqua sur Saint-

Jacques, puis enfila la rue Jodoin et s'avança dans le dédale de petites rues qui s'étendait à l'arrière de l'hôtel de ville. Au coin des rues Longueuil et Saint-Sylvestre, il aperçut un vieil homme tout décati, vêtu d'un gros parka, assis sur sa galerie, un chien policier debout près de lui. Le chien avait posé son museau sur la cuisse de son maître et se laissait caresser, les yeux à demi fermés de plaisir. À l'approche du musicien, le vieil homme tourna la tête. Leurs regards se rencontrèrent et se détournèrent aussitôt, gênés par la tristesse que chacun lisait chez l'autre. Martinek accéléra sa marche. Le vieillard le regarda aller un moment, puis entra chez lui. Il se fit couler un verre d'eau et le but à petites gorgées en se massant l'estomac, son regard soucieux posé sur un calendrier.

Martinek marcha pendant une bonne heure, pratiquant avec énergie l'autosuggestion pour tenter de se remonter le moral. Il se rendit au *Coffre à jouets*, rue Saint-Jean, afin de voir si le magasin n'avait pas reçu de nouveaux modèles de fusils à eau, mais n'en trouva pas.

— Si j'allais au *Tambourin*?

Il avait fait quelques trouvailles depuis un an à la boutique de la Place Longueuil.

— Nous attendons un arrivage de Hong Kong dans deux semaines, lui répondit la vendeuse avec un curieux sourire. Peut-être y en aura-t-il?

Revenant par la rue Saint-Charles, pleine de bruit et d'animation et qui, depuis quelques années, faisait de vaillants efforts pour retrouver un peu de son ancienne beauté, il s'arrêta à la tabagie pour acheter un journal et remonta la rue Saint-Jacques en direction de chez lui. Une torpeur bienfaisante commençait à diluer sa tristesse. En s'approchant de la rue Saint-Laurent, il vit sur le trottoir, devant un cottage de brique victorien à galerie blanche, deux enfants armés de bâtons qui s'étaient arrêtés et l'observaient gravement. Il leur sourit, caressa les cheveux du plus jeune, qui devait avoir sept ou huit ans, et poursuivit son chemin.

— Hey, Alex, on dirait un espion, tu trouves pas? chuchota le cadet en se tournant vers son frère.

— Tais-toi donc, grosse tête de lard ! répondit l'autre en le menaçant de son bâton.

Martinek se mit à rire et leur jeta un coup d'œil à la dérobée tandis qu'ils commençaient à se chamailler. Puis l'inquiétude le saisit :

— J'ai donc si mauvaise mine ?

Il se regarda les mains, les trouva jaunâtres et décida de s'acheter deux bouteilles d'eau minérale et de les boire sur-le-champ, « pour se nettoyer le système ». En pénétrant dans le hall, il s'arrêta devant le mystérieux colis qui attendait toujours sur le seuil, puis sursauta :

— Le merle ! je l'avais oublié, celui-là... Où est-il passé ? se demanda-t-il, tout essoufflé, après avoir parcouru lentement les quatre pièces de l'appartement de Fisette.

Il aperçut soudain l'oiseau dans le salon, réfugié au fond d'une petite armoire sur pattes contenant des alcools. Il s'accroupit devant le meuble :

— Alors, monsieur le merle des Indes, tu médites sur les malheurs de la vie ?

L'oiseau frémit légèrement et voulut reculer, mais sa queue buta contre une bouteille. Martinek le regarda en silence, évitant de bouger, puis commença à lui parler doucement, de tout et de rien. Le merle, un peu rassuré, le fixait de son regard énigmatique et lointain. Soudain, saisi par un profond apitoiement sur lui-même, l'œil humide et la voix tremblante, conscient de son ridicule mais s'en fichant éperdument, le musicien lui raconta sa vie, livrant des confidences qu'il aurait eu de la difficulté à faire même à sa maîtresse. Mais une crampe dans les mollets eut bientôt raison de son accès de sentimentalité. Il se redressa avec une grimace et, dans le mouvement qu'il fit, son bras se tendit vers l'oiseau. D'un bond, ce dernier alla se percher sur son index.

— Eh bien ! s'écria Martinek, ravi, tu commences à prendre goût à ma compagnie ? Voilà qui me fait plaisir !

Cramponné de sa patte gauche au doigt du musicien, le merle s'aidait tant bien que mal de sa prothèse pour demeurer en équilibre. Puis, trouvant sans doute sa position trop précaire, il alla se percher sur son épaule, où l'appui était plus solide. Martinek marcha lentement jusqu'à son appartement et pénétra dans le studio. Il s'assit au piano, l'oiseau toujours perché sur lui, fouilla dans des cahiers de musique et se mit à jouer un impromptu de Schubert.

— Pour le cafard, murmura-t-il en souriant, Mozart ou Schubert, c'est presque infaillible.

Il joua l'impromptu trois ou quatre fois. Le merle, appuyé contre son cou, ne bougeait pas. Le musicien changea de cahier. Un geste un peu brusque qu'il fit alors effaroucha son compagnon, qui alla se poser sur la table.

— Toutes mes excuses, très cher ami. Et maintenant, si on se faisait un peu de Mozart ?

Et il attaqua l'*andante cantabile* de la dixième sonate :

— Tu siffles, maintenant ? Merveilleux ! Toi aussi, tu aimes Mozart, hein ? C'est que tu es sensible et raffiné, ça se devine tout de suite. Je recommence ?

Et il reprit le mouvement, essayant d'y mettre toute son âme. Deux heures plus tard, Rachel le trouvait au piano, le merle des Indes installé sur la partition de sa symphonie. En l'apercevant, ce dernier battit des ailes, mais resta à son poste. La violoniste eut un sourire étonné :

— Qu'est-ce qui se passe ? Tu donnes des concerts aux oiseaux, maintenant ?

Martinek s'arrêta :

— Ma chère, c'est un auditeur de choix. Avec un appétit de musique sans fond et une sensibilité, d'une finesse... À lui seul, il vaut une salle pleine. Je me suis enfin trouvé un auditoire digne de moi.

Elle s'approcha et lui prit le visage entre les mains :

— Je n'aime pas ce genre de blagues. Tu as l'air fatigué. Ça ne va pas ?

Le merle, immobile, les observait.

— Bah ! ce n'est rien. J'ai pris trop de café la nuit passée, ça m'a gâché le sommeil, c'est tout.

Rachel le regarda, puis enleva son manteau, tout en examinant le merle :

— Tiens ! je n'avais pas remarqué. Clément lui a posé une patte ?

L'oiseau prit soudain son envol et alla se réfugier sous le piano.

— Oui, ce matin, fit Martinek en faisant courir ses doigts sur le clavier.

Il s'arrêta et se mit à fixer le vide en se mordillant l'intérieur de la joue.

— Bohuslav, qu'est-ce qui ne va pas ? reprit la violoniste en se penchant vers lui, appuyée sur le piano.

— Je te répète que je vais très bien, ma chère. Je suis enchanté de m'être trouvé un auditeur aussi attentif et raffiné. Comment a été ta leçon ? demanda-t-il en détournant les yeux.

— Je l'ai fait annuler. J'avais des choses à régler ce matin.

— Ah bon. Et quoi donc ?

— Je me suis rendue à la Faculté de musique louer la salle Claude-Champagne pour le vendredi soir 17 mars. On va y donner un concert. Un concert tout Martinek.

Le musicien, immobile, la regardait, stupéfait.

— Qu'est-ce que tu viens de dire ? souffla-t-il au bout d'un moment.

Elle se pencha, le prit par le cou et se mit à l'embrasser.

— Voilà si longtemps qu'on aurait dû le faire, Bohu. Maintenant que j'ai un emploi stable et bien payé, ce serait stupide d'attendre un jour de plus. J'ai donc décidé ce matin de mettre mon projet de quatuor à cordes sur la glace et d'organiser ce concert.

— Mais Rachel, fit le musicien d'une voix toute changée, sans répondre à ses caresses, te rends-tu compte ? Ça va coûter une petite fortune et Dieu sait si...

Elle se releva :

— Ce n'est pas si cher que tu crois. Et puis il faudra bien un jour que les gens finissent par l'entendre, ta musique, bon sang ! Je commence à être un peu tannée de ces concerts intimes, et toi aussi, d'ailleurs ! Tu n'es tout de même pas pour faire dans le confidentiel jusqu'à la fin de tes jours, non ? Tu n'es plus un jeune homme, Bohu. À cinquante-huit ans, c'est la place publique qu'il te faut, et ça presse ! La célébrité posthume, c'est bien beau, mais ça ne donne pas beaucoup de plaisir... Le jour où les gens pourront entendre tes œuvres, l'affaire sera dans le sac, tu verras. Oui ! oui ! Au lieu de te contenter d'enthousiasmer dix personnes dans un salon, tu en soulèveras mille, puis dix mille et on commencera enfin à se rendre compte que...

— Rachel, interrompit Martinek avec un sourire ému et un peu désabusé, je t'aime beaucoup, tu le sais, et cela me touche au plus haut point que tu aies pensé à organiser ce concert. Mais combien va coûter la salle ? Et les musiciens ? Tu connais les tarifs de la Guilde. Je ne sais quel programme tu as en tête, mais peu importe ce qu'on jouerait, il faudrait plusieurs répétitions et...

— Tu as peur, hein ? rétorqua la violoniste en rougissant de colère. Voilà ce qui m'a toujours déçue chez toi. Voilà pourquoi tu végètes depuis trente ans.

— Il ne s'agit pas de peur, Rachel, mais plutôt de toi et aussi... Écoute, le succès ne vient pas comme cela, seulement qu'à... Rachel, même si j'étais un grand musicien et que...

— Mais tu en es un, tête de linotte, éclata la jeune femme en assenant un coup de poing sur le piano (le merle des Indes ferma les yeux et s'aplatit contre le plancher), sauf que monsieur a décidé de passer sa vie la tête dans un sac de jute à siffler des airs seulement pour lui-même. Il est temps de passer à autre chose, mon vieux, il est plus que temps, crois-moi. En trente ans, tu n'as pas entendu une seule mesure de tes compositions pour orchestre. C'est insensé. Un jour cela finira par te paralyser. Tu es aussi important que Prokofiev, que Bartok, que Roussel — oui, je te dis, et dans le fond, tu le sais toi aussi, — sauf que lorsque tu te présentes chez le dépanneur pour tes journaux, on te regarde comme une sorte d'assisté social gentil mais un peu timbré. Qui se rappelle ton concert de 1962 à la salle Pleyel ? Qui a lu ici l'article de Harry Halbreich dans *Le Monde* ? C'est le seul critique important qui se soit réellement intéressé à ta carrière... et ça remonte à loin ! Je suis sûre qu'il te croit mort depuis longtemps. Et cette symphonie que tu viens d'achever, qui t'a fait tant suer et rendu si insupportable, est-ce que tu la destines elle aussi à la garde-robe, comme tout le reste ? Je veux l'entendre un jour, moi, car je pense l'avoir joliment mérité, et tu dois l'entendre *toi aussi*, mon cher, avant de devenir un vieux grincheux et de nous empoisonner la vie avec ta carrière ratée !

Martinek éclata de rire :

— Impossible de monter ma quatrième symphonie pour le 17 mars, allons ! Tu as bu ou quoi ? Elle est orchestrée pour quatre-vingt-sept instruments ! Les répétitions coûteraient...

— Qui parle de symphonie ? Je pensais, moi, à ta sérénade pour douze instruments, par exemple. Et aussi au petit concerto de chambre pour violon, octuor à vents et timbale.

— Et piano, compléta Martinek.

— ... que tu m'as écrit il y a trois ans et qui dort toujours dans un tiroir... Et au trio pour piano, violon et clarinette que tu viens de composer pour madame...

— Le trio *Juliette* ? coupa l'autre en souriant.

— C'est une œuvre irrésistible, Bohu ! Le deuxième mouvement, ah ! sainte mère ! il faut avoir du plâtre plein les oreilles pour ne pas frémir ! Et je te passe un papier que je vais faire l'impossible pour que Charles Dutoit assiste au concert, m'entends-tu ? C'est fondamental. Je n'en ai pas choisi la date au hasard. Dans la semaine du 17 mars, il se trouve à Montréal. Hier, durant une pause, j'ai réussi à l'avoir à moi toute seule et j'en ai profité pour lui parler de toi. Il ne m'a pas écoutée avec toute l'attention que je souhaitais, mais il m'a écoutée tout de même et j'ai offert de lui apporter une ou deux cassettes.

— Qu'est-ce qu'il a répondu ? demanda Martinek, anxieux.

— Oh ! que cela lui ferait plaisir, mais qu'il manquait terriblement de temps et que je ne devais pas m'attendre à des commentaires immédiats... Tu sais comment ils sont, ces gens...

Elle posa la main sur son bras :

— Mais ne te décourage pas, cher : j'ai presque sa bonne oreille. Et dans un mois, je l'aurai tout à fait. Ou alors je ne suis pas la fille de mon père. Il a commencé à me remarquer, tu sais, et il va me remarquer encore davantage. Le bruit court que Bernard Stamitz va retourner en France à la fin de son contrat. Je me suis donné deux ans pour le remplacer comme premier violon, et je le ferai !

— Oui, oui, je sais, plaisanta l'autre, premier violon à Montréal, puis à Vienne et, plus tard, chef de la Philharmonique de Berlin à la place de Karajan.

— Ne te moque pas de moi, lambin. C'est toi qui me forces à être ambitieuse pour deux, monsieur-le-compositeur-pour-la-postérité.

— Je ne m'en plains pas, remarqua Martinek en souriant.

— Mais je ne t'ai pas tout dit. Je suis devenue pas mal copine avec Jules Henripin, le percussionniste. C'est un des musiciens qui exerce le plus d'influence sur Dutoit. Or, je lui avais prêté trois de nos cassettes la semaine passée. Il m'est arrivé ce matin tout emballé par ta musique, oui !

surtout par le trio *Juliette*. Il voudrait te rencontrer, connaître tes projets, etc. N'est-ce pas extraordinaire ? Je m'arrangerai pour qu'il parle de toi à notre bien-aimé Charles. Comme tu vois, je n'ai pas attaqué l'arbre d'un seul côté...

— Et qu'est-ce que tu me suggères d'autre pour ce fameux concert ? lui demanda-t-il tendrement.

— Ta vieille sonate pour piano *1945*, que tu aimes tant. Il faut quelque chose pour te mettre en évidence.

— Voyons, je ne suis plus assez entraîné pour jouer le finale comme il faut.

— Eh bien, tu t'entraîneras, voilà tout. Le concert n'a pas lieu dans quinze minutes. D'abord le trio, puis la sonate. Entracte. La sérénade. Et on termine avec le concerto de chambre. Ça va péter le feu, prends ma parole ! Quant aux musiciens, j'ai déjà commencé à les recruter. Pour le trio, la clarinette est trouvée : on n'a qu'à demander à Théodore Boissonneault.

— Jamais il n'acceptera de se donner en concert !

— J'en fais mon affaire. Restent la sérénade et le concerto. Commençons par le concerto. Je fais la partie soliste, tu seras au piano (nous pouvons fort bien nous passer de chef). Pour la timbale, c'est réglé : Henripin accepte de s'en charger. Donc, il ne reste plus qu'à compléter l'octuor à vents. Notre bon ami Théodore jouera encore une fois la partie de clarinette. Madame Turovsky — soit dit en passant, elle admire beaucoup ton concerto — a téléphoné hier après-midi à une de ses amies flûtiste, Maryse Millet, excellente, paraît-il, et qui va sans doute se joindre à nous. Il ne me reste plus qu'à trouver une autre flûte, un basson, un saxophone alto, un saxophone ténor, un cor et un piccolo. J'attends une réponse ce soir du ténor et du basson. Comme tous joueront bénévolement, j'espère que nous n'aurons pas de problème avec la Guilde.

— Tu crois vraiment que tout ce beau monde va accepter de travailler pour des prunes ? s'étonna Martinek, incrédule.

— Et pourquoi pas ? Je n'ai pas gardé tes cassettes dans le fond de mon sac à main, cher dindon. Et j'ai fait circuler aussi quelques-unes de tes partitions. On est très impressionné, tu sais. Oh ! bien sûr, il y en aura toujours qui ne pourront apprécier ton œuvre avant que dix ou vingt mille personnes ne l'aient fait avant eux, mais, pour la plupart, ta musique s'impose toute seule. On admire la qualité mélodique, le métier, les trouvailles d'instrumentation et ce ton que tu possèdes, si particulier. Sans compter que je ne dois pas être un imprésario trop antipathique. Est-ce que tu me trouves vraiment très antipathique ? susurra-t-elle en se pressant contre lui.

Il lui sourit, se mit à l'embrasser, souleva sa jupe et glissa doucement la main dans sa culotte.

— Oui, oui, continue, soupira-t-elle. J'ai envie de faire l'amour depuis ce matin.

Le merle des Indes sortit bientôt de sous le piano en prenant soin de se tenir à bonne distance de ces deux masses roses qui s'agitaient sur le plancher avec des bruits étouffés. Il leur jeta quelques coups d'œil durant sa promenade à travers la pièce, mais, à vrai dire, ses regards étaient plutôt attirés par sa nouvelle patte de papier mâché, qui ne cessait de l'étonner.

Après avoir fait l'amour, Rachel décida de prendre son bain et entraîna Martinek avec elle. Elle lui savonna longuement le dos et les épaules tandis qu'il sifflotait des variations sur *Hey Jude*, un air qu'il avait toujours aimé, puis il la savonna à son tour.

— Ça commence à faire longtemps qu'on se connaît, hein, Bohu ? fit-elle soudain d'une voix alanguie. Regarde, nos débarbouillettes sont devenues toutes minces...

17

Juliette et Clément atteignirent Trois-Rivières un peu avant midi. Les champs jaunis, couverts de taches de neige clairsemée, laissèrent place peu à peu à de grands bâtiments carrés à toitures plates surgis du sol ici et là parmi des embranchements de chemins de fer, créant une atmosphère froide et désolée. La banlieue commença presque aussitôt et ils se retrouvèrent quelques minutes plus tard dans la vieille ville, roulant sur le boulevard des Forges qui allait buter contre les installations portuaires.

Juliette arrêta l'auto devant une construction en rez-de-chaussée, toute en longueur, surmontée en son milieu d'un pignon noir et dont la façade de pierre artificielle, percée d'une rangée de vitrines, s'élevait en retrait de la rue au fond d'un petit terrain de stationnement asphalté. C'était sans doute un ancien poste d'essence transformé en restaurant-terminus. Clément descendit de l'auto et alla s'informer où se trouvait la rue Saint-Antoine. Juliette sortit à son tour du véhicule pour se dégourdir les jambes et, perplexe, se mit à contempler un grand édifice de brique à deux étages qui se dressait de l'autre côté de la rue près d'un stationnement. Dans la partie centrale de la corniche, le propriétaire avait, selon la mode de l'époque, fait marteler son nom dans la tôle:

1909 ARTHUR BRUNELLE 1909

Mais la façade du rez-de-chaussée, avec ses revêtements d'aluminium et de fibre de verre ondulés, ses plaques de simili-marbre et ses bouches de climatiseurs fixées au-dessus des portes, témoignait d'un vif désir de ne pas se laisser distancer par le temps. Au-dessus de l'entrée de droite, on avait installé un petit auvent plat sur lequel s'alignaient de grosses lettres en relief à l'intérieur desquelles courait un néon rouge :

CLUB SAINT-PAUL

Une pancarte d'aggloméré, clouée juste dessous, précisait, en caractères rouges sur fond blanc :

DANSEUSES NUES

— C'est tout près d'ici, annonça Fisette en sortant du terminus. Il faut revenir sur nos pas jusqu'à la rue Notre-Dame, tourner à gauche, puis à gauche encore.

— Mon cher, j'ai des chaleurs. Si je m'écoutais, je retournerais tout de suite à Longueuil.

— Allons, allons, madame Pomerleau, il faut considérer ce petit voyage comme une excursion de plaisir. Si c'est un pauvre type, il va tout nous raconter en se retenant de pisser dans ses culottes. Et si c'est une crapule — comme je le prévois — il va se mettre à mentir à pleins pistons et nous jurer la main sur la Bible qu'il ne connaît pas plus votre nièce que la fille de Christophe Colomb, ou alors que leur dernier rendez-vous remonte à l'Expo 67. Nous ferons semblant de le croire, et voilà tout. Alors, détendez-vous, soufflez un peu. Du reste, si vous le préférez, j'irai seul.

— Pas question, fit-elle en démarrant. J'ai l'habitude de faire face à la musique. Et puis, je sais mieux que vous les questions à poser.

Ils se retrouvèrent dans une petite rue paisible qui butait contre une voie ferrée derrière l'édifice du Conseil des ports nationaux. On voyait le fleuve luire faiblement à l'extrémité d'un étroit passage. Le 83, Saint-Antoine se trouvait dans un édifice assez banal en briques brun foncé.

Le rez-de-chaussée était percé d'une vitrine à demi aveuglée par une affiche de carton qui annonçait :

À L'ÉLÉGANTE
VÊTEMENTS POUR DAMES
ouverture le 15 janvier

Juliette poussa une exclamation furieuse :

— Ah non ! ne me dites pas qu'il vient de déménager ! Mais c'est le diable qui me court après avec sa fourche, sueur de coq !

Clément Fisette sortit de l'auto et s'approcha de la vitrine :

— Il y a quelqu'un dans le local en train de peinturer. Il pourra peut-être nous renseigner.

— Attendez-moi, j'arrive, fit Juliette en s'extirpant du véhicule.

Un grand homme maigre en salopette vint leur ouvrir, le pinceau à la main.

— Oui ? demanda-t-il avec froideur en les vrillant de ses yeux au blanc jaunâtre.

Fisette eut un sourire un peu servile :

— Excusez-nous de vous déranger, monsieur. Il y avait bien une librairie dans ce local, auparavant ?

— Oui.

— Est-ce que vous savez où elle est déménagée ?

— Est-ce que je dois le savoir ? répliqua l'autre avec une moue insolente.

— Heu... non, bien sûr... C'est que nous essayons de retracer le propriétaire, voyez-vous, et que...

— Le propriétaire de quoi ? reprit l'autre en élevant un peu la voix. De la librairie ? De l'édifice ?

Juliette, debout près du photographe, fixait la main droite de l'homme, qui tenait le pinceau. La phalangette de son index était rouge et gonflée, le bas de l'ongle bordé par une demi-lune de pus, comme si le trop-plein de sa méchanceté cherchait un exutoire.

— De... la librairie, bien sûr, bafouilla Fisette. Nous cherchons...

— Nous cherchons un nommé Livernoche, coupa Juliette. Vous le connaissez ou vous ne le connaissez pas ?

— Connais pas, répondit l'homme.

Il ferma la porte et retourna à sa peinture.

— Qu'est-ce qui lui prend, à celui-là ? marmonna Juliette en s'éloignant sur le trottoir. C'est comme si on avait voulu lui scier une jambe. J'ai aperçu une pâtisserie à deux pas d'ici. Si on y allait ? Ils sont peut-être de meilleure humeur.

Une vendeuse leur apprit d'une voix toute menue que *La Bonne Affaire* avait fermé ses portes deux mois plus tôt ; elle ignorait si la librairie avait rouvert ailleurs. Fisette l'écoutait en souriant, le bras allongé sur le comptoir comme s'il allait la toucher.

— Monsieur Livernoche demeurait à deux pas d'ici, rue Saint-Georges, ajouta-t-elle en se grattant le cou d'un geste nerveux. On pourrait peut-être vous renseigner là-bas : c'est la deuxième maison du coin, à l'ouest de Notre-Dame, du côté gauche. Le rez-de-chaussée est occupé par un réparateur de télévisions, monsieur Dubé. C'est d'ailleurs lui le propriétaire.

— Si je comprends bien, remarqua Juliette avec son sourire le plus engageant, monsieur Livernoche était un de vos habitués ?

— En quelque sorte, répondit la vendeuse, et elle détourna les yeux.

Son regard s'arrêta sur le visage de Fisette, qui la fixait d'un air timide et cauteleux, et elle détourna les yeux de nouveau.

— C'était... un bon client ? poursuivit Juliette.

— On ne fait pas de différence entre nos clients, madame, répondit-elle avec un sourire circonspect.

— Hum... je ne donnerais pas cher de sa réputation, à ce Livernoche, grommela l'obèse en traversant la rue. J'ai bien hâte de voir l'accueil qu'on va nous réserver là-bas.

Son appréhension s'avéra fondée.

L'immeuble qu'avait habité — qu'habitait peut-être encore ? — Fernand Livernoche était une vieille construction à deux étages, d'aspect assez commun, avec un toit plat sans corniche. Au deuxième, la façade s'ouvrait en son milieu sur une espèce de terrasse couverte, d'assez bonne dimension. Un grand panneau de tôle, où la peinture, pâlie par le soleil, commençait à s'écailler, annonçait au rez-de-chaussée :

DUBÉ TV
Réparations électroniques
tv phono radio

Une affichette, fixée au mur près du panneau, indiquait un appartement à louer.

— À la grâce de Dieu, soupira Juliette en gravissant les deux marches de béton qui donnaient accès à l'entrée.

Fisette secoua son index en souriant :

— Madame Pomerleau... vous oubliez encore une fois de vous amuser...

Elle poussa la porte, pénétra dans la boutique et s'approcha du comptoir. La pièce était minuscule, abondamment éclairée par deux vitrines. Le plancher de bois franc, déverni depuis des lustres, avait pris un aspect grisâtre. Des tablettes de métal, chargées d'appareils électroniques, couvraient les deux autres murs. Un Père Noël de carton, riant aux éclats, offrait aux visiteurs une télévision allumée. Il n'y avait personne. Fisette toussa avec énergie. Un petit homme vif et nerveux, à cheveux gris, frôlant la soixantaine, apparut au fond :

— Oui, madame ? Oui, monsieur ? ajouta-t-il en apercevant Fisette derrière l'obèse. Qu'est-ce que je peux faire pour vous ?

Juliette regarda le photographe, qui s'avança :

— Nous... vous connaissez monsieur Fernand Livernoche, je pense ?

Le petit homme les regarda en silence quelques secondes.

— Ah bon, c'est vous, murmura-t-il enfin avec un sourire féroce.

— Moi ? répondit Fisette, étonné.

— Tut tut tut tut. Ne me prenez pas pour un idiot. Je vous attendais depuis longtemps. Et je vous attendais *très* calmement. Car j'ai la loi de mon côté. Je marche sur du solide, moi. Sacrez-moi le camp d'ici, hurla-t-il tout à coup, vous êtes sur *mon* plancher !

Il contourna le comptoir et s'approcha d'eux à grandes enjambées :

— Qu'il me paye et il les aura, ses affaires ! Pas avant !

— Mais je ne comprends pas, monsieur, s'exclama Juliette, affolée, pendant que le photographe battait prudemment en retraite. Nous ne venons pas de la part de monsieur Livernoche : *nous le cherchons !* Et on nous a dit que vous sauriez peut-être où il se trouve.

Le vieillard s'arrêta brusquement et l'examina avec une profonde méfiance :

— Qu'est-ce que c'est que ça, maintenant ? grommela-t-il.

— Je n'ai jamais vu monsieur Livernoche de ma vie, affirma Juliette avec force. Je vous répète que je le cherche. Et on m'a dit qu'il avait été votre locataire.

— Pour mon plus grand malheur. Heureusement, c'est fini. Dieu soit béni. Dieu soit loué.

— Pardonnez notre indiscrétion, enchaîna Fisette d'une voix suave en s'avançant d'un pas, mais peut-on savoir ce qui ne va pas entre vous et monsieur Livernoche ?

Le petit homme promena son regard de l'un à l'autre pendant un moment, puis, d'une voix où perçait encore de l'incrédulité :

— Vous me jurez que vous ne venez pas de sa part ?

— Comment voulez-vous que je vienne de sa part quand je ne l'ai jamais vu ? rétorqua l'obèse.

— Mais vous lui avez déjà parlé ! riposta le vieillard avec un accent de triomphe.

— On ne connaît pas le son de sa voix, assura Fisette. Et je vous avoue que les commentaires des gens à son sujet ne nous donnent pas tellement envie de le connaître !

L'homme sembla se rasséréner un peu. Il repassa derrière le comptoir, sortit un mouchoir de sa poche, s'essuya le visage :

— Bon. Que lui voulez-vous, à ce gros sac de crottes ?

— Ça serait un peu long à vous expliquer en détail, répondit Juliette en donnant un petit coup de coude à son compagnon. Disons que j'ai des comptes à régler avec lui et...

— Vous aussi ? s'écria l'autre. Alors, je crois, madame, que nous allons nous entendre. J'ai eu le malheur, figurez-vous, d'avoir le concubin Livernoche et la concubine Dallaire...

— Dallaire ? s'étonna intérieurement Juliette.

— ... pendant un an et huit mois comme locataires dans cet édifice où nous nous trouvons ici même — et ç'a été la plus mauvaise période de ma vie, je vous prie de me croire. Vous me demandez où ils ont foutu le camp ? Je n'en ai pas la moindre idée, madame, et je le regrette en sac-à-papier, car ils méritent toute une correction, surtout lui ! Figurez-vous que le 24 juin dernier, pendant le congé de la Saint-Jean-Baptiste, ils ont essayé de partir à la sauvette durant la nuit en cassant leur bail et sans payer pour les dommages causés à mon appartement le mois d'avant. Mais madame Tardif, ma voisine, s'est doutée de quelque chose et a réussi à me joindre à mon chalet du Lacaux-Peupliers. J'ai sauté dans mon auto et je suis arrivé assez vite pour les surprendre en train de charger un camion avec leurs cossins. Alors, j'ai fait venir la police, tonna-t-il joyeusement en se tournant vers Juliette, que son embonpoint semblait doter à ses yeux d'une importance particulière, et le concubin Livernoche a dû me verser sur-le-champ les trois mois de loyer qu'il me devait, plus trois autres mois en dédommagement du bris de son bail, et j'ai même pu saisir une partie de ses affaires, car il me doit 217,50 $ pour un dégât d'eau qu'il m'avait causé l'hiver dernier en laissant déborder sa baignoire. Ha ! il était en beau maudit, je vous assure ! Voilà ce qui arrive aux finfins qui essayent de me jouer dans les cheveux ! La semaine dernière, il m'a téléphoné pour réclamer ses biens en prétendant qu'il ne me devait pas un sou, car le dégât d'eau, d'après monsieur, aurait été causé par une fuite et l'entretien de la plomberie ne relevait pas de lui. Je l'ai envoyé se faire cuire un œuf d'autruche. Ma maison est parfaitement tenue ; mes tuyaux ne coulent pas ; s'ils avaient coulé, ils couleraient encore et on le verrait. Vous pouvez aller inspecter le plafond du premier si ça vous chante : il est sec comme le fond de l'enfer. Alors, monsieur le concubin a menacé de m'envoyer quelqu'un qui saurait me faire plier. J'ai cru que c'était vous. Prendriez-vous un café ? leur demanda-t-il avec une amabilité soudaine. J'allais m'en faire un.

Juliette allait refuser poliment, mais Fisette intervint :

— Avec plaisir, répondit-il. Si ça ne vous dérange pas.

— Je reviens tout de suite, dit l'autre en quittant la pièce.

Appuyés au comptoir, ils échangèrent un long regard et le photographe, d'un geste, fit signe à sa compagne de lui laisser l'initiative des opérations. Dubé réapparut presque aussitôt, une tasse fumante dans chaque main :

— Voilà. Je reviens avec la crème et le sucre. Et alors, reprit-il après avoir noyé son café de crème, vous avez des problèmes, vous aussi, avec mes deux moineaux ?

— Avec monsieur Livernoche, rectifia Fisette. Nous n'avons jamais entendu parler de mademoiselle... Dallaire ?

— Josette Dallaire. Oh ! si je n'avais eu qu'elle comme locataire, je ne me serais pas trop plaint. C'était une femme tranquille — un peu hypocrite sur les bords, peut-être — mais un ange en pantoufles de soie comparée à l'autre. D'ailleurs, c'est lui qui pensait à sa place. Elle n'ouvrait pas une porte sans lui en parler. Il lui aurait fait manger le tapis seulement qu'à lever le petit doigt.

— Laide ou jolie ? demanda négligemment Fisette.

— Oh, c'était une belle femme. Plutôt petite, les cheveux bruns, de grands yeux, habillée comme une carte de mode...

— Ça lui ressemble, se dit Juliette.

— ... mais pas très gaie, par exemple. Je peux compter sur les doigts de la main les fois où je l'ai vue rire. Il faut reconnaître que vivre avec un pareil épais, ça doit porter à serrer les dents.

— Est-ce qu'elle travaillait à la librairie ?

— Jamais. Je l'ai toujours vue à la maison. Elle ne faisait même pas les commissions ! L'été, on la voyait à longueur de journée sur la galerie à se griller au soleil ou à fumer en lisant des histoires d'amour.

Il s'interrompit, plissa le nez et sa lèvre supérieure laissa voir un peu d'incisives :

— Mais pourquoi me posez-vous toutes ces questions ? demanda-t-il, méfiant. C'est à elle ou à lui que vous en voulez ?

— Aux deux, en fait, répondit l'obèse. Il y a quatre ans, ils ont emprunté une grosse somme à un de mes amis qui vient de tomber gravement malade. Comme il ne pourra sans doute plus travailler, il lui faut son argent. J'ai pensé l'aider en me mettant à leurs trousses, voilà.

— Eh bien, je vous souhaite bonne chance, lança Dubé.

Fisette prit une gorgée de café, simula un bâillement, puis :

— Et leurs affaires, elles se trouvent toujours dans l'appartement ?

— Vous pensez bien que non. L'appartement est à louer. J'ai fourré tout ça dans la cave.

— Est-ce qu'on peut aller y jeter un coup d'œil ?

La tasse qu'Amédée Dubé tenait à la main s'immobilisa à deux centimètres de ses lèvres et il posa de nouveau sur Fisette un long regard méfiant.

— Oh, je vous demande ça à tout hasard, expliqua le photographe. Plutôt par curiosité qu'autre chose. Sait-on jamais ? on pourrait peut-être découvrir un indice qui nous permettrait de retracer nos gens.

— Nous tenons vraiment à les retrouver, ajouta Juliette en glissant un billet de cinquante dollars sur le comptoir. Georges-Henri se fait vraiment beaucoup de soucis pour son argent.

Amédée Dubé repoussa le billet :

— Suivez-moi. Si je peux vous aider à donner une leçon à ce gros baveux, je serai amplement récompensé.

Ils passèrent derrière le comptoir, et s'avancèrent dans un corridor sombre et extrêmement étroit, puis tournèrent un coin. Amédée Dubé ouvrit une porte basse couverte — Dieu sait pourquoi — de petites étoiles en papier doré, puis, s'adressant à Juliette :

— Doucement avec l'escalier, madame. Son beau temps est passé.

Une petite ampoule jaunâtre s'alluma au-dessus de sa tête et il s'enfonça dans la pénombre.

— Seigneur ! s'exclama intérieurement la comptable en posant le pied dans la cave. C'est le vaisselier de Joséphine !

Amédée Dubé tendit le bras :

— Voici leurs affaires : deux boîtes de vêtements, une chaufferette électrique, trois chaises, une télévision et un vieux vaisselier.

Fisette s'avança d'un pas rapide et souple, sa tête frôlant les solives poussiéreuses et noircies ; il s'accroupit devant une boîte de carton et fouilla dedans, tandis que Juliette, essayant de cacher son émotion, ouvrait les tiroirs du vaisselier.

— Je sais maintenant qui est Josette Dallaire, se dit-elle. Mais pourquoi a-t-elle changé de nom ? Cette histoire commence à puer...

Le petit vieillard les observa un instant, puis se mit tout à coup à éternuer :

— Écoutez, prenez tout le temps qu'il vous faut, moi, je vais remonter. Je suis allergique à la poussière comme c'est pas possible et j'ai une réparation à terminer avant trois heures.

Juliette attendit que la porte se referme, puis :

— Clément, murmura-t-elle, ce vaisselier appartenait à ma tante Joséphine. Je serrais mes cahiers de classe dans ce tiroir quand j'étais petite fille.

Fisette releva la tête, un pantalon de tweed brun à la main :

— Donc, je ne me trompais pas en pensant que Josette Dallaire...

Juliette fit un signe de tête affirmatif et posa un doigt sur ses lèvres.

— Cette histoire me plaît de plus en plus, chuchota le photographe, ravi.

— Eh bien, moi, elle commence à me faire peur.

Une impulsion la saisit. S'accroupissant péniblement devant le meuble, elle glissa la main dessous. Ses doigts tâtaient le bois rugueux, explorant les fentes. Fisette replaça les vêtements dans la boîte de carton :

— Rien dans celle-ci. Voyons l'autre.

Juliette poussa une exclamation étouffée et retira précipitamment un morceau de papier jauni. Elle le déplia et Fisette, abasourdi, vit ses yeux se remplir de larmes.

— Qu'est-ce qui se passe, madame Pomerleau ? Est-ce que vous avez trouvé...

— Oh, rien qui vous intéresse, bafouilla-t-elle en s'épongeant les joues avec la manche de son manteau. Vous... vous allez rire de moi. Je préfère ne rien dire.

Le photographe s'approcha, lui mit la main sur l'épaule et, d'un ton affectueux que Juliette ne lui avait jamais entendu :

— Allons, je n'ai pas du tout envie de rire. Dites-moi ce qui est écrit sur ce bout de papier.

Pour toute réponse, elle lui tendit la feuille, puis, se relevant, alla s'asseoir sur une chaise et s'essuya les yeux avec un mouchoir :

— Excusez-moi... Je suis une vieille fleur bleue. Un petit rien, et je pleure comme une fontaine.

Fisette parcourut la feuille et se tourna vers sa compagne :

— Je ne comprends pas...

Il relut à voix haute :

— « Réflexions personnelles : L'Homme que j'aimerai devra transformer ma vie en ciel et je serai prête pour lui à risquer l'enfer. » Qu'est-ce que ça veut dire ? Je m'excuse, madame Pomerleau, mais je ne saisis pas tout à fait...

Juliette sourit, se racla la gorge et, d'une voix rauque :

— Je vous l'avais bien dit, monsieur le fouineux, que cela ne présentait pour vous aucun intérêt. Figurez-vous que lorsque j'ai pondu cette pensée ridicule, je devais avoir quatorze ou quinze ans. Je demeurais chez ma tante, boulevard Dorchester. J'avais une cousine, Victoire, ma meilleure amie. Elle s'est noyée il y a longtemps, la pauvre, au Sault-au-Récollet. À l'époque, elle venait passer tous les samedis chez nous ; et parfois, toute la fin de semaine. Nous nous aimions beaucoup et ma tante prenait plaisir à nous voir ensemble. Nous avions inventé un jeu, qui a duré deux ou trois ans. Nous avions décidé de publier ensemble un recueil de maximes et de réflexions, convaincues de devenir célèbres en vingt-quatre heures. Nous écrivions nos trouvailles sur des petits bouts de papier que nous cachions dans une fente, sous ce vaisselier. Notre jeu comportait deux règles : il fallait glisser nos papiers sous le meuble à l'insu de l'autre et...

Elle s'arrêta, envahie de nouveau par l'émotion, et avala sa salive, l'œil un peu hagard.

— Et la deuxième règle ? demanda Fisette, vivement intéressé.

— La deuxième règle voulait que ce jeu demeure secret. Si quelqu'un le découvrait, tout était fini... Mais personne ne s'est jamais aperçu de rien.

— Et vous venez de trouver un mot que vous aviez...

Juliette hocha la tête :

— Pendant une seconde, je me suis retrouvée à quinze ans, avec ma fraîcheur et tous mes rêves... Vous savez, j'étais à peine grassette à l'époque et les garçons tournaient pas mal autour de moi... Allons, fit-elle en se levant, laissons là ces folies. Monsieur Dubé va penser qu'on est en train de tramer des complots dans sa cave. Et puis, je commence à avoir faim. Il faudrait penser à dîner.

Fisette lui tendit la feuille, qu'elle replia soigneusement et glissa dans sa poche, puis il ouvrit le second carton. Au bout d'un moment, il se releva, prit la chaufferette, l'examina rapidement et la déposa sur le sol :

— Vous avez bien fouillé le vaisselier ?

— Il est vide, à part les deux tiroirs à chaque bout, qui ne contiennent que des rebuts.

Une porte s'ouvrit et on entendit la voix d'Amédée Dubé :

— Et alors ? Avez-vous fait des découvertes ?

— Pas encore, répondit la comptable.

— Je vous demanderais de tout laisser en place, hein ? Si jamais il venait à me payer et qu'il reprenait ses choses, je ne voudrais pas qu'il puisse me reprocher de lui avoir enlevé même un cure-dents.

Il commença à descendre l'escalier. Fisette ouvrit prestement le tiroir de gauche, qui contenait une enveloppe, des timbres oblitérés, un bout de ficelle, des reçus de taxi et une coupure de journal pliée en quatre, et glissa le tout dans sa poche, sous le regard étonné de sa compagne.

— Comme ça, rien d'intéressant, hein ? fit le vieillard en s'avançant. Ça ne me surprend pas, remarquez. Que pensiez-vous trouver ?

Le photographe, toujours devant le vaisselier, ouvrit le tiroir de droite. Il contenait de la menue monnaie et deux chéquiers. Juliette s'en empara :

— Caisse populaire des Vieilles Forges. Ils sont vierges. Je ne pense pas qu'ils nous apprennent grand-chose.

— Fourrez-moi tout ça dans vos poches, chuchota Dubé en jetant des regards de tous côtés, comme si la cave était sur le point d'être envahie par les forces de l'ordre. On ne sait jamais, ça pourra peut-être vous servir...

Ils remontèrent. Juliette et Clément remercièrent leur hôte.

— De rien, de rien. Tout ce qui peut nuire à ce gros sac de crottes me fait du bien, croyez-moi. Vous allez me laisser votre numéro de téléphone, madame. Si jamais il montre sa face, je promets de vous téléphoner dans la seconde qui suit.

— Eh bien, soupira Juliette quand ils furent dans la rue, beaucoup de foin mais pas d'aiguille...

Le photographe lui tapota l'épaule :

— Au contraire, au contraire. Nous ne cessons pas d'apprendre des choses intéressantes sur votre nièce.

Ils arrivèrent à l'auto.

— Voulez-vous que je conduise ? offrit-il à sa compagne après l'avoir observée un instant, la tête penchée au-dessus de son sac à main, cherchant ses clefs.

Elle lui tendit le trousseau :

— Bonne idée. Je me sens fourbue tout à coup. Comme si je venais de galoper après quelqu'un dans un escalier.

— Les escaliers finissent toujours quelque part, fit-il en démarrant.

Ils se mirent à circuler dans les rues bondées par l'affluence du midi, à la recherche d'un restaurant. Juliette s'étonnait de voir apparaître si fréquemment les années 1908 et 1909 sur la corniche des édifices.

— Oh, c'est à cause du fameux cyclone de 1907, répondit gravement le photographe. La région a été rasée. On a retrouvé des débris à des distances incroyables, paraît-il. Des gens disent que l'évêché de Nicolet a été construit avec les pierres d'un hôtel de Trois-Rivières où travaillaient des filles qui ne communiaient pas chaque matin. Mais tout a été béni, bien entendu.

— Ah bon.

Elle sourit, promenant son regard dans la rue, puis :

— C'est votre nouveau dentifrice qui vous a rendu la langue si fourchue ?

Il éclata de rire et posa la main sur son genou ; elle retira la jambe, surprise et presque offusquée.

— Chère madame Pomerleau, j'adore votre compagnie.

— Tenez, beau tombeur, revenez donc sur la rue Royale. Je viens d'apercevoir un restaurant qui pourrait faire notre bonheur.

Quelques minutes plus tard, ils entraient au *Bolvert*, un établissement dans le style des restaurants à la mode qu'on retrouve à Montréal, rue Saint-Denis ou Prince-Arthur, avec ses lambris d'appui et son comptoir en pin verni, sa profusion de plantes vertes, sa machine à *expresso* et ses affiches de cinéma encadrées. Le personnel et la clientèle sortaient à peine de l'adolescence.

Fisette aperçut au fond de la salle deux jeunes femmes en jeans, particulièrement attirantes. Les haut-parleurs diffusaient discrètement une chanson de Claude Dubois. On avait suspendu un petit fleurdelisé au-dessus du comptoir. Une grande fille blonde, d'allure vive et dégagée, vint prendre leur commande tout en suivant avec de fugitifs sourires une discussion animée entre deux clients ; quelques instants plus tard, elle déposait sur leur table deux omelettes aux champignons garnies de luzerne germée et de tranches de carottes crues.

— Quelque chose à boire ? fit-elle d'une voix chaude et bien articulée en se tournant vers le photographe.

— Merci, tout à l'heure peut-être, répondit ce dernier, le regard dansant, irrésistiblement attiré par l'échancrure du décolleté où la peau fine et mate, d'un beige onctueux, laissait deviner le triomphe secret, quelques centimètres plus bas, d'une poitrine ferme et gracieuse.

Il se pencha vitement au-dessus de son omelette, car ses joues devenaient brûlantes. Son repas expédié, il entreprit d'examiner son butin. Après avoir retourné en tous sens une enveloppe adressée à Fernand Livernoche et qui ne révéla rien d'intéressant, il se mit à scruter les reçus de taxi. Il y en avait quatorze, tous de l'année en cours. Dans la plupart des cas, le chauffeur avait négligé d'indiquer les points de départ et d'arrivée. Sur l'un deux, on avait griffonné « de Niverville », puis « St-Georges ». Sur deux autres, on s'était contenté d'indiquer le point d'arrivée : « Hôp. St-Joseph ». Juliette nettoya soigneusement le fond de son assiette avec un morceau de pain qu'elle mâcha lentement afin de se donner l'illusion d'allonger son repas, puis s'empara de la coupure de journal que Fisette n'avait pas encore regardée. Il s'agissait d'une demi-feuille format standard tirée de l'édition du mercredi 15 juin 1988 du *Courrier de Saint-Hyacinthe* ; on l'avait manifestement conservée pour une annonce qui occupait les deux tiers de l'espace :

GRANDE VENTE D'ÉCOULEMENT
À LA LIBRAIRIE LE GRIMOIRE
superspéciaux à des prix incroyables !
35 % d'escompte sur tout notre stock !
cadeaux-surprises pour tout achat de 20 $ et plus !
PROFITEZ DE CETTE OCCASION INESPÉRÉE
DE FAIRE DES ÉCONOMIES !
LA VENTE SE TERMINE LE 30 JUIN !
Librairie LE GRIMOIRE
1146, rue des Cascades
Saint-Hyacinthe

Juliette tendit la coupure à son compagnon qui la parcourut rapidement et haussa les épaules. Pendant un moment, ils suivirent la conversation de deux jeunes gens assis à la table voisine qui discutaient de l'efficacité des massages au gant de crin pour stimuler la circulation d'une personne atteinte de diabète avancé, puis la comptable posa son regard sur Fisette :

— Aussi bien ne pas s'éterniser en ville. J'ai l'impression qu'on n'y apprendra pas grand-chose de plus. J'aimerais être de retour à Longueuil avant que Denis revienne de l'école.

Le photographe consulta sa montre :

— On a tout le temps.

Il fixa son assiette d'un air mécontent.

— Voyez-vous d'autres raisons de rester, Clément ? demanda Juliette d'une voix légèrement anxieuse.

— Hé non.

Il se pencha de côté et la vue de la serveuse qui circulait entre les tables d'un pas vif et agile, un plateau en équilibre au-dessus de la tête, illumina tout à coup son visage. Il la suivit du regard jusqu'au fond de la salle, cillant des yeux, un curieux sourire aux lèvres.

— Pardon ? fit Juliette. J'ai mal entendu.

— Euh... rien, je me parlais à moi-même.

— Ma foi, Clément, j'ai l'impression que cette fille est en train de vous faire sortir l'âme du corps. Voulez-vous rester à Trois-Rivières ? Je vous payerai votre billet d'autobus.

— Excusez-moi, répondit le photographe, perdu dans sa contemplation, je suis d'une impolitesse épouvantable.

Il ramena son regard sur Juliette :

— C'est que j'aime trop les femmes. Toutes les femmes. Celle-là est vraiment très jolie.

— Comment se fait-il alors que je le voie toujours seul ? pensa l'obèse.

Elle lui toucha le bout des doigts :

— Prenez-vous un café, don Juan ? Je ne vous cacherai pas que j'ai un peu hâte de me lever. Cette chaise est peut-être confortable pour une ballerine, mais certainement pas pour moi.

Fisette agita la main et réussit à attirer l'attention de la serveuse, qui se dirigea vers eux :

— Excusez-moi, je vous avais un peu oubliés, fit-elle avec ce sourire radieux et total qui semblait à la fois l'expression et la promesse d'un bonheur éblouissant. Un dessert ? À la table d'hôte, ce midi, nous avons un renversé aux pêches avec crème fouettée.

— Va pour le renversé, plus un café, répondit Fisette, le regard enivré.

— Café seulement, soupira Juliette.

Elle arracha délicatement la membrane de papier qui fermait le godet de crème posé dans la soucoupe, le vida dans sa tasse en le secouant pour lui faire rendre ses dernières gouttes, puis ferma l'œil à demi et prit deux gorgées. Sa main palpa machinalement la coupure de journal qui se trouvait près de la soucoupe. Soudain, elle eut un sursaut et déplia la coupure :

— Attendez-moi un instant, voulez-vous ?

Et elle se leva dans un grand tintement de vaisselle.

Les deux jeunes hommes de la table voisine interrompirent leur conversation (qui portait maintenant sur les effets bénéfiques du sel marin), se regardèrent une seconde et sourirent.

Juliette, tout excitée, se fit indiquer le téléphone, traversa la salle et disparut par une porte. Fisette, qui venait de deviner l'intuition de sa compagne, tambourinait sur la table avec le bout de sa cuillère. Elle réapparut bientôt, radieuse :

— C'est bien ce que je pensais, dit-elle en s'approchant, insouciante des regards narquois posés sur sa personne.

Elle se planta devant la table et, posant le poing dessus :

— Allons, finissez vite votre café, Clément, je vais demander l'addition. On s'en va à Saint-Hyacinthe. Il n'y a plus de service téléphonique pour le *Grimoire*. La librairie a dû fermer ses portes. Je veux y jeter un coup d'œil.

Fisette vida sa tasse et se leva, piteux :

— J'ai eu la même idée que vous, mais dix secondes trop tard. Ainsi, vous croyez vous aussi, reprit-il en s'efforçant d'adapter son pas à celui de l'obèse qui avançait en soufflant vers son auto, que le *Grimoire* a fait faillite et que Livernoche vient d'ouvrir une librairie dans le même local ?

— J'en ai la certitude, mon cher. Je le vois quasiment derrière son comptoir... et je tremble déjà à l'idée de lui parler.

Son entrain tombait à vue d'œil. Elle déverrouilla la portière de l'auto et leva la tête vers Fisette :

— Quelle idée de s'embarquer dans une histoire pareille à mon âge ! Je ne me sens plus bonne soudain qu'à tricoter des chaussettes dans ma chambre près d'une tasse de thé.

Le photographe s'esclaffa :

— C'est votre digestion qui vous fait parler ainsi. Nous avons mangé trop vite.

— Non, ce n'est pas ma digestion, c'est ma carcasse, répondit-elle après s'être installée au volant. Ma carcasse ne veut plus que tricoter des chaussettes, je n'y peux rien. Je suis arrivée à l'âge des chaussettes et des mitaines.

— Est-ce qu'elle me prépare une crise ? se demanda l'autre en lui tapotant l'épaule avec un sourire protecteur.

Elle tourna la clef d'allumage et l'auto s'ébranla vers la rue des Forges :

— Voulez-vous prendre la carte routière dans la boîte à gants ? Je ne connais pas trop le chemin pour Saint-Hyacinthe.

— Il faut traverser le pont Laviolette, annonça-t-il dans un grand froissement de papier, et suivre la route 55, qui devient ensuite la 161, puis prendre l'autoroute 20 un peu après Sainte-Eulalie. Dans une heure, nous serons au *Grimoire*.

— Vous parlerez à ma place. Je ne veux pas ouvrir la bouche. La trouille va me faire gaffer.

— Pfa ! vous ne pourrez pas vous retenir, ricana le photographe.

Elle haussa les épaules, puis ouvrit la radio. Ils se retrouvèrent au milieu de l'*andante* de la symphonie concertante pour violon et alto de Mozart, et le coin un peu terne et triste qu'ils traversaient s'embellit tout à coup d'une façon étrange et subtile. Clément Fisette voulut poser une question, mais l'expression recueillie de sa compagne le retint. Pour tuer le temps, il se mit à examiner la carte routière.

* * *

En arrivant à Sainte-Eulalie vingt minutes plus tard, Juliette se tourna vers son compagnon et, d'une voix toute changée :

— Clément, je ne me sens vraiment pas très bien. Vous allez conduire à ma place. Mes... anciens malaises me reprennent, je crois. Je vais aller me reposer sur la banquette arrière.

Elle arrêta l'auto sur l'accotement, devant un lopin de terre en friche où s'allongeaient des traînées de neige, alla s'affaler sur la banquette, son sac à main sur le ventre, et ferma les yeux. Fisette démarra. De temps à autre, il jetait un coup d'œil inquiet dans le rétroviseur.

— Ça va mieux? lui demanda-t-il au bout d'un moment.

— L'heure des médicaments, dit-elle, sans paraître avoir entendu.

Elle fouilla dans son sac à main et son compagnon ne put s'empêcher de sourire quand il la vit sortir son baladeur et glisser fébrilement le casque d'écoute sur sa tête. Elle ferma de nouveau les yeux. De temps à autre, sa bouche se crispait légèrement et elle se massait l'abdomen. Fisette s'engagea sur la voie d'accès à l'autoroute 20. Il attendit encore quelques minutes, puis :

— Est-ce que ça va mieux, maintenant? *Est-ce que ça va mieux, maintenant?* répéta-t-il à tue-tête, essayant de franchir le barrage de la musique de Martinek.

— Allons, un peu de patience, ce n'est pas magique, grommela-t-elle sans lever les paupières.

Au bout de quelques minutes, il la crut endormie : mais sa main s'anima tout à coup et alla pétrir son ventre.

— Je sais bien ce qui m'attend si elle retombe malade, se dit Fisette : elle va me demander de continuer les recherches à sa place. Mais il n'en est pas question. J'ai de plus en plus l'impression qu'il s'agit d'une sale histoire. Aller me promener à quatre pattes avec les rats dans les égouts sans savoir si j'en sortirai jamais? Très peu pour moi, merci!

Mais pendant qu'il se faisait ces réflexions, un obscur désir s'agitait en lui de voir au contraire sa compagne tomber gravement malade, le laissant seul pour explorer les égouts à son aise.

La *Subaru* filait sur l'autoroute avec un ronronnement moelleux et un peu soporifique qui semblait émaner de la vaste étendue grisâtre et monotone qu'ils traversaient. En dépassant la sortie 177 pour Drummondville, Fisette jeta de nouveau un coup d'œil dans le rétroviseur et aperçut la main droite de sa compagne qui pendait mollement au bord de la banquette. Son casque d'écoute s'était légèrement déplacé. La bouche entrouverte, elle semblait dormir paisiblement ; son visage affaissé laissait voir avec une précision géographique les amoncellements de graisse du menton, de la gorge et des joues, qui se détachaient de l'ensemble comme si on les avait soulignés avec la fine pointe d'un crayon ; cela lui faisait une sorte de masque pathétique et un peu sinistre. Fisette la contemplait, le cœur serré. L'auto glissa soudain sur l'accotement et se mit à déraper. Il donna un coup de volant et, après quelques secondes, réussit à la ramener sur la chaussée. Haletant, tout en sueur, il reprit peu à peu sa vitesse, puis risqua un rapide coup d'œil en arrière. Juliette dodelinait de la tête, la main ballante, la bouche légèrement entrouverte.

— Christ! elle est morte, se dit-il soudain. Elle vient de mourir. Et je suis tout seul avec elle en pleine campagne!

Sa vue se ternit et le paysage sembla s'aplatir ; il sentit des coups violents dans sa gorge, et une régurgitation âcre et acide lui envahit la bouche. Il déglutit et voulut appeler sa compagne, mais ne put émettre le moindre son. Alors il appliqua violemment les freins.

— Qu'est-ce qui se passe? s'écria Juliette, se réveillant en sursaut. Mais répondez-moi!

— Rien. J'ai... j'ai voulu éviter une mouffette.

— Dieu que vous m'avez fait peur ! J'ai cru à un accident.

Il remit l'auto en marche et toussa pendant une bonne minute.

— Comment vous sentez-vous ? demanda-t-il enfin d'une voix enrouée, méconnaissable.

— Mieux. Beaucoup mieux. Mais vous ? On dirait que vous venez d'avaler un nid de guêpes !

Puis elle ajouta au bout d'un moment :

— Vous savez, Clément, lorsque je vous disais que la musique de Bohu n'était pas magique... eh bien, je crois que je me trompais.

Une demi-heure plus tard, ils filaient le long de la rivière Yamaska, où venaient s'arrêter les nouveaux quartiers de Saint-Hyacinthe, puis, franchissant le pont Bouchard, ils se retrouvaient au centre-ville sur la vieille rue des Cascades, toute pimpante avec sa chaussée et ses trottoirs fraîchement refaits, ses bancs et ses lampadaires neufs ornés de branches de sapin et de petites ampoules multicolores ; un timide espoir de survie semblait flotter au-dessus des vieux édifices fatigués qu'on n'avait pas encore démolis. Fisette roulait doucement, jetant de rapides regards à gauche et à droite.

— Nous n'irons pas tout de suite au *Grimoire*, Clément, décida Juliette qui, depuis un moment, ne cessait de soupirer et de se tortiller sur son siège. Trouvez-nous un petit restaurant tranquille. Je veux me refaire un peu le cœur avant de rencontrer notre bonhomme.

Fisette lui adressa un sourire narquois :

— Vous êtes donc tout à fait sûre de le trouver ?

— Tout à fait, mon cher. Voilà pourquoi j'ai besoin d'une bonne tasse de thé. Et puis, il faut s'entendre sur ce que nous allons lui dire.

— *Nous* ? Vous avez décidé de lui parler, à présent ? Décidément, ce sacré Bohu devrait présenter sa musique à l'Académie de médecine. En trois jours, il deviendrait aussi célèbre que Pasteur.

— Cessez de vous moquer. Cet homme m'a réellement sauvé la vie. Je vous souhaiterais quasiment d'attraper mon mal. Vous vous mettriez à sa musique comme moi, et vite !

Trois ou quatre cents mètres plus loin, la rue des Cascades prenait un air triste et misérable, assombrie qu'elle était par d'imposants bâtiments de brique qui dressaient leurs masses à gauche. Puis, un peu plus loin, s'ouvrait le trou béant laissé par la démolition de l'ancienne filature *Pennmans*. Juliette aperçut un restaurant à sa droite ; dans la vitrine, un gros philodendron poussiéreux luttait courageusement contre l'anémie.

Fisette stationna l'auto devant l'établissement et ils entrèrent. Sur le mur du fond, tapissé d'un papier peint à motifs géométriques pourpres et dorés, une grosse horloge en bois portant l'écusson de la brasserie *O'Keefe* indiquait deux heures. L'endroit était désert. Une jeune serveuse assise au comptoir était occupée à remonter sa coiffure à l'aide d'épingles à cheveux. Juliette se commanda un thé, Fisette, une pointe de tarte au sucre et un café.

— Moi, je suis d'avis de lui parler franchement et sans détour, chuchota l'obèse quand la jeune femme se fut éloignée.

Le photographe, imperturbable, la regarda un moment, puis :

— Ma foi, avez-vous eu une révélation surnaturelle ? Vous semblez aussi sûre de le trouver que d'avoir un nez au milieu du visage.

— Eh oui. C'est comme ça. Je sais qu'on l'a coincé.

— Supposons-le. Mais il a peut-être balancé votre nièce il y a longtemps. Cette Josette Dallaire...

— C'est elle. C'est ma nièce. Elle porte un faux nom.

Fisette eut une moue d'agacement :

— Eh bien, puisque tout est réglé, allons les voir tout de suite. Je prendrai des photos de vos retrouvailles, ce sera touchant.

— Ce ne sera pas touchant mais terrible. J'ai peur. Je n'ai jamais eu aussi peur de ma vie.

Elle lui prit la main :

— Vous ne pouvez savoir combien j'apprécie votre présence. Votre gentillesse. Je vous le répète : sans vous, jamais je n'oserais me risquer là-bas.

La serveuse s'approcha avec un plateau et déposa la théière, les tasses, la tarte au sucre et le café. En se redressant, elle fit un léger mouvement de tête et une de ses épingles à cheveux tomba en frôlant le café :

— Scusez-moi, monsieur, bredouilla-t-elle en la ramassant aussitôt.

— Est-ce que vous connaissez la librairie *Le Grimoire* ? demanda Fisette avec un sourire protecteur tout en s'étonnant du nombre de pattes-d'oie dans un visage si jeune.

— La petite librairie près du restaurant *Milano* ? C'est fermé. Ils ont fait faillite, je crois. Mais je pense que quelqu'un vient de racheter le commerce.

Juliette posa sur son compagnon un regard triomphant.

— Vous ne connaîtriez pas le nouveau propriétaire, par hasard ? reprit le photographe.

— Oh, je pense que ce n'est pas encore ouvert, monsieur. Le mieux serait d'aller voir.

Elle s'éloigna.

Fisette porta un morceau de tarte à sa bouche et ses yeux se plissèrent de plaisir :

— Hmmm... Surprenant, une si bonne tarte au sucre dans un endroit pareil.

L'obèse la contemplait avec envie. Elle venait de croquer dans un biscuit sec, puis avait pris une gorgée de thé pour l'amollir et lui donner un peu de saveur, mais le mélange qui en avait résulté était si insipide qu'elle laissa le biscuit.

— Je commande un autre morceau, décida Fisette.

— Vous n'en ferez rien, répliqua-t-elle. Je n'ai pas le temps dans mes poches, moi.

Et, se dégageant de la banquette, elle fit signe à la serveuse d'apporter l'addition.

En arrivant dehors, il lui saisit la main :

— Aux retrouvailles, maintenant ! aux retrouvailles ! J'adore voir les gens pleurer de joie !

Ils remontèrent dans l'auto et prirent la rue des Cascades en sens inverse. L'intuition de Juliette se révéla juste. Au numéro 1146 — un édifice de deux étages plutôt étroit, à la façade de crépi blanc ornée d'auvents de toile jaunes — une enseigne toute neuve annonçait au rez-de-chaussée :

LA BONNE AFFAIRE
livres neufs et usagés

— Non, non, je vous en prie, ne ralentissez pas, lança la comptable. Stationnez-vous plus loin. Encore plus loin

Fisette s'engagea à gauche dans la rue de la Concorde et s'arrêta au coin de Calixa-Lavallée :

— J'y vais seul d'abord, annonça-t-il. Venez me rejoindre dans une dizaine de minutes. Et, bien sûr, vous ne me connaissez pas.

Il ouvrit la portière, bloquant le chemin à une vieille dame en manteau de drap mauve tenant un sac à provisions. Elle inclina la tête avec un sourire aristocratique qui mit en mouvement un incroyable entrelacement de rides, contourna la portière et poursuivit son chemin en chantonnant.

Fisette sortit de l'auto, lança un clin d'œil à Juliette et s'éloigna les mains dans les poches, l'air désœuvré. La comptable, qui priait rarement, se mit à invoquer avec ferveur la bonne sainte Anne. C'était elle, selon sa tante

Joséphine, qui l'avait sauvée d'une méningite fatale à l'âge de cinq ans. Puis elle jeta un coup d'œil à sa montre, s'épongea le visage et les mains avec un mouchoir et sortit de l'auto à son tour. Elle s'avança lentement jusqu'au coin de la rue des Cascades, puis dut s'arrêter :

— Ma foi, je n'y arriverai pas, murmura-t-elle d'une voix sifflante. Qu'est-ce qui se passe ? J'ai peine à mettre un pied devant l'autre. C'est comme si j'avais des jambes de béton... Ce n'est pas ton mal, vieille folle, c'est la peur. Allons, ressaisis-toi, sueur de coq !

Elle tourna le coin et se sentit mieux tout à coup. Longeant la vitrine du restaurant *Milano*, elle se trouva bientôt devant *La Bonne Affaire* et continua, regardant droit devant elle. Au bout d'une dizaine de mètres, elle s'arrêta. De l'autre côté de la rue se dressait le magasin de meubles *Kub* et, à côté, une sorte de casse-croûte qui portait le nom de *La Lichette*. La rénovation de la rue des Cascades s'était arrêtée à la rue Sainte-Marie, à quelques portes de *La Bonne Affaire*, qui donnait l'impression, avec les commerces avoisinants, d'avoir été laissée pour compte.

Elle examina la librairie. Le soleil frappait de biais la vitrine du très mobile sieur Livernoche et la rendait opaque, laissant voir tout un lacis de coups de torchon. L'anecdote des chaussons blancs que lui avait racontée l'ancienne femme de ménage du libraire revint à son esprit et cette négligence l'étonna.

Elle fit demi-tour et entra dans la boutique, croisant Fisette qui en sortait.

— Le salaud, s'exclama-t-elle intérieurement, la tête haute, sans le regarder.

Au début, elle ne vit que des rayonnages de livres, une pièce rectangulaire d'assez bonnes dimensions, un linoléum en damier noir et blanc et, au milieu de la place, un présentoir à journaux flanqué à sa droite d'une étagère chargée d'articles de bureau et de fournitures scolaires. Un comptoir en lattes de bois vernies, avec sa caisse enregistreuse, s'allongeait à gauche près de la porte. Derrière le comptoir, le dos tourné, un homme de grande taille, plutôt corpulent, rangeait des livres sur une tablette. Il ne se retourna pas. Juliette se hâta vers le fond de la pièce et se mit à prendre et à replacer des livres au hasard, essayant de toutes ses forces de maîtriser sa peur.

— Est-ce que je peux vous aider, madame ? demanda une voix grave et rocailleuse, qui s'efforçait d'être aimable.

Elle se tourna, presque défaillante, mais ne perçut qu'une image vague et sommaire : la tache brune du veston, le trait rouge de la cravate, une grosse moustache noire.

— Non merci, répondit-elle d'une voix étouffée, je... ne cherche rien en particulier.

Il poursuivit son rangement. Elle se trouvait dans la section des livres usagés, la plus importante de la librairie, semblait-il. Elle saisit un livre à couverture cartonnée recouverte de toile grise et décida d'en lire quelques pages, le temps de retrouver son sang-froid. Il s'agissait d'une thèse sur l'occlusion intestinale chez les coccinelles, écrite par un certain Paul Roubaix et parue chez Marton à Paris en 1937. Elle traversa patiemment l'introduction et s'attaqua au premier chapitre intitulé : « Méthodologie : le choix des approches et leurs différentes limites ». Au bout de quelques pages, les battements de son cœur ralentirent et la rougeur brûlante de ses joues se dissipa. Elle replaça le livre, fit quelques pas et s'arrêta devant la section des romans. Son regard tomba sur un bouquin tout écorné à couverture brochée, presque en lambeaux. Elle le retira délicatement. L'illustration en deux couleurs, couverte de petites taches beiges, représentait deux hommes en train de se colleter devant une fenêtre. L'un deux, apparemment la victime, sur le point de basculer par en arrière dans le vide, s'agrippait désespérément de la main gauche au rebord de la fenêtre, le menton violemment repoussé vers le bas par la main de son assaillant, dans un angle qui aurait normalement causé la rupture d'une vertèbre cervicale ; mais cela ne semblait pas s'être produit si on en jugeait par la position de sa main droite qui tenait un pistolet adroitement dirigé contre la tête de son adversaire à l'œil féroce. Au-dessus s'étalait en lettres bleues : *La vengeance tragique*. Juliette souleva la couverture : le livre se vendait 50 ¢. Elle le posa à plat sur une tablette, puis risqua un rapide coup d'œil vers le libraire. Ce dernier, debout derrière la caisse, contemplait la rue d'un air morose et semblait avoir oublié sa présence.

La porte s'ouvrit et un vieux monsieur tout cassé apparut ; il avança d'un pas incertain dans la boutique, puis, s'arrêtant près du présentoir, tourna sur place, désemparé.

— Oui, monsieur ? fit le libraire en posant ses mains sur le comptoir.

— Avez-vous l'*Almanach Bigras* ? graillonna le vieillard.

— Vous voulez parler de l'*Almanach Beauchemin* ? répondit l'autre en élevant la voix du ton protecteur que l'on prend avec les personnes atteintes de surdité ou diminuées par l'âge.

— Non, non. L'*Almanach Bigras*. C'est pour la météo. Y'a rien que là qu'on la donne comme il faut.

— Je possède les almanachs *Beauchemin*, *La Presse*, *Éclair*, mais pas d'*Almanach Bigras*.

— C'est un livre avec une couverture verte et une rangée d'étoiles jaunes sur les côtés. Je l'achète ici depuis des années.

Le libraire le regarda fixement une seconde, puis, se rendant au bout du comptoir, disparut par une porte et revint avec une caisse de livres qu'il se mit à disposer par piles sur une étagère. Le vieillard, croyant qu'on était sur le point de lui remettre son almanach, attendit une minute ou deux en se dandinant avec de petites grimaces. Puis après avoir toussoté à quelques reprises, il demanda timidement :

— Pensez-vous le trouver ?

— Je vous ai dit que je ne l'avais pas, répondit le libraire d'une voix coupante.

Et il se remit au travail. L'homme, décontenancé, grommela quelques mots inintelligibles et sortit.

Tout en suivant la scène, Juliette avait choisi quelques livres, se basant davantage sur les prix que sur les titres. Le libraire vida sa caisse, puis s'approcha et, d'une voix obséquieuse :

— Je vois que vous aimez les romans, madame. J'ai de très bons titres là-bas sur cette table, tout nouvellement arrivés.

Il se tenait devant elle, la tête légèrement inclinée, grand, bien en chair, les épaules carrées, les joues replètes et un peu affaissées accusant la cinquantaine, la bouche largement fendue et souriante, mais le regard froid. Il y avait dans son aspect quelque chose d'énigmatique et de repoussant, qui lui rappela tout à coup un homard.

— Merci, balbutia-t-elle. J'irai y jeter un coup d'œil tout à l'heure. Jamais je n'arriverai à le questionner, pensa-t-elle après qu'il se fut éloigné.

Au bout d'un moment, elle se rendit à la table, examina les titres, puis, levant le regard, rencontra celui de Livernoche posé sur elle.

— À douze dollars quatre-vingt-quinze, le dernier *Yourcenar* est une véritable aubaine, commenta-t-il aimablement.

— Je... oui... Je crois que je vais l'acheter, merci.

Prenant le livre, elle alla le déposer sur la tablette avec ses autres acquisitions, puis s'approcha d'une petite section consacrée à la poésie. Ses doigts se promenèrent machinalement sur les couvertures, puis s'arrêtèrent sur l'une d'elles, qui se détachait des autres. Il s'agissait d'un livre oblong, habillé d'une reliure pleine en maroquin bleu, d'un assez beau travail et en fort bon état.

— *L'Éventail et la Rose*, de Sully Prudhomme, lut-elle sur le dos à nerfs où s'alignaient les fins caractères dorés qui avaient conservé tout leur éclat.

Une émotion confuse s'éveilla en elle, venue de très loin. Elle souleva la couverture et aperçut, estampé en relief dans le coin supérieur droit :

Ex-libris Joséphine Deslauriers

et, plus bas, tracé au crayon d'une grosse écriture maladroite et appuyée :

rare
16,50 $

Elle contempla l'inscription, la pensée comme suspendue, puis un mouvement de colère s'empara d'elle tout à coup. Elle eut envie de se précipiter sur le grand homme massif qui la surveillait discrètement du fond de sa boutique et de lui marteler le visage à coups de poings. Mais la peur reprit vite le dessus. Elle tournait et retournait le livre entre ses mains, le visage écarlate. La mesquinerie et la grossièreté de l'homme lui inspiraient une répulsion insupportable que venait d'accentuer sa découverte.

— Qu'est-ce que vous avez en main ? demanda le libraire. Ah ! le *Sully Prudhomme*. C'est une belle pièce. Très rare. Comme vous m'avez déjà acheté quelques livres, je pourrais vous la faire à 15,50 $, disons.

Juliette émit un vague grognement, puis se tourna de nouveau vers les rayonnages, perplexe. Soudain, elle saisit les livres qu'elle avait mis à part, y joignit le Sully Prudhomme et, l'air résolu, s'avança vers la caisse où l'attendait le libraire, tout souriant.

— Hmm... un choix intéressant, remarqua-t-il doucereusement.

La caisse fit entendre une série de grincements, puis tinta :

— Trente-deux dollars et quatre-vingt-quinze, s'il vous plaît.

Elle ouvrit son portefeuille d'une main tremblante et lui tendit deux billets de vingt dollars :

— Vous êtes bien monsieur Livernoche, n'est-ce pas ? demanda-t-elle d'une voix éteinte.

Il leva la tête :

— Oui. Vous me connaissez ?

— C'est-à-dire que... on m'a parlé de vous.

— En bien, j'espère ? fit-il avec un rire affecté.

Elle eut soudain l'impression que le plancher s'ouvrait à ses pieds et qu'un immense tourbillon de flammes l'enveloppait, mais, curieusement, son angoisse disparut pour faire place à une sorte d'euphorie stoïque. Elle sourit, posa une main sur le comptoir :

— Comment va Adèle, monsieur ?

Il la fixa quelques secondes, imperturbable :

— Vous vous trompez, madame. Je ne connais pas d'Adèle.

Et il se pencha au-dessus du tiroir-caisse pour lui rendre sa monnaie.

— Vous n'avez pas vécu avec ma nièce Adèle Joannette ? reprit-elle d'une voix tout à la fois timide et narquoise.

— Trente-huit, trente-neuf, quarante dollars. Merci, madame. Non, madame, je n'ai vécu avec aucune Adèle Joannette. Je n'ai jamais eu cet honneur. Vous faites erreur sur la personne, comme on dit. Est-ce que je peux me permettre de vous demander qui vous a raconté cette histoire ?

Il la regardait, calme et sûr de lui, un sourire désinvolte aux lèvres, mais quelque chose de trouble vacillait au fond de son regard.

Juliette s'empara de *L'Éventail et la Rose* et l'ouvrit à la page de garde :

— Comme vous pouvez le voir, ce livre a déjà appartenu à une de mes tantes, Joséphine Deslauriers, chez qui ma nièce Adèle a vécu il y a plusieurs années. Et c'est elle qui a acheté ce livre après la mort de ma tante, quand on a mis ses biens aux enchères.

— Ah bon, fit-il, moqueur. C'est là l'indice qui vous a permis de déduire que je connaissais votre nièce ?

Elle voulut parler du vaisselier découvert à Trois-Rivières, puis se ravisa.

— Écoutez, ma bonne dame, poursuivit Livernoche avec un sourire condescendant, il faudrait tout de même que vous preniez conscience que... Un instant, je vous prie.

Il s'accroupit devant une tablette et revint avec un gros livre à couverture de toile pourpre, que l'usure avait rosie aux angles.

— Voyez-vous, madame, le livre, dans notre civilisation, est un objet d'une mobilité infinie. Voici une partition de l'*Otello* de Verdi éditée en 1896 chez Ricordi à Milan. Tenez, lisez avec moi sur la page de garde : *À monsieur Bonifacio Torreo, en souvenir des années fructueuses que nous....* bla bla bla... *Buenos Aires, le 8 avril 1900.*

Il la fixa de nouveau avec le même sourire désinvolte :

— Savez-vous où je l'ai dénichée ? Dans le coffre à outils d'un plombier à Val-d'Or en Abitibi, où j'étais allé passer des vacances il y a deux ans. Lui-même l'avait reçue d'une danseuse *topless* chez qui il avait installé un bain à remous. Du moins, c'est ce qu'il m'a dit, ricana le libraire. Alors, n'est-ce pas, que vous trouviez chez moi un livre — ou même plusieurs — qui auraient appartenu à une de vos très chères tantes, cela ne m'impressionne vraiment pas beaucoup. J'assiste à ce genre de découvertes au moins une fois par mois.

— Ne me prenez pas pour une cruche, rétorqua Juliette en serrant fortement le bord du comptoir pour cacher le tremblement de ses mains. Vous avez vécu au moins un an avec ma nièce en 1979, au 1759 de la rue Sainte-Catherine Est. Des gens se souviennent de vous dans le coin. Et il n'y a pas si longtemps, vous teniez un commerce à Trois-Rivières. J'ai même rencontré votre ancien propriétaire, monsieur Dubé, qui conserve chez lui certains de vos effets. Et, tout à fait par hasard, parmi ces effets se trouve un vaisselier qui a déjà appartenu lui aussi à ma tante Jo...

— Mais c'est de l'espionnage! éclata le libraire, le visage tordu de colère. Que me voulez-vous à la fin, madame?

— À vous, rien. Mais je veux parler à ma nièce, que je n'ai pas vue depuis dix ans.

Il se pencha au-dessus du comptoir:

— Mais puisque je vous dis, martela-t-il, excédé, que je ne la connais pas, votre Adèle... Joannisse!

— Joannette. Je connais un boutiquier à Montréal qui serait prêt à confirmer que...

— Madame, fit-il en se redressant, son calme tout à coup revenu, si vous ne cessez pas de me harceler, je vais être obligé de m'adresser à la police. Vous savez comme moi que la loi interdit de fouiner dans la vie privée des gens. J'ai eu le plaisir de vous servir, j'espère que vous êtes satisfaite de vos achats et je vous souhaite une excellente journée. Au revoir.

Il se dirigea vers le fond de la pièce et disparut. Juliette demeura perplexe quelques instants, puis, s'emparant des livres, quitta les lieux.

Clément Fisette l'attendait dans l'auto, les genoux appuyés sur la boîte à gants, occupé à vider un sac d'arachides. Elle ouvrit brusquement la portière:

— Alors, vous, on peut dire que vous êtes fiable, vraiment! Je vous emmène pour éviter de me trouver seule avec ce monstre et vous me filez sous le nez dès que je mets le pied dans la place.

— Montez, montez, qu'on parte au plus vite, la pressa Fisette sans paraître ému le moins du monde par sa colère. Il pourrait sortir et nous voir ensemble !

Furieuse, elle mit le moteur en marche et l'auto s'ébranla vers la rue Calixa-Lavallée.

— C'est que je me méfiais un peu de votre émotivité, expliqua le photographe avec un sourire narquois. Je voulais éviter à tout prix que vous lui fassiez une scène en ma présence. J'ai trouvé le bonhomme tout à fait passionnant, voyez-vous, et je tiens à conserver ma... virginité à ses yeux. Tournez à droite, voulez-vous ? La rue a l'air de se terminer en cul-de-sac. On y sera plus tranquilles pour jaser.

— Virginité, virginité, bougonna Juliette en obéissant, qu'est-ce que la virginité vient faire là-dedans ? Vous avez eu le coup de foudre pour lui, ou quoi ?

— Une sorte de coup de foudre, oui. Vous savez, lança-t-il gaiement, jamais je n'ai vu quelqu'un mériter à ce point un châtiment.

Juliette stationna la *Subaru* presque au bout du cul-de-sac devant une petite maison à pignons recouverte de déclin d'aluminium, puis, se tournant vers son compagnon :

— Cuisse de puce ! perdez-vous la tête, Clément ? Qui parle de châtiment ? Je veux voir ma nièce, c'est tout. Je me fiche bien du reste. Qu'est-ce qu'il vous a fait, pour l'amour du saint ciel ?

Malgré le temps frisquet, un homme en paletot venait de sortir de la maison et fumait un cigare sur la galerie en se balançant dans une berceuse, l'air désœuvré.

— Il ne m'a rien fait, répondit Fisette en souriant. Au contraire, il s'est montré plutôt aimable avec moi et m'a laissé fouiller dans son espèce d'arrière-boutique où il pensait que j'aurais des chances de trouver une *Histoire du Québec* publiée chez *Boréal Express*.

Elle eut une moue étonnée.

— En fait, je cherchais surtout un prétexte pour fouiner chez lui. Je n'ai pas trouvé le livre. Mais cinq minutes plus tard, j'ai vu notre homme offrir cinq dollars pour un *Robert 2* flambant neuf à une jeune femme qui avait l'air de filer un mauvais coton. Et puis, tout de suite après, il y a eu l'appel téléphonique.

— Quel appel ?

— Quelqu'un, une femme sûrement — peut-être votre nièce ? — lui a téléphoné pour savoir ce qu'il aimerait manger au souper. J'étais seul au fond de la librairie, assez loin du comptoir. Au ton qu'a pris sa voix, j'ai tout de suite plongé le nez dans l'*Histoire des moyens de transport de la ville de Montréal* en tournant ma bonne oreille dans sa direction et je ne suis pas près d'oublier ce que j'ai entendu !

— Mon Dieu, qu'avez-vous bien pu entendre ?

— Oh, si je vous répétais mot à mot ses paroles, vous ne trouveriez pas de quoi énerver une mouche. Mais c'est le ton. La voix. Repoussants. On aurait dit qu'il parlait... à une esclave. Tiens ! c'est ça : à une esclave. Calmement. Presque affectueusement. Vous auriez frissonné.

— Mais qu'est-ce qu'il disait, cuisse de puce !

— Oh, des banalités. Qu'il voulait du boudin et de la saucisse, avec une purée de pommes de terre relevée d'un tout petit peu de muscade et, comme dessert, peut-être un morceau du gâteau à la mélasse qu'elle avait fait la veille. Mais il hésitait pour le dessert. Il y penserait au cours de l'après-midi et la rappellerait. Et puis il y avait la nappe.

— La nappe ?

— Oui. Ce matin, au déjeuner, il avait remarqué une tache de confitures aux bleuets sur la nappe. Il n'avait pas eu le temps de lui en parler sur le coup, car il craignait d'arriver en retard à la librairie, mais il attirait son attention sur ce détail. Prendre un repas sur une nappe tachée lui apparaissait tout à fait impensable. Je vous le dis : un être immonde.

— Il ne m'a pas fait particulièrement bonne impression à moi non plus, tout à l'heure.

— Ah non ? Racontez-moi ça. Allez, allez !

Il se trémoussait sur son siège, se frottait les mains.

— Je lui ai d'abord acheté quelques livres, dont deux plutôt dispendieux. Ah ! il aime l'argent, ce cher homme. Si vous l'aviez vu ! C'était des sourires au sirop, une voix de velours et tout et tout. Il s'épuisait en politesses. Mais quand je lui ai demandé comment se portait ma nièce, ses yeux sont devenus comme deux petites boules de glace. Il a d'abord nié la connaître. Mais figurez-vous, mon cher, poursuivit Juliette en plongeant la main dans le sac qui contenait ses achats pour lui tendre le Sully Prudhomme, figurez-vous que, tout à fait par hasard, je venais de tomber sur un livre de ma tante Joséphine — voyez son *ex-libris* — qu'Adèle avait sûrement acheté à la vente aux enchères. Je le lui ai montré. Il a ri de moi. Alors je lui ai parlé de notre visite chez monsieur Dubé, du vaisselier de ma tante et de ma conversation avec le boutiquier de la rue Sainte-Catherine. Je n'aurais peut-être pas dû. Un peu plus et il me jetait à la porte !

Fisette resta songeur un instant :

— Ouais..., il aurait sans doute fallu y aller plus doucement. Mais c'est une stratégie qui en vaut une autre. Sa force, c'est l'effet-surprise. Est-ce qu'il ne s'est pas un peu démonté tout de même, le salaud ?

— Oh la la ! décidément, vous ne l'aimez pas, vous ! Démonté ? Pas du tout. Il a joué l'indignation. Je tourmentais un honnête citoyen. Et si je n'arrêtais pas, la police s'en mêlerait.

Fisette porta l'index à son menton et se mit à gratter nerveusement un bouton sous sa lèvre inférieure. Une petite meurtrissure rougeâtre apparut.

— Évidemment, vous l'avez mis sur le qui-vive. C'est l'inconvénient de la méthode. Comprenez-vous, maintenant, chère madame, pourquoi il était si important que je conserve ma virginité à ses yeux ? D'ailleurs, ajouta-t-il en jetant un regard dans la rue, je n'aime pas trop qu'on nous voie ensemble. Saint-Hyacinthe est une bien petite ville. Regardez, par exemple, ce berceur à bedon sur sa galerie, là-bas. Il se rend peut-être trois fois par semaine à *La Bonne Affaire* pour acheter des romans *Harlequin* et...

Juliette eut un sourire sarcastique :

— Et comme les gros remarquent les gros...

— Allons, allons, vous voilà devenue susceptible, à présent ?

— Je plaisantais, fit Juliette avec un rire forcé.

— Écoutez, reprit le photographe, de plus en plus nerveux, il faut absolument que j'aille espionner notre dictateur.

— Il y a une sorte de casse-croûte juste en face.

— *La Lichette* ? Fermée pour la saison. Je vais essayer de trouver autre chose.

— N'oubliez pas que je dois absolument être à Longueuil en début de soirée. Depuis que cette folle tourne autour de Denis, je n'aime pas le laisser seul.

— N'avez-vous pas demandé à Bohu de le garder ?

— Oui, mais je le connais, le petit vlimeux : une fois son souper avalé et sa leçon de piano reçue, il va redescendre chez nous, par crainte de déranger. Et puis, monsieur Martinek ne tient pas une garderie !

— Mais la police surveille, non ?

Juliette souffla de l'air par le nez avec un sourire sceptique :

— La police... s'il fallait compter sur elle...

— C'est que ça m'embête un peu de partir, murmura Fisette, ennuyé. Maintenant que vous l'avez mis en alerte, il faut absolument le tenir à l'œil. Au moment où on se parle, il se prépare peut-être à quitter sa librairie — si ce n'est déjà fait — pour aller cacher votre nièce au fond des bois.

Elle finit par accepter à contrecœur de demander au musicien qu'il garde l'enfant quelques heures de plus.

— S'il le faut, dit-elle à Fisette, je vous laisserai de l'argent et mon auto, et je retournerai à Longueuil en autobus. Qu'en dites-vous?

— Hum... bonne idée... Mais assez parlé, fit-il en ouvrant la portière. Je vais aller jeter un coup d'œil sur mon dictateur.

Ils se donnèrent rendez-vous une demi-heure plus tard au même endroit. Les mains dans les poches et ayant toutes les peines du monde à cacher sa nervosité, Fisette se dirigea à grandes enjambées vers la rue des Cascades. Juliette tapotait le tableau de bord, vaguement mécontente. L'homme au cigare continuait de se bercer doucement sur la galerie et la comptable eut l'impression qu'il la fixait avec un étrange sourire. Elle mit le moteur en marche, fit demi-tour et se mit à la recherche d'un téléphone public.

* * *

Après le départ de Juliette, Fernand Livernoche revint dans la boutique et, l'air sombre, se promena de long en large, les mains derrière le dos, agitant nerveusement les doigts. Puis, il s'approcha des rayons, retira chacun des livres de Joséphine Deslauriers (il y en avait une quinzaine), alla les mettre sous clef dans une armoire de son arrière-boutique et retourna derrière le comptoir. Son humeur s'assombrissait de minute en minute et cela l'inquiétait. Pourtant, la situation semblait loin d'être critique. Ces coups de noir, trop fréquents à son goût, lui rendaient alors presque insupportables les rapports avec ses clients, pleins de questions idiotes, toujours les mêmes.

En se penchant pour ramasser un crayon, il sentit une douleur — familière et haïssable — se réveiller tout à coup dans la raie des fesses; une sensation de brûlure et de prurit, modérée mais incroyablement profonde, grimpa jusqu'à sa nuque.

— Il ne manquait plus que ça, grommela-t-il, les dents serrées.

Il promena un regard furieux sur le comptoir, aperçut un vieux missel près d'un cendrier, le saisit et le fit voler en pièces contre la porte de l'arrière-boutique. Puis, regrettant aussitôt son geste, il alla ramasser les débris et les jeta à la poubelle.

— Et dire que je n'ai pas apporté de suppositoires, murmura-t-il, abattu.

Une jeune femme entra avec son petit garçon ; il les endura pendant dix minutes à se quereller sur le choix d'une bande dessinée, la mère, pacifiste, essayant de prémunir son fils contre l'influence pernicieuse de *Goldorak*, l'enfant, hystérique, hurlant son mépris pour *Tintin*, *Astérix* et *Mafalda*. Quand ils furent enfin partis, n'y tenant plus, il accrocha un carton dans la porte et se rendit aussi vite que sa douleur le lui permettait à la pharmacie *Jean Coutu*. De retour à la librairie, il allait se retirer aux toilettes lorsque la mère réapparut avec son fils en larmes ; le regard suppliant, elle lui demanda s'il était possible d'échanger le *Tintin* qu'elle venait d'acheter contre un *Goldorak*.

— Allez, allez, prenez ce que vous voulez, bougonna-t-il, excédé.

Quelques minutes après leur départ définitif, le médicament commença à faire sentir son action bienfaisante. Alors, comme il le faisait toujours en pareil cas, il décida d'aller se sucrer le bec pour tenter de noyer dans les plaisirs de la bouche l'espèce de rage désespérée qui s'emparait de lui à chacun de ces accès. Il accrocha de nouveau le carton dans la porte et se rendit au restaurant *Milano*, situé dans l'édifice contigu. En entrant, il jeta un regard distrait sur l'homme au visage chafouin et au curieux nez en trompette qui lui avait acheté un peu plus tôt une *Histoire des transports de la ville de Montréal* dont il n'aurait jamais cru pouvoir se débarrasser. Absorbé dans la lecture du *Courrier de Saint-Hyacinthe*, l'inconnu venait sans doute d'arriver, car on ne l'avait pas encore servi. Livernoche commanda un parfait au caramel, puis, dans un accès de faiblesse, un gâteau Forêt-Noire. Ce fut une erreur. Le deuxième dessert faillit annuler l'effet du médicament, car la serveuse, seule et débordée, mit plus de sept minutes à le lui apporter, et cela plongea le libraire dans un état d'agacement qui réveilla son prurit. Il lança à la jeune fille une remarque sarcastique sur sa lenteur, qui la fit rougir jusqu'aux oreilles, tandis que, penchée devant lui, elle griffonnait à toute vitesse son addition sur le coin de la table.

Il retourna à la librairie, sans remarquer l'admirable éclaircie qui s'était soudain produite dans le ciel et venait de dévorer la grisaille de la journée. Accoudé au comptoir, il attendit près d'une demi-heure l'arrivée d'un client, essayant d'oublier son mal dans la lecture de l'*Athalie* de Racine. Son suppositoire ne faisait plus qu'adoucir les aspérités de la douleur qui continuait de le tarauder sournoisement, diffusant des frétillements cruels jusqu'aux extrémités de son arbre nerveux.

Il aperçut tout à coup de l'autre côté de la rue le nez en trompette qui s'avançait d'un pas tranquille sur le trottoir, les mains dans les poches, et fronça les sourcils. Quelques minutes plus tard, il le vit revenir, tenant un sac de papier au sigle de *Kub*, les marchands de meubles établis un peu plus haut. Dix minutes passèrent. La clochette installée au-dessus de la porte d'entrée demeurait muette. Il jeta un coup d'œil sur sa montre : elle marquait trois heures et quart. Ses pensées tournaient de plus en plus autour d'un petit pot d'onguent brun pâle posé sur la deuxième tablette de la pharmacie à la maison, et d'une efficacité autrement supérieure à celle de ces suppositoires. Il décida alors de fermer boutique et de rentrer chez lui.

* * *

Les bras appuyés sur le volant, Juliette fixait en bâillant la galerie maintenant déserte où se berçait une demi-heure plus tôt le gros homme au paletot ; pour tuer le temps, elle s'amusait à dresser dans sa tête le menu de la fin de semaine, lorsque des pas précipités résonnèrent derrière elle. Avant qu'elle ait pu se retourner, le photographe faisait irruption dans l'auto, hors d'haleine :

— Vite ! sur des Cascades ! Il vient de partir dans une vieille *Maverick* vers l'ouest.

Juliette tourna la clef d'allumage et donna un coup d'accélérateur qui faillit crever les tympans d'un vieil ecclésiastique passant tout près, informé des bruits de ce monde par un appareil auditif de qualité douteuse.

— Race de vipères, grommela-t-il, le poing tendu vers la *Subaru* qui venait de disparaître. Que la colère du Tout-Puissant te précipite dans la géhenne !

Puis il reprit sa marche, l'esprit de nouveau occupé par la plinthe chauffante qu'il venait de faire installer dans sa chambre pour aider ses pauvres jambes rhumatisantes à traverser l'hiver.

— Allons, s'écria Juliette en se tournant vers son compagnon, restez en place, bon sang ! et bouclez votre ceinture de sécurité, voulez-vous ? Mais dites-moi, reprit-elle au bout d'un instant, quelle heure est-il, au juste ?

— Trois heures et vingt.

— Et il a déjà fermé sa librairie ?

— Eh oui.

Fisette tira la courroie sur sa poitrine et on entendit un déclic :

— Il craint sûrement quelque chose... Tenez, le voilà ! Voyez-vous la *Maverick* blanche là-bas, juste après la fourgonnette ? C'est lui ! Il s'engage sur un pont.

Juliette accéléra légèrement.

— J'espère que cette poursuite ne nous mènera pas trop tard. J'ai parlé à Bohu tout à l'heure. Figurez-vous que notre timbrée est venue ce matin laisser un colis à ma porte pour Denis. Son cadeau de Noël, sans doute. Ça m'inquiète. Je veux être à Longueuil le plus tôt possible.

Elle se faufila habilement entre un autobus scolaire et une *Toyota* jaune citron et accéléra encore un peu. Ils roulaient le long de la Yamaska dans la rue Saint-Pierre, bordée de vieilles maisons cossues. Le photographe lui prit le bras :

— N'approchez pas trop. Il pourrait nous remarquer.

— Mais fichez-moi la paix, paquet de nerfs, rétorqua joyeusement l'obèse, qu'une sorte d'enthousiasme fébrile gagnait peu à peu. Je n'ai de leçons de conduite à recevoir de personne ! Je ne bouge peut-être pas très vite mes grosses pattes sur un trottoir, mais une fois dans mon auto, ne me suit pas qui veut ! Vous n'apprendrez pas à une mouche à voler.

Quelques minutes passèrent. Ils avaient quitté la ville, longeant toujours la rivière.

— Tiens, il vient de prendre un chemin de traverse, fit-elle. Pourvu que ça ne vire pas en gravier : je viens de faire repeindre la voiture.

Elle dépassa prestement la *Toyota*, puis une grosse *Buick* bleue, dont le conducteur barbu, affublé d'un horrible veston vert-de-gris, lui lança un regard torve, et s'engagea sur le chemin de traverse à la suite de Livernoche ; elle n'en était plus séparée maintenant que par une camionnette qui roulait à une centaine de mètres.

— Ralentissez, ralentissez, murmura le photographe en essuyant ses mains moites sur son pantalon. Laissez-le gagner du terrain.

— Ah ! taisez-vous à la fin, ou je vous fais coucher dans le coffre à bagages !

Elle fila une quinzaine de minutes. La route était sèche, sans la moindre trace de neige, mais se tortillait de plus en plus. La camionnette franchit un ponceau dans un grand brassement d'objets métalliques, clignota vers la gauche et disparut dans une entrée de cour. Juliette laissa Livernoche prendre un peu d'avance. Mais elle dut bientôt accélérer, car les courbes et les vallonnements de la route, traversée à tous moments par des chemins de rang, lui cachaient presque sans arrêt la vieille *Ford* blanche. Une expression de jubilation illuminait son visage tandis que de petits lambeaux de peau sèche tombaient sur le pantalon de Fisette qui se mordillait les lèvres, le regard fixe, la tête agitée de saccades.

La *Subaru* s'engagea avec un léger dérapage dans une courbe interminable qui descendait en spirale, puis franchit deux côtes abruptes et déboucha enfin sur une grande section rectiligne. L'auto avait disparu.

— L'animal, murmura Juliette en freinant. Il a dû prendre le chemin de rang qu'on vient de laisser à notre gauche.

Elle fit demi-tour dans un hurlement de pneus, massacrant un buisson de framboisiers qui débordait sur l'accotement, et remonta la côte en rugissant pour s'élancer de nouveau dans la courbe.

— Attention ! s'écria Fisette, s'arc-boutant des deux mains au tableau de bord, nous allons prendre le champ !

La comptable, toute rouge, éclata de rire :

— Pissou, va ! Un peu de vitesse fouette le sang, c'est très tonique !

— Et dire que deux heures plus tôt, elle était sur le point de rendre l'âme, se dit le photographe, éberlué, le cuir chevelu en sueur et plein de picotements.

Le ciel, libéré de tous ses nuages, commençait à foncer. La petite *Toyota* jaune citron qu'ils avaient dépassée tout à l'heure surgit devant eux et frôla le flanc de la *Subaru* dans un sifflement qui glaça Fisette. Deux ou trois cents mètres plus loin, ils aperçurent à leur droite un chemin de gravier qui s'enfonçait dans un bois. Juliette l'enfila dans un crépitement de cailloux assourdissant et dévala une courte pente, soulevant derrière elle des tourbillons de poussière.

— Comment se fait-il qu'on ne l'ait pas vu tourner ? grommela-t-elle. Pourvu que je ne me sois pas trompée... Mais ce n'est plus un chemin, ça, s'écria-t-elle au bout d'un moment, c'est une couleuvre prise de coliques !

La route grimpait, descendait, virevoltait à tous moments, imprévisible et malicieuse — cahots, ventres de bœuf, gros cailloux protubérants, courbes en L, en S, en W — tous surgis comme du chapeau d'un prestidigitateur sadique qui semblait s'être fixé pour but de causer une collision frontale.

— Ralentissez, madame Pomerleau, murmura Fisette d'une voix mourante. L'air devient gris devant nous. Il ne doit pas être loin.

Il avait parlé trop tard. Le nuage de poussière s'épaissit brusquement et, en arrivant au sommet d'une côte, ils eurent la vieille *Maverick* devant eux, à demi cachée par un tourbillon qui s'enflait jusqu'à la cime des arbres.

Livernoche les aperçut dans son rétroviseur et tressaillit, sans trop savoir pourquoi. Il ne voyait presque jamais personne sur ce chemin mal entretenu qui desservait autrefois une demi-douzaine de fermiers, dont la plupart avaient vendu leur terre. Il donna un léger coup d'accélérateur et perdit l'auto de vue. Quelques minutes passèrent. Il n'était plus qu'à deux ou trois kilomètres de chez lui. Un vague pressentiment l'oppressait. Il réduisit un peu l'allure, levant le regard de temps à autre vers son rétroviseur. La *Subaru* surgit de nouveau, freina brusquement et disparut dans la poussière.

— Calvaire d'hostie ! hurla-t-il à pleins poumons en éclaboussant le pare-brise de postillons, ils me suivent ! J'en suis sûr !

Il ralentit de nouveau, écarquillant en vain les yeux pour tenter de distinguer les occupants du véhicule qui venait de réapparaître, à demi noyé dans un nuage blanchâtre, puis décida d'en avoir le cœur net. Une grande maison cubique, flanquée d'une véranda à demi effondrée, apparut à sa droite. Il la dépassa et, donnant un brusque coup de volant, enfila un petit chemin raboteux — presque un sentier — qui s'offrait à sa droite et l'éloignait de chez lui.

La forêt, qui avait commencé peu à peu à s'ouvrir sur des éclaircies puis sur des champs, reprenait ici toute sa densité. Au risque de briser ses amortisseurs, il roulait à pleine vitesse, le cœur serré au bruit du frottement des branches contre son auto. Ce chemin conduisait à un autre, plus large, qui le ramena bientôt à la route où il avait laissé Juliette, mais à un kilomètre au-delà de la maison grise. Il n'y avait plus personne derrière lui. Pendant une minute ou deux, il pensa avoir pris pour des poursuivants quelque touriste égaré dans la campagne, mais la *Subaru* apparut une troisième fois, lui arrachant un cri de rage qui se répercuta cruellement dans ses fondements.

— Regardez-le qui repart ! s'écria Fisette en crispant ses doigts sur le tableau de bord. Maintenant, il *sait* ! Il ne faudra plus le lâcher d'une semelle.

Et pour la première fois de sa vie, il regretta de ne pas avoir d'arme à feu. La poursuite reprit de plus belle, mais cette fois-ci d'une façon ouverte et frénétique. Une poussière fine et sèche, de plus en plus étouffante, envahissait l'intérieur de l'auto. La tête légèrement rejetée en arrière dans une expression béate, manipulant le volant et le levier de vitesse avec une sûreté nonchalante, Juliette ne semblait pas se rendre compte du danger qu'elle courait, tandis que son compagnon, le dos rigide, l'œil à demi fermé, les jambes raides comme des bâtons, luttait de toutes ses forces pour refouler la panique qui montait en lui. L'auto cahotait dans un tintamarre ahurissant de grincements, de vibrations et de cognements qui semblaient annoncer sa dislocation finale ; elle faisait parfois des embardées étourdissantes pour éviter une roche ou une branche en surplomb, et, après avoir filé un moment dans un tourbillon poussiéreux, elle se lançait dans une courbe, dérapait sur un lit de cailloux, puis, se redressant, accélérait de nouveau, le moteur miaulant comme un sac de chats trempés dans l'eau bouillante.

Courbé sur son volant, le visage dégoulinant de sueur, terrifié par les manœuvres qu'on le forçait à faire et dont il n'avait nullement l'habitude, craignant à chaque courbe la collision brutale qui, après quelques secondes de fracas monstrueusement concentré, le projetterait dans la noirceur et le silence éternels, Livernoche avait l'impression de dégringoler un escalier aux marches couvertes de beurre et il en avait même oublié le brasier que la transpiration et les mouvements brusques avaient allumé dans son arrière-train. Son cerveau bourdonnant s'était mis à produire des pensées parallèles. Tout en s'efforçant d'éviter les obstacles menaçants qui apparaissaient devant lui à une vitesse affolante, il cherchait désespérément à trouver le chemin le plus court qui le ramènerait à l'asphalte et le libérerait de cette traînée de poussière maudite qui trahissait partout son passage ; et il se disait en même temps que plus cette chasse durait, plus elle le compromettait, car elle faisait de lui un coupable essayant de fuir son châtiment. Et, sur toutes ces pensées, se greffait en contrepoint une sorte de réflexion sautillante sur Juliette Pomerleau (car il était sûr maintenant que c'était elle, sa poursuivante). Depuis quand était-elle à sa recherche ? Est-ce que d'autres personnes l'avaient aidée ? Et pourquoi cet intérêt subit pour une nièce qu'elle n'avait pas vue depuis dix ans ?

Soudain, la solution pour sortir de ce guêpier surgit dans son esprit, bête à force d'être simple. Il attendit que se présente une section de route suffisamment longue et droite, obliqua vers l'accotement et freina. Puis, dans les secondes qui lui restaient avant l'apparition grondante de la *Subaru*, il se planta debout au milieu de la route, les bras croisés, les lèvres serrées, cherchant de toutes ses forces à s'extirper de sa position de coupable pour entrer dans celle d'accusateur.

— Eh bien ! je ne m'étais pas trompé ! rugit-il en voyant Juliette sortir de l'auto. Et, en plus, vous aviez amené votre espion !

Il s'avança, écarlate et frémissant, tandis que Fisette contournait la *Subaru* pour venir se placer près de sa compagne :

— Qu'est-ce qui se passe ? hurla-t-il. Avez-vous perdu la tête ? Je vous avais pris pour des malfaiteurs, moi ! Réalisez-vous que j'aurais pu me tuer cent fois ? Je pourrais vous faire arrêter sur-le-champ pour une affaire pareille ! C'est du *harcèlement* ! Je ne le tolérerai plus, m'entendez-vous ?

Il s'arrêta soudain, à court de mots. Pendant un moment, ils se regardèrent tous les trois, tandis que le silence de la campagne envahissait leurs oreilles encore bourdonnantes avec la force d'une détonation.

Fisette poussa un ricanement :

— Qui dit qu'on vous court après ? Les routes appartiennent à tout le monde.

Juliette lui fit signe de se taire et s'approcha de Livernoche :

— Je veux voir ma nièce, dit-elle calmement.

Les mâchoires du libraire se contractèrent et ses yeux saillirent :

— Madame, écoutez-moi bien, martela-t-il. Vous êtes une folle. Comprenez-vous ? Une folle encombrante qui me casse les pieds depuis le début de l'après-midi. Vous allez maintenant me ficher la paix. Tout de suite et pour toujours. Dieu sait pourquoi, vous avez décidé dans votre caboche que je connaissais une de vos nièces... Et moi, je vous répète que je ne la connais pas et que si c'était le cas, je la fuirais comme la peste pour être sûr de ne jamais avoir affaire à vous, car je n'ai jamais pu supporter les détraquées de votre espèce. Et maintenant, je ne vous parlerai plus, je ne vous regarderai plus, je ne vous verrai plus. Si vous cherchez une seule autre fois à m'importuner, le bout des doigts va vous pincer joliment, prenez ma parole !

Pivotant sur ses talons, il se dirigea vers son auto.

— Vous connaissez fort bien ma nièce, répondit Juliette, imperturbable. Vous la connaissez depuis longtemps. Je vous ai expliqué tout à l'heure pourquoi j'en étais sûre. Et ce ne sont pas vos insultes qui vont me convaincre du contraire ; elles me convainquent plutôt que vous êtes un homme grossier, colérique — et menteur en plus. Et si vous persistez à refuser de me communiquer les renseignements que je vous demande poliment, nous verrons bien, mon cher monsieur, lequel de nous deux aura le plus mal au bout des doigts.

Après l'avoir fixée avec un sourire insolent, Livernoche lui fit un bras d'honneur, monta dans son auto et repartit. Il jeta un coup d'œil dans son rétroviseur ; ses deux poursuivants, debout devant la *Subaru*, discutaient avec animation. Une courbe les cacha bientôt à sa vue. Il se sentait comme un homme qui, tapant du pied dans un champ de foin sec pour étouffer un début d'incendie, voit tout à coup le feu grimper à son pantalon.

— Comment me dépêtrer de cette histoire ? se demanda-t-il avec une grimace. C'est qu'elle en sait beaucoup trop, la vache, beaucoup trop... Bon ! les revoilà.

Il leva les yeux en l'air :

— Trouve quelque chose, bon sang ! lança-t-il d'une voix larmoyante.

— Tiens, tiens, ricana Fisette, le voilà qui roule à vitesse normale, à présent. Il cherche à se refaire une dignité ! Quel enfant d'école !

Juliette se tourna vers lui :

— Qu'est-ce qu'on fait ?

— On le suit, bien sûr. Vous saurez au moins où il habite.

Ils roulèrent à bonne vitesse pendant deux ou trois kilomètres, puis la *Maverick*, prenant à gauche, s'engagea dans un chemin beaucoup plus large et passa devant une misérable baraque faite de feuilles de contreplaqué à demi dépeintes recouvertes partiellement de papier-brique. Au-dessus de l'entrée, un panneau de tôle éclairé par une ampoule électrique suspendue à un fil annonçait : *Bar Champlain*. Dans ce coin de campagne désert, la bicoque faisait un effet étrange et sinistre.

Ils changèrent encore une fois de route, repassèrent devant la maison grise et Livernoche accéléra.

— Tiens, il s'impatiente, s'amusa Fisette avec un sourire en coin qui accentua désagréablement la dissymétrie de sa bouche.

Ils roulaient maintenant à plus de 90 kilomètres à l'heure et le crépitement des cailloux avait recommencé.

— Tout à l'heure, Clément, une idée m'est passée par la tête. Je le regardais, cette espèce de gorille en sueur, et soudain je me suis demandé si...

Elle poussa un cri. Une masse noire venait de s'écraser avec un bruit sourd au milieu du pare-brise ; elle glissa lentement sur le capot tandis que de minces filets de sang remontaient le long de la vitre pour aller se perdre sur le toit. La *Subaru* avait fait une embardée ; elle se mit à zigzaguer sur l'accotement de sable mou, puis reprit la chaussée. La masse noire avait disparu.

— C'était une corneille, je pense, murmura Fisette, livide.

— Non mais, sueur de coq ! éclata Juliette, tout va de travers, aujourd'hui ! J'ai hâte de me coucher et de tourner la page !

La main tremblante, elle pressa un bouton et inonda le pare-brise d'eau savonneuse ; les essuie-glace balayèrent la vitre à grands coups saccadés, mais des traces de sang persistaient.

— Attention ! il prend à droite, lança le photographe.

La route, presque rectiligne, s'allongeait entre des champs de foin sec. Livernoche sifflotait le *Ô Canada*, sans un regard pour la *Subaru* ; il était devenu l'image même de l'honnête citoyen retournant paisiblement chez lui après sa journée de travail. Une grande maison de bois peinte en bleu, à demi cachée par des érables, apparut au sommet d'une légère élévation, un peu en retrait de la route. La *Maverick* ralentit, puis s'engagea dans un chemin étroit et caillouteux qui montait vers la maison. Juliette arrêta son auto sur le bord de la route et consulta Fisette du regard, désemparée :

— Eh bien, qu'est-ce qu'on fait ?

— On attend, décida le photographe en souriant.

Elle éteignit le moteur et regarda aux alentours. L'endroit était plutôt joli. Des champs vallonnés s'étendaient de chaque côté de la route qui descendait doucement devant eux, toute en longues courbes nonchalantes, et se fondait peu à peu dans la vaste étendue de la campagne. À droite, au-delà de la maison, le sol continuait de s'élever pendant une dizaine de mètres pour buter contre un pan de forêt qui occupait le sommet aplati d'une colline. Le chemin qu'avait emprunté la *Maverick* obliquait vers la gauche presque à son début ; il était bordé de chaque côté par une haie de cèdres laissée à l'abandon et qui s'élevait maintenant à plus de deux mètres.

Juliette pivota lourdement vers Fisette :

— Et alors ? Quel est votre plan ? demanda-t-elle avec une pointe d'impatience.

Il n'eut pas le temps de répondre. Le grand corps massif du libraire venait d'apparaître dans le chemin. Les traits tirés, mais un petit sourire narquois aux lèvres, il leur fit signe de descendre. Fisette baissa la glace :

— Nous nous reposions un peu avant de repartir. C'est fatigant, ces poursuites, vous ne trouvez pas ?

— Allons, venez. J'ai à vous parler, répondit Livernoche d'une voix qui s'efforçait à la bonhomie.

— Il a repensé à son affaire, glissa le photographe à Juliette. Nous allons avoir des révélations ! Vraies ou fausses ? Voilà la question.

La comptable ouvrit la portière et posa un pied sur le sol, puis, avec un brusque élan qui fit osciller la *Subaru*, elle réussit à se mettre debout, mais faillit trébucher sur une roche. Une peur sourde lui contractait l'estomac.

— Alors, vous êtes contents ? railla Livernoche. Vous savez où je demeure, à présent. Vous aurez deux endroits où m'espionner. Suivez-moi.

Il se mit à grimper le chemin, la démarche lourde et comme boitillante.

— On dirait que ses souliers sont trop petits, pensa Fisette.

— Il y a longtemps que vous me pourchassez comme ça ? demanda le libraire en se retournant vers Juliette.

— Je vous répète que ce n'est pas vous que je cherche mais ma nièce.

— Dans ce cas, je vais essayer de vous régaler, répondit l'autre avec un sourire ambigu.

La maison apparut devant eux avec ses murs bleu poudre en déclin de bois, son étage en pignon, sa large véranda. Mais plutôt que d'y porter ses pas, Livernoche se dirigea vers un hangar en planches brutes qui s'élevait au bout du terrain près d'une clôture de perches. Il était visible maintenant que la marche lui était douloureuse. Il ralentissait à tous moments et portait la main à la base de ses reins en poussant des soupirs. Il contourna le hangar, s'approcha d'un gros baril de métal à couvercle de bois, qui servait manifestement de poubelle, s'adossa au mur, puis dévisagea le photographe :

— Comment vous appelez-vous ? fit-il d'un ton rogue.

— Fisette, monsieur, répondit l'autre, pince-sans-rire, avec une inclination de tête.

— Fisette ? Et votre prénom ?

— Clément. Pour vous servir, monsieur.

— Oui, oui, je vois. Vous me servez admirablement bien. Un de ces jours, je me mettrai à votre service à mon tour.

Son visage était traversé de petites grimaces :

— Eh bien, comme je vois que vous ne me ficherez pas la paix tant que je n'aurai pas déballé devant vous mes histoires les plus personnelles et les plus intimes, je vais donc vous parler de votre nièce, madame.

— Vous avouez donc la connaître, s'exclama Juliette, triomphante.

— Je l'ai connue, madame, et je l'ai aimée. Pendant des années, elle a fait mon bonheur... pour ensuite me pousser au bord du suicide. Vous vouliez tout savoir ? Vous saurez tout, ajouta-t-il avec un sourire amer, tandis que ses interlocuteurs avaient peine à garder leur contenance.

Il fit une pause, porta encore une fois la main à ses reins, puis :

— Nous avons vécu ensemble durant huit ans et demi — en union libre, pour ne rien vous cacher — jusqu'à ce qu'elle me quitte il y a six mois pour un autre homme, sans avertissement, sans explication et sans jamais par la suite me donner la moindre nouvelle. Vous voulez en savoir plus ? J'en suis tombé malade. Plus exactement, j'ai fait une grave dépression nerveuse, dont je me remets à peine, qui m'a retenu loin de mon travail pendant longtemps et m'oblige encore à recourir aux soins d'un médecin. Votre curiosité n'est pas encore satisfaite ? Continuons, alors. Pour qu'on me fiche la paix, madame, je suis prêt à tout raconter, vraiment tout. La semaine dernière — mercredi dans la matinée, pour être exact — un client est venu à la librairie et m'a appris que votre nièce vit maintenant aux

États-Unis avec son nouveau... compagnon — en Californie ou au Nouveau-Mexique, il ne se rappelait pas avec précision. Vous allez sans doute me demander, poursuivit-il d'une voix de plus en plus frémissante, le nom et l'adresse de ce client. Mais je ne les connais pas. Je ne les connais vraiment pas. J'ai vu cet homme trois fois seulement et, à part le fait qu'il demeure à Montréal, je ne peux rien vous dire de plus, même si j'y consacrais toutes mes forces, comprenez-vous ?

— Allons, va-t-il faire une crise ? se demanda Juliette, apeurée.

Le libraire la fixait avec une étrange exaltation :

— Quant aux effets personnels de votre nièce, madame — auxquels vous semblez attacher tellement d'importance — je vais malheureusement vous décevoir, car je m'en suis débarrassé. De tous. Je ne pouvais plus en supporter la vue, comprenez-vous ? De tous, sauf de ceci, ajouta-t-il, que je vous demande d'emporter, en vous suppliant, s'il y a une parcelle de bonté dans votre cœur, de me laisser tranquille avec mes problèmes et mes souvenirs.

Il s'approcha de la poubelle, souleva le couvercle :

— Voilà une robe de chambre qui lui appartenait et qu'elle a sans doute oubliée chez moi. Ou peut-être l'a-t-elle laissée ici parce qu'elle la trouvait défraîchie ? Comme moi, sans doute. Vous pourrez le lui demander, si jamais vous la voyez. Prenez-la, je vous en prie, fit-il en plongeant la main dans la poubelle pour en retirer un vêtement de ratine vert pâle, affligé d'une grande tache de graisse. Prenez-la, vous dis-je, hurla-t-il en jetant la robe de chambre aux pieds de Juliette qui recula, saisie d'effroi. Et maintenant, avez-vous d'autres questions ?

Il les regardait tour à tour, livide, la lèvre tremblante :

— Profitez-en, mes amis ! Car si jamais vous revenez, c'est à la police que vous parlerez, pas à moi !

Un tressaillement parcourut son corps, puis il s'éloigna à grandes enjambées vers la maison.

Pendant que le libraire s'emportait devant eux, Fisette avait discrètement fait quelques pas de côté de façon à jeter un coup d'œil sur la maison, dont le hangar lui bloquait la vue.

— Eh bien, je pense que nous n'avons plus rien à faire ici, soupira Juliette.

Elle se pencha avec effort, ramassa la robe de chambre, l'examina un instant d'un air dépité, puis, la roulant autour de son poignet, s'éloigna vers la route, suivie du photographe. Livernoche les observait derrière une fenêtre tout en se lissant les cheveux, qu'il avait noirs, fournis et ramenés en arrière, découvrant un front à la peau rude, parsemée de petites boursouflures et sillonnée de rides roses.

Juliette posa une main sur le volant et s'apprêtait à mettre le contact lorsque son bras retomba :

— Je suis vannée... Il m'a bouleversée, l'animal... Je ne m'y attendais pas.

Le photographe eut une moue méprisante :

— Pfft ! du mauvais théâtre. Je n'ai pas cru un seul mot de ce qu'il nous a débité. Dépêchez-vous de démarrer. Il doit être à une fenêtre en train de nous épier avec une longue-vue.

L'auto s'ébranla.

— Pendant qu'il nous faisait son numéro, reprit-il, j'ai pu regarder sa maison et je suis sûr d'avoir vu un rideau bouger dans la lucarne de gauche.

Juliette haussa les épaules :

— Et après ? Ne m'avez-vous pas raconté tout à l'heure qu'il avait téléphoné cette avant-midi à une femme qui semblait demeurer chez lui ? C'est sans doute elle qui nous observait. Voilà pourquoi il ne nous a pas reçus chez lui. Il n'avait pas intérêt à déballer l'histoire de ses anciennes amours sous son nez.

— Il n'y a pas d'autre femme. Il y a votre nièce et c'est tout. Et pour que nous en ayons le cœur net, vous allez me laisser ici. Oui, ici. Tout de suite !

— Que voulez-vous faire ? fit Juliette en freinant.

— Oh ! c'est tout simple : me poster près de la maison, attendre qu'elle se montre et, clic ! prendre un petit cliché. Vous saurez alors si c'est votre nièce ou pas qui dorlote notre gorille à dépressions.

— Mais comment allez-vous prendre vos photos ? Il fait presque nuit.

— Question enfantine : j'ai apporté des films ultra-sensibles, voyons !

Il s'allongea vers la banquette arrière, en ramena sa trousse de cuir noir, puis ouvrit la portière. Juliette lui saisit le bras :

— Mais pourquoi me fuirait-elle ainsi, Clément ? Je n'y comprends rien. Nous nous sommes parfois dit des gros mots, mais il n'y a jamais eu de chicane, je vous le jure !

Fisette mit pied à terre et se pencha vers elle, l'avant-bras appuyé sur le pavillon de l'auto, les yeux légèrement dilatés par l'effet de sa posture, les traits à demi dissous dans l'obscurité grandissante :

— Je n'y comprends rien moi non plus. Peut-être qu'elle a peur qu'on lui refile son garçon ?

— Mais elle n'a qu'à le dire ! éclata Juliette. Voilà justement pourquoi je veux la rencontrer. Nous nageons dans la soupe depuis dix ans. Je veux savoir à quoi m'en tenir, à la fin des fins !

— Ça me semble pourtant clair, ricana le photographe. Elle aime sans doute son garçon à la folie, mais... en photo seulement... C'est ce qu'on appelle l'amour platonique, non ? Écoutez, fit-il avec un grand sourire. Vous allez retourner à Saint-Hyacinthe et me réserver une chambre au vieil hôtel que j'ai vu tout à l'heure derrière la place du marché. Si vous le pouvez, attendez-moi là-bas.

— Non, je ne pourrai pas. C'est au-dessus de mes forces... Il faut absolument que je sois à Longueuil ce soir. Juste à l'idée que Denis pourrait...

Fisette lui tendit la main :

— Alors, donnez-moi de l'argent, ma chère madame : s'il le faut, je suis prêt à passer la fin de semaine à Saint-Hyacinthe juste pour vous.

— Hein ? Que dites-vous là ? La fin de semaine de Noël ?

— Je déteste Noël. Si on pouvait me congeler le 23 décembre et me réveiller le 2 janvier, ça me mettrait de bonne humeur pour le reste de l'année... Et puis, il faut démêler cette histoire au plus vite. Elle m'agace.

Juliette se mit à fouiller fébrilement dans son sac à main :

— Et moi donc ! répondit-elle. Je suis en train d'en perdre la raison. Tout ce que je touche tombe en poussière et dès que je pense être arrivée au but, quelqu'un me pousse dans la fumée. C'est absurde.

Fisette saisit prestement les billets qu'elle lui tendait et, la fixant dans les yeux :

— Mais quand on y pense un peu, madame Pomerleau, *tout* est absurde, ne trouvez-vous pas ? Les gens se teignent les cheveux, font remplir leurs dents creuses, payent des leçons de piano à leurs enfants chéris et pourtant, dans deux semaines peut-être, la terre ne sera plus qu'une boule radioactive. Et même si cela n'arrivait que beaucoup plus tard, nous finirons tous un jour, vous, moi et les autres, par connaître notre petite fin du monde personnelle et tous nos projets, nos soucis, nos coups de foudre et nos petites colères tourneront en engrais de cimetière, non ? Tenez, connaissez-vous quelque chose de plus absurde qu'un homme en train de prendre sa douche dans un sous-marin en plongée ? Et pourtant, cela arrive tous les jours et personne n'en parle. Si vous vouliez être vraiment logique, il faudrait cesser tout de suite vos recherches, vous installer dans un bon fauteuil, croiser les jambes et rire du matin au soir. Mais qui a envie d'être logique ? À bientôt. N'oubliez pas de me réserver une chambre à l'hôtel.

— Attendez ! Comment allez-vous revenir à Saint-Hyacinthe ? s'écria Juliette, déconcertée.

Mais il s'était déjà enfoncé dans un massif d'aulnes et les craquements des branches avaient dû couvrir sa voix. Elle resta quelques instants à écouter le bruit de ses pas, puis remit l'auto en marche et s'éloigna.

— Qu'est-ce que c'est que cette histoire de piano, de douche et de sous-marin ? marmonna-t-elle. Ma foi ! je pense qu'il est en train tout doucement de virer fou, celui-là. Dieu sait ce qu'il s'en va fricoter là-bas. Où est-ce que je tourne, maintenant ? À gauche ou à droite ?

Le ciel, devenu bleu sombre, semblait répandre une poudre fine et translucide qui épaississait l'air et faussait la perspective. Juliette se perdit. Elle passa deux ou trois fois devant le *Bar Champlain*, dont la façade paraissait de plus en plus sinistre sous l'éclairage violent de l'ampoule électrique qui la ravageait comme un acide. Quelques automobiles étaient stationnées sur le petit terrain raboteux qui bordait l'établissement. Elle n'osa pas s'arrêter pour demander son chemin et n'arriva à Saint-Hyacinthe qu'une heure plus tard, les yeux brûlants de fatigue, affolée par l'aiguille de son indicateur de niveau d'essence qui s'était couchée vingt minutes plus tôt. Elle trouva sans peine l'*Hôtel Maskouta*, un grand édifice vieillot quelque peu enlaidi par un revêtement d'aluminium, et décida d'y rester pour attendre Clément Fisette.

— Je vais demander à Bohu qu'il fasse coucher Denis chez lui en attendant mon retour, décida-t-elle en pénétrant dans l'édifice.

Assise derrière un comptoir demi-lune, une jeune réceptionniste se faisait les ongles au son de la radio qui jouait un arrangement au carillon d'*Il est né, le Divin Enfant*. Le hall, petit et un peu défraîchi, donnait sur un grand escalier à rampe vernie dont le pilastre s'ornait d'un chérubin de bronze portant un flambeau électrique dépourvu d'ampoule. Juliette n'avait pas fait trois pas que la porte claquait derrière elle et que deux jeunes femmes en vestes et pantalons de cuir noir, chaussées de longues bottes noires et la taille serrée par une ceinture cloutée, passaient devant elle et se plantaient devant l'employée.

— Roger est-tu icitte ? demanda la plus grande, les mains sur les hanches.

— Je sais pas, répondit l'adolescente d'un air indifférent.

Les femmes toisèrent Juliette, puis gravirent l'escalier en faisant claquer leurs talons. Parvenues au palier, elles se retournèrent de nouveau vers l'obèse, échangèrent un regard, puis éclatèrent d'un rire strident. Juliette s'approcha de la réceptionniste :

— Je voudrais réserver une chambre, fit-elle timidement. Au nom de monsieur Clément Fisette. Et au premier étage, si possible, ajouta-t-elle, se rendant compte tout à coup que l'établissement ne possédait pas d'ascenseur.

— Le premier et le deuxième étage sont en rénovation, répondit la jeune fille en bâillant. Les seules chambres que je peux louer se trouvent au troisième.

— Bon, ça va, soupira Juliette. Pourriez-vous m'indiquer un téléphone ?

— Là-bas, fit l'autre en pointant une porte au-dessus de laquelle on pouvait lire en lettres d'or sur fond noir : *Bar-salon*. C'est quarante dollars par jour. Il faut quitter à onze heures.

Juliette paya, poussa la porte qu'on lui avait indiquée et se retrouva dans un vestibule aux murs de lattes vernies. Elle vit un téléphone public dans un coin près d'une fenêtre.

Ce fut Rachel qui répondit. La comptable lui raconta en trois mots les derniers événements, puis, tout embarrassée, lui annonça qu'elle devait prolonger de quelques heures son séjour à Saint-Hyacinthe.

— Ça vous ennuierait de garder Denis jusqu'à mon retour ?

— Mais non, voyons. Tout le temps que vous voudrez.

— Comment va-t-il ?

— Très bien. Il est au piano avec Bohu en train de s'amuser à faire chanter le merle. Ils lui ont trouvé un nom : Sifflet. Il siffle autant qu'une salière, mais enfin... Bohu m'a dit que, deux ou trois fois, l'oiseau avait chanté la note qu'il avait jouée au piano. Des idées de compositeur. L'oiseau, symbole vivant de la musique, et cætera, et cætera : un vieux cliché. Encore un peu et...

— Dis-moi : qu'y avait-il dans le colis de Denis ? coupa Juliette, anxieuse.

— Tiens, c'est vrai, j'allais oublier de vous en parler. C'est bien notre timbrée qui le lui a apporté. J'ai demandé à la police de venir le chercher ; je l'attends toujours. Figurez-vous qu'il contenait un exemplaire du *Sans famille* d'Hector Malot et un pyjama superbe, qui doit bien valoir cinquante dollars. Elle avait épinglé un mot dessus : « Pour la nuit où tu viendras rejoindre ta mère. Je t'aime. » Touchant, n'est-ce pas ? Elle commence à m'inquiéter, celle-là. J'espère que la police va se grouiller un peu.

— Seigneur, soupira Juliette. Comme si je n'avais pas assez de soucis... J'irai au poste demain. Comment a-t-il réagi, lui ?

— Oh, vous savez... je préfère vous en parler une autre fois. Tiens, il veut vous dire un mot. Bonsoir.

— Où es-tu, ma tante ? demanda l'enfant d'une voix sourde et frémissante qui lui alla droit au cœur.

— À Saint-Hyacinthe, bobichon. Je reviens tout à l'heure.

— Tu es allée chercher ma mère ?

— Euh... oui, si tu veux.

— Tu ne l'as pas encore trouvée ?

— Pas encore.

— Je suis tanné que tu cherches ma mère. Je suis tanné de penser à elle. Je me sentais mieux avant que tu la cherches.

— Moi aussi, bel enfant. Mais — que veux-tu ? — il faut ce qu'il faut. As-tu fait tes devoirs ?

— Rachel m'a aidé à les faire, répondit l'enfant, soudain joyeux. Ç'a même pas pris une heure. Tu as reçu deux appels.

— Chez Bohu ? s'étonna Juliette.

— Non, chez nous.

— Qu'est-ce que tu faisais là ? Je t'avais dit de rester chez Bohu jusqu'à mon retour. Je te défends d'y retourner, m'entends-tu ? On ne sait jamais quelle idée pourrait germer dans la tête de cette pauvre folle qui se prend pour ta mère.

— J'étais allé chercher mon cahier d'exercices de français. Et puis, je suis resté pour regarder une émission de télé.

— Tête dure ! Il pourrait t'arriver malheur. Je ne blague pas, mon garçon. Vas-tu m'écouter ?

— Oui, ma tante.

— Comment se fait-il que Rachel et Bohu t'aient laissé partir ?

L'enfant eut une courte hésitation, puis :

— Ils prenaient leur douche.

— Leur douche, leur douche... Comme si... Qui m'a appelée ?

— Attends une seconde, j'ai écrit leurs noms dans mon cahier.

Elle se mit à frotter nerveusement son pied contre le tapis élimé. À l'autre bout du fil, elle entendait quelqu'un répéter inlassablement une note au piano. Puis soudain, Martinek s'écria :

— Bravo !

Denis reprit le combiné :

— D'abord, un monsieur Portelance...

— Ah ! celui-là, se dit Juliette, agacée, j'ai hâte qu'un aspirateur l'avale.

— ... et puis un monsieur... Vlaminck, articula-t-il avec application. Il voulait te voir dans la soirée.

— Ah oui ? Est-ce qu'il t'a dit pourquoi ?

— Non.

— Je l'appellerai demain. Allez, bonsoir, mon lapin. Ne te couche pas trop tard. Je vais aller te chercher vers minuit. Il s'est décidé à vendre la maison, jubula-t-elle en raccrochant. Et il veut faire vite. On lui a peut-être fait une offre ? Je l'appelle tout de suite.

Personne ne répondait à *L'Oasis*.

— Pourvu que l'affaire ne soit pas déjà conclue, se dit-elle en grimpant l'escalier jusqu'à la chambre qu'elle avait réservée pour Clément Fisette.

Il s'agissait d'une petite pièce sommairement meublée, au tapis couvert de brûlures de cigarettes, peinte d'une couleur dont il était difficile de savoir si elle avait été autrefois beige, blanche ou jaune pâle. Un paquet de cigarettes vide traînait sur une table de nuit à dessus de formica imitation marbre. Une armoire à glace, sombre et massive, occupait le coin droit de la pièce près de la fenêtre. À gauche, une porte fermée par un verrou donnait accès à la chambre voisine. On entendait un couple en train d'y converser à voix basse. Juliette s'assit sur le lit et fixa d'un air désabusé le plafonnier dont la lumière crue semblait rapetisser la chambre et faisait ressortir toutes les misères des murs de plâtre. Elle bâilla, alla jeter un coup d'œil à la fenêtre, se rassit. Soudain, elle fouilla dans son sac à main, sortit un carnet, déchira une feuille et griffonna un mot à toute vitesse. Elle glissa la feuille dans une enveloppe fripée, inscrivit le nom du photographe et descendit à la réception. Dix minutes plus tard, après avoir essayé encore une fois de joindre Marcel Vlaminck, elle filait vers Longueuil.

18

— Enfin seul, murmura Fisette quand le ronflement de la *Subaru* s'éteignit. Elle m'encombrait un peu, la pauvre...

Son contentement fut de courte durée. Il venait à peine de terminer sa phrase que le bout de son pied droit pénétrait par mégarde dans la gueule d'une boîte de conserve fichée en diagonale dans le sol et il se retrouva couché à plat ventre dans un mélange de terre humide et de neige, la cheville en compote, tandis que sa trousse décrivait un arc de cercle qui l'amena sur une grosse pierre plate où elle émit un craquement de mauvais augure. Fisette se tordit de douleur pendant une bonne minute, puis, son souffle revenu, se lança dans une attaque fulgurante contre tous les objets de culte de la religion catholique et enfin, se relevant avec peine, il se rendit en clopinant jusqu'à la grosse pierre, où il réussit à s'asseoir. Après avoir massé sa cheville, il ouvrit sa trousse, le cœur battant, et se mit à tâter le contenu, écarquillant en vain les yeux dans l'obscurité pour tenter d'évaluer les dégâts. À part un posemètre éventré, ses appareils ne semblaient pas avoir subi de dommages apparents.

— Pourvu que mon *Minolta* ne soit pas cassé, grommela-t-il en promenant longuement ses doigts sur l'appareil.

Il l'appuya contre son oreille, le fit fonctionner deux ou trois fois, puis le glissa dans son étui, un peu rassuré.

— Allons, en route, fit-il à voix haute. Le temps passe. Je vais trouver une maison vide.

Il se remit debout, mais en posant le pied droit sur le sol, il ne put retenir un gémissement.

— Merde de merde de merde ! fulmina-t-il, le souffle coupé. Cette manie de prendre la forêt pour un dépotoir ! Cochons sales d'abrutis de trous de cul mal torchés ! Je vais en mettre plein leurs salons, moi, des boîtes de conserves !

S'accrochant de la main droite à un aulne qui ploya avec de petits craquements, il réussit à saisir une grosse branche morte à demi recouverte de neige. Il la cassa en deux, en vérifia la solidité et, s'en servant tantôt comme canne, tantôt comme béquille, il se mit en marche. Trente mètres plus loin, le bois faisait place à un champ assez vaste, bordé à droite par un talus abrupt en haut duquel s'élevait la maison de Livernoche, qu'on ne pouvait apercevoir encore, car elle se trouvait à une centaine de mètres, cachée par un rideau d'arbres et de broussailles. Fisette suivit en boitillant le pied du talus qui le rendait invisible aux occupants de la maison. Le terrain se mit bientôt à monter. Il abandonna sa béquille, poursuivit sa progression en rampant et aperçut bientôt une vague lueur à travers les branches d'un érable, puis un coin de mur entre deux troncs. Les élancements de sa cheville avaient un peu diminué. Il s'allongea sur le sol et tendit l'oreille. Un klaxon retentit au loin. Des odeurs de foin pourri arrivaient à ses narines.

— J'espère qu'il ne s'est pas embusqué quelque part, se dit le photographe avec un frisson en promenant lentement son regard autour de lui.

Son visage et ses mains étaient redevenus moites, mais cette fois-ci, la crainte avait pris la relève de la douleur. Il ouvrit doucement la fermeture éclair de sa trousse, en sortit son appareil-photo, puis, glissant la bandoulière autour de son cou, le plaça sur son dos et se remit à ramper le long de la pente vers la maison. Il arriva bientôt au sommet. Une difficulté l'attendait. Le rideau d'arbres et de broussailles était si touffu et le sol tellement jonché de branches et de brindilles qu'il ne pouvait s'y aventurer sans bruit. Malgré la noirceur, Fisette distinguait assez bien maintenant la demeure du libraire, qui se dressait à une dizaine de mètres. Le mur qui lui faisait face était percé de trois fenêtres, toutes munies de leur contrechâssis. L'une d'elles, vivement illuminée, donnait sur la cuisine à l'arrière de la maison. Fisette apercevait un coin d'armoire vernie et le flanc d'un frigidaire. Toujours aplati contre le sol, il longea le sommet de la pente, cherchant une brèche dans la végétation.

En arrivant vis-à-vis de la fenêtre, il aperçut au milieu de la pièce et lui tournant le dos une femme en robe rose parlant avec animation à un interlocuteur invisible. Puis Livernoche apparut devant elle, mit la main sur son épaule et Fisette comprit que la femme pleurait.

— Eh bien, puisque je les ai tous les deux sous les yeux, allons-y, se dit-il en franchissant le rideau de broussailles dans un bruit de branches rompues. Il rampa jusqu'à la base d'un gros érable, à trois ou quatre mètres de la maison. Les doigts tremblants, il régla son appareil et, malgré la douleur de sa cheville, réussit à se mettre debout, appuyé contre l'arbre. Ce fut ce moment précis que choisit la femme pour s'élancer hors de la pièce, suivie de Livernoche.

— Ciboire ! lança intérieurement le photographe.

Il grelottait, son appareil à la main, en équilibre instable sur son pied gauche ; sa cheville élançait de nouveau cruellement. De sa position, il apercevait une série de hautes armoires, un bout de comptoir, le dessus d'une cuisinière où reposait un percolateur et, au fond, une porte qui donnait sur une pièce obscure. Cinq minutes passèrent. Les rugosités de l'écorce pénétraient lentement son épaule tandis que son pied gauche, appuyé sur une racine qui affleurait, s'engourdissait peu à peu. Soudain, une porte s'ouvrit et la voix de Livernoche lança :

— Continue, je vais aller le chercher.

Des pas s'approchèrent. Fisette allongea les bras le long du corps et, oubliant subitement sa foulure, retrouva l'usage de son pied droit et se glissa doucement derrière l'érable pour échapper à la vue du libraire qui longeait la maison d'un pas inégal, soufflant avec bruit et marmonnant. Il s'éloigna au fond de la cour ; Fisette n'osait tourner la tête, les épaules rentrées, les cuisses serrées, essayant de donner à son corps la minceur d'un arbrisseau ; il entendit le grincement d'une porte, puis un bruit de remue-ménage. La porte grinça de nouveau et le libraire revint vers la maison, traînant un objet sur le sol et soufflant de plus en plus fort.

— Ouf ! soupira-t-il en s'arrêtant juste à la hauteur du photographe.

Quelque chose de lourd et de vide heurta le sol ; les bruits de respiration ralentirent peu à peu, puis semblèrent s'arrêter tout à fait. Fisette, rigide comme une barre, fixait une branche de framboisier devant lui et la branche s'entoura lentement d'un halo rosé, puis une bande vert pâle s'ajouta au halo et ses oreilles se remplirent d'un sifflement, comme si on avait placé contre elles un détecteur de fumée en marche.

— Il m'a vu, il s'approche, il va m'étrangler, pensa le photographe, défaillant.

— Ah ! maudites hémorroïdes ! lança tout à coup Livernoche d'une voix furieuse. Ça n'a plus de sens ! Il faut que je me fasse opérer !

Il souleva le coffre, se remit à le traîner et disparut au coin de la maison.

Fisette sentit ses jambes mollir brusquement. Une toupie multicolore tournait devant lui. Il se laissa glisser le long du tronc et se retrouva assis par terre, les genoux relevés presque au menton. Ce fut la douleur de sa cheville qui le ramena à la réalité — et le sentiment atroce qu'il ratait peut-être une photo. Il prit de grandes respirations. Un coup de vent lui arriva au visage ; il en avala tout ce qu'il put ; sa tête redevint alors claire et nette. Il se redressa, le dos toujours appuyé à l'arbre, saisit son appareil et le braqua de nouveau vers la fenêtre de la cuisine. La pièce était toujours vide. Soudain, la fenêtre voisine s'illumina ; une silhouette se dessina derrière des rideaux, puis disparut, et la jeune femme pénétra dans la cuisine, vêtue d'un manteau beige et l'air fort agité. Elle piétina sur place, comme indécise, et son visage resta immobile quelques secondes devant la fenêtre. Une mitraillade de déclics se mêla au souffle du vent dans les cimes dénudées. Puis Fisette, un bout de langue sorti entre les dents — signe chez lui d'intense plaisir — se laissa glisser de nouveau sur le sol et rampa à toute vitesse vers la lisière d'arbres et de broussailles où il fonça tête baissée, insouciant du danger et comme soûlé de fatigue. Il s'étendit de tout son long sur la pente et ferma les yeux, son appareil-photo posé sur l'estomac. Un peu de temps s'écoula — il n'aurait su dire combien — puis un claquement de porte le tira de sa torpeur. Livernoche et sa compagne quittaient la maison, plongés dans une vive discussion.

— Mais je ne sais pas, moi, lança le libraire, exaspéré. On fera ce qu'on pourra !

La jeune femme ajouta quelques mots inintelligibles, puis le silence se fit. Le ronflement d'une auto s'éleva tout à coup dans la nuit. Le moteur se mit à tousser, puis à faire des vocalises, poussé par des coups d'accélérateur impatients, et trouva enfin son régime normal. L'auto s'ébranla avec un roulement sourd. Fisette l'entendit s'éloigner, puis le souffle du vent envahit de nouveau l'espace, calme et vaste, plein d'une sérénité millénaire.

L'envie prit alors Fisette de profiter du départ de Livernoche et de sa compagne pour jeter un coup d'œil dans leur maison, mais cela ne dura qu'un instant ; l'épuisement le gagnait, sa longue station debout semblait avoir empiré l'état de sa cheville, et, du reste, la réponse à ses questions sur la jeune femme se trouvait dans l'appareil-photo, si tout avait bien fonctionné. Il se laissa glisser en bas du talus, retrouva sa trousse de cuir et la branche qui lui avait servi de béquille et réalisa tout à coup qu'il se trouvait en pleine nuit dans un coin désert à plusieurs kilomètres de Saint-Hyacinthe et que l'état de son pied ne lui permettrait pas de marcher une demi-heure.

Le ciel s'était couvert de nuages bleuâtres et bouclés qui semblaient factices ; leur minceur permettait à la lune de les traverser d'un halo doré qui allumait dans le champ comme une vague phosphorescence. Il atteignit la route sans trop de peine et avança en boitillant, prenant soin de se tenir près du fossé afin de s'y jeter si jamais la *Maverick* apparaissait. Un quart d'heure plus tard, il arrivait à la fourche où Juliette s'était arrêtée. Le froid raidissait tous ses muscles ; son dos était comme un bouclier de glace.

— Gauche ou droite ? se demanda-t-il à son tour, perplexe.

Il opta pour la gauche, mais dut s'arrêter au bout d'une centaine de mètres, car la douleur de sa cheville devenait intolérable. Il s'assit sur un monticule couvert de foin sec au bord de la route, étira les jambes, ferma les yeux et prit de profondes inspirations. Puis il marcha encore un peu, mais dut se rendre à l'évidence : il lui fallait absolument une béquille plus longue, car son pied refusait maintenant tout à fait de le porter.

C'est alors qu'il entendit au loin le grondement sourd et râpeux d'un moteur. Le bruit venait de sa gauche et augmentait rapidement. Il se réfugia derrière un buisson et surveilla le tournant de la route. Une lueur jaune balaya un pan de broussailles et une vieille fourgonnette apparut dans un vacarme de grincements et de chocs métalliques, privée d'un phare et souffrant sans doute de bien d'autres misères cachées par la nuit compatissante.

Fisette s'avança en clochant au milieu de la route et agita les bras. La fourgonnette filait droit sur lui.

— S'il vous plaît ! s'il vous plaît ! cria le photographe, mais il dut se jeter de côté pour éviter l'écrabouillement.

Un nuage de poussière l'enveloppa tandis qu'une volée de cailloux allait se perdre dans les buissons. Il invectivait le conducteur lorsque le véhicule freina brusquement, si brusquement qu'il dérapa et s'immobilisa de travers dans le chemin.

— Envoye ! Amène-toé ! cria une voix d'homme.

Et pendant que Fisette clopinait à toute vitesse vers la fourgonnette, celle-ci se rangeait bruyamment sur le côté de la route. Une grosse tête grisonnante et frisée se pencha par la portière entrouverte :

— Que c'est qui t'est arrivé, mon ami ? Un accident ?

L'homme le fixait avec un sourire gouailleur, les yeux brillants et troubles. Il avait le front large et bas, des pommettes aplaties, une grande bouche, un menton fuyant, la peau rugueuse et pleine de plis, d'un rouge vif et peu naturel, et l'air de pouvoir donner et encaisser une quantité presque illimitée de coups de poing et de coups de pied sans perdre son entrain.

— Je me suis foulé une cheville, expliqua timidement Fisette. Je me promenais dans le coin et mon pied a glissé sur un caillou.

— Où est ton char ?

— Je n'en ai pas. Je me promenais à pied.

Le sourire de l'homme se figea un instant, puis :

— Et t'arrives d'où, comme ça ?

— De... Saint-Hyacinthe, répondit l'autre, embarrassé.

Un formidable éclat de rire s'échappa de la fourgonnette. Pendant une seconde, Fisette eut l'impression de se trouver sur une scène, la victime pitoyable d'une farce loufoque avec volées de tartes à la crème, pantalons qui tombent sur les jambes et seaux d'eau dégringolant du haut des portes.

— L'as-tu entendu, Momone ? fit l'homme avec des hoquets en se penchant vers la conductrice. Il arrive de Saint-Hyacinthe... de Saint-Hyacinthe... à pied !

— Écoute, Norbert, grogna sa compagne invisible, fais-le monter ou laisse-le dans le chemin, mais grouille-toi, bon sang ! je meurs de faim !

— Allons, fit l'autre avec des frémissements de rire dans la voix, tire sur la porte coulissante et monte. On s'en va justement à Saint-Hyacinthe. T'es chanceux comme un chien qui rote, mon ami, ajouta-t-il après que Fisette se fut péniblement installé sur le plancher du véhicule derrière ses compagnons. À cette heure-ci, il passe plus de bêtes puantes que d'autos dans le coin. Tu t'entraînes pour un marathon, ou quoi ? Avoir marché tout ça, j'aurais des entorses jusqu'au menton, moi.

— En fait, je me suis un peu perdu, répondit le photographe, décidé à jouer au niaiseux.

La femme lui avait à peine jeté un coup d'œil ; elle actionna brusquement le bras de vitesse et donna un coup d'accélérateur qui faillit jeter Fisette à la renverse. Il posa un regard pensif sur l'aiguille du compteur qui ne cessait de grimper : elle se mit bientôt à osciller autour de 130 km. Une forte odeur de rhum emplissait la fourgonnette. L'homme se retourna vers le photographe et lui présenta un flacon :

— Goûte. Du *Bacardi Superior Carta Blanca* : une caresse pour le tuyau.

— Non merci, répondit poliment Fisette.

L'autre se mit à le fixer, les sourcils froncés :

— Que c'est que t'as dans ta trousse ?

Fisette hésita une seconde :

— Des appareils photographiques. Je suis photographe, ajouta-t-il d'un air simplet.

— Ah bon, s'esclaffa l'autre. Tu voulais-tu poser des papillons de nuit en maillot de bain ?

Il porta le goulot à ses lèvres, inclina la tête et prit deux lampées.

— Laisse-moi-z-en, Norbert, dit la femme d'une voix légèrement pâteuse.

L'œil toujours fixé sur la route, elle tendit le bras et saisit le flacon.

Fisette s'était un peu avancé et l'observait de côté, avec son abondante chevelure brune étalée sur les épaules, le profil ferme et décidé, l'œil superbe, rempli d'un éclat huileux, mais le menton un peu massif et la peau du même rouge vif que celle de son compagnon.

La conversation avait cessé; on n'entendait que le roulement des pneus sur le gravier, ponctué à tous moments par le choc retentissant d'un caillou contre la carrosserie. Malgré ses libations, la jeune femme conduisait avec une habileté remarquable et donnait l'impression de connaître la route comme le fond de sa poche. Le flacon allait de l'un à l'autre avec la régularité d'un métronome. Il fut bientôt vide. L'homme leva le bras et l'envoya danser au fond du véhicule.

— On arrive du *Bar Champlain*, reprit-il d'une voix épaisse et rauque en regardant Fisette avec insistance. Y es-tu déjà allé?

— Non.

— Va jamais mettre les pieds dans ce trou-là, tonna l'autre avec une fureur soudaine. Y'a plusse d'eau dans leurs bouteilles de fort que dans la rivière Yamaska. Faut commencer de bonne heure quand on veut se soûler chez le père Fauchecrotte!

— Fauchecrotte? s'étonna Fisette.

— Oui, c'est le petit surnom d'amour qu'on lui a trouvé. En fait, il s'appelle Bob Brissette. Un chien sale. Des sourires à se fendre la face en deux, mais crosseur comme une armée de frères. Eh! christ! que je lui câlisserais donc un coup de poing sur son *pace maker*! lança-t-il en se retournant vers sa compagne.

— Crie pas si fort, tu me casses les oreilles.

— Tout à l'heure, fit Norbert en s'adressant à Fisette, Momone et moi, on se commande un café acadien pour finir la soirée en beauté : 5,75 $ la tasse, bonhomme ! C'est pas donné ! Sais-tu ce qu'il avait mis dedans ? Du *DreamWhip*, de la cannelle et du *Sanka* ! Pas une maudite goutte de cognac ! Je lui ai retourné les deux tasses. Il a jamais voulu nous rembourser. Je serais bien allé me rembourser moi-même à la caisse, mais y'a un taupin de deux cent cinquante livres derrière le bar qui pourrait me faire avaler mes dents juste d'un coup de poing. « Ouais ? » que je me suis dit. « Tu perds rien pour attendre, mon hostie de crapaud sale. » Je fais signe à Momone. On se lève et, en passant près du bar, je lui pique un flacon de rhum pendant qu'il avait le dos tourné et on sacre le camp. J'ai toujours eu l'habitude de me faire respecter, moi, mon ami, conclut-il avec un air de grande dignité.

Puis, se penchant vers la jeune femme :

— Y'était bon, le rhum, hein, Momone ? Y'avait pas eu le temps de le baptiser.

Il se mit à l'embrasser fougueusement dans le cou. La jeune femme se laissait faire en souriant. Depuis quelques minutes, sa façon de conduire laissait voir des flottements inquiétants. Son compagnon lui glissa la main entre les cuisses. Fisette, embarrassé, fixa le plancher, puis redressa aussitôt la tête : la fourgonnette venait de faire une embardée.

— Arrête, Norbert, supplia Momone, haletante, tu vas me faire prendre le champ.

Elle le repoussa violemment. L'homme lança un clin d'œil à Fisette, la lèvre molle, le regard vacillant :

— Aimes-tu ça, les femmes ? fit-il à voix basse.

— Euh... oui, bien sûr, répondit l'autre, embarrassé.

— Si tu connaissais celle-là, t'oublierais toutes les autres.

Il sembla réfléchir un moment, puis :

— Es-tu amateur de parties de fesses, des fois ?

Un frétillement obscène dansait dans ses yeux. Fisette sourit d'un air un peu niais, détourna le regard, puis fit un petit signe de tête affirmatif.

— Moi, j'aime les femmes de toutes les manières, lui confia l'autre. Aimes-tu les femmes de toutes les manières, toi ? demanda-t-il, pressant.

— Oui, oui, bien sûr, murmura le photographe du bout des lèvres, impatient de changer de sujet.

L'autre hochait la tête avec un sourire complice.

— On arrive à Saint-Hyacinthe, annonça la jeune femme d'une voix curieusement chevrotante. Oups ! excusez-moi, fit-elle en donnant un coup de freins qui projeta Fisette contre le dossier de son siège tandis que Norbert heurtait le tableau de bord.

La fourgonnette se trouvait arrêtée au milieu d'un carrefour, bloquant deux voies.

— Ouvre tes yeux, Momone, grogna Norbert.

— Écoute, chose, si c'est toi qui avais pris le volant, y'a longtemps qu'on serait en train de ramasser nos os en plein champ.

Le moteur avait calé. Elle démarra bruyamment, tourna à droite et accéléra. La route était maintenant asphaltée. Le vacarme qui avait régné jusque-là dans le véhicule fut remplacé par un roulement huilé qui, en comparaison, faisait l'effet du silence. Des maisons apparurent bientôt, puis un garage et, un peu plus loin, un grand terrain où s'alignaient des rangées de tracteurs orange.

La jeune femme posa sur Fisette un regard langoureux :

— Où est-ce que je vous laisse, monsieur ?

Ses yeux, ombrés de mauve, aux cils alourdis de mascara, lui firent sauter le cœur.

— Il vient prendre un verre avec nous au *Motel Champfleury*, décida Norbert. Tu viens avec nous, hein ?

— Je... je ne peux pas, répondit Fisette, tout démonté.

— Si tu es notre ami, tu viens prendre un verre à notre chambre au motel. Es-tu notre ami ?

Fisette eut une grimace pitoyable :

— J'ai un rendez-vous, balbutia-t-il.

— Avec ta blonde ? Elle peut attendre. Tu lui diras que tu t'es perdu dans la campagne. Il sera toujours temps d'être gentil avec elle demain.

— Je ne peux pas, répéta le photograhe d'un air de supplicié.

L'autre se pencha vers sa compagne :

— Momone, l'entends-tu ? Il veut pas être ton ami.

Ils échangèrent un bref regard et Momone se tourna vers le photographe :

— Venez donc prendre un verre avec nous, monsieur, minauda-t-elle en battant des cils. Je vous trouve joli garçon et je n'ai pas pu vous dire deux mots depuis que vous êtes monté avec nous. J'aimerais bien vous connaître un peu plus, vous savez.

Son compagnon donna un grand coup de poing sur le tableau de bord :

— C'est décidé : il vient avec nous, lança-t-il joyeusement. Tu vas voir, mon vieux, on va s'amuser !

Fisette eut beau protester, rien n'y fit. La fourgonnette changea encore une fois de chemin et se retrouva sur le rang Saint-François, puis, traversant la rivière Yamaska, tourna à gauche sur le boulevard Sir-Wilfrid-Laurier. Deux minutes plus tard, elle s'arrêtait devant le *Motel Champfleury*.

Fisette actionna la portière coulissante et mit pied à terre, bien décidé à s'éloigner au plus vite.

— Vous n'êtes pas gentil, monsieur, protesta Momone en sortant dehors.

Elle dut prendre appui à la fourgonnette pour retrouver son équilibre.

— Minute ! minute ! s'écria Norbert en s'élançant vers Fisette. On n'a pas fini de se parler !

Il prit le photographe par la taille (en fait, il s'appuyait plutôt sur lui) et l'amena vers son amie.

— Mais puisque je vous dis que je ne peux pas, balbutia Fisette qui chercha à se dégager. J'ai un rendez-vous à l'*Hôtel Maskouta*. On m'attend depuis deux heures.

La tête langoureusement rejetée en arrière, Momone le parcourait des pieds à la tête avec un sourire provocant. Elle était petite, mince et bien découpée, chaussée de longues bottes de cuir et serrée dans un jean qui mettait en valeur ses cuisses. Son compagnon, toujours agrippé au photographe, lui fit faire un brusque demi-tour et l'amena un peu à l'écart :

— Écoute, *chum*, on va se parler entre hommes. Tu la trouves pas belle, ma blonde ? Tu dois avoir un cul comme tout le monde, non ? T'aurais pas le goût d'une bonne petite partie de fesses à trois ? C'est une fourreuse fantastique, je t'assure : elle aime *toute*, elle fait *toute* ! L'âme va te sortir du corps ! Écoute, on va d'abord aller prendre un verre au bar — ça va te mettre d'équerre, tu verras — et puis on louera une chambre : c'est moi qui paye. Profite-z-en. J'ai vu tout de suite qu'elle te trouvait de son goût. Je te promets du rendement, bonhomme, le souffle va te manquer, tu vas en parler à tes arrière-petits-enfants.

Le faisant pivoter de nouveau, il le ramena vers sa compagne, qui s'avança vers eux d'un pas incertain :

— Et alors, vous venez prendre un verre, les hommes ? lança-t-elle gaiement.

Fisette ressentit comme un grand coup dans l'estomac. Une partie de débauche digne de ses fantasmes les plus débridés venait d'éclater dans sa tête, déployant sa splendeur sauvage. Il fixa la jeune femme. Elle lui paraissait extraordinairement désirable, mais en même temps que sa convoitise, une angoisse sourde et oppressante grandissait en lui, qu'il n'arrivait ni à comprendre ni à maîtriser. Une scène de film lui revint à l'esprit. Le héros devait s'élancer au-dessus d'une crevasse remplie de serpents pour atteindre un amoncellement de bijoux qui scintillaient de l'autre côté. Le vide à franchir, le grouillement des serpents et l'éclat des bijoux se mêlaient dans sa tête, créant une tension insupportable. Il sentit le besoin d'un répit.

— On m'attend à l'hôtel. C'est archi-important, bafouilla-t-il en se dégageant tout à coup.

Il venait d'apercevoir un taxi devant le motel. La femme eut un petit rire :

— Dommage. Tu sais pas ce que tu manques. Ça t'aurait fait du bien à la queue.

— Hey ! bonhomme ! beugla son compagnon. Viens icitte ! J'ai pas tout dit.

— Laisse, Norbert. C'est peut-être une tapette. Regarde comment il marche.

Et elle rit de nouveau. Fisette monta dans le taxi et, baissant la glace :

— Excusez-moi, je... Attendez-moi, lança-t-il soudain, je fais un saut et je reviens tout de suite !

Norbert, qui se dirigeait vers le restaurant à demi appuyé sur sa compagne, leva un bras en l'air et le laissa retomber en signe d'incrédulité. Fisette l'entendit crier quelque chose, mais le bruit du moteur couvrit sa voix.

Quelques instants plus tard, il arrivait à l'*Hôtel Maskouta* où la réceptionniste lui remettait le mot de Juliette : celle-ci lui annonçait son départ et lui donnait carte blanche pour la suite des opérations. Le visage écarlate, il s'élança dehors en boitillant sous le regard étonné de l'employée. Le taxi venait de partir. Il resta immobile sur le trottoir, fixant le vieux marché. Son vertige l'avait repris. Il se mit à frissonner, rentra dans le hall et, pour se donner du temps, demanda sa clef et monta à sa chambre. Assis sur le lit, il jonglait en se passant nerveusement la main dans le visage. Soudain, il bondit sur ses pieds :

— J'y vais, baptême !

Il dévala l'escalier en clopinant et demanda à la réceptionniste de lui appeler un taxi.

— Vous feriez mieux de vous rendre au coin de La Concorde et Calixa-Lavallée, il y a un poste là-bas, lui répondit en bâillant la jeune fille, que la fatigue de la journée amenait doucement à un état somnambulique.

— Merci, fit-il en sortant de l'hôtel.

Quelques minutes plus tard, il arrivait au poste, qu'il trouva désert.

— Merde de merde, grommela-t-il en s'adossant contre un poteau, défaillant de peur et de désir.

Au bout d'un moment, il allait quitter les lieux lorsqu'un taxi apparut. Il y monta et donna le nom du *Motel Champfleury*. Il avait peine à avaler sa salive et les battements de son cœur emballé lui tiraient une petite toux sèche qui lui faisait danser les épaules, mais une sombre détermination s'était emparée de lui. De temps à autre, une image lubrique traversait son esprit comme un éclair tandis qu'un fourmillement fiévreux gonflait son sexe, étrangement douloureux.

En arrivant devant le motel, il aperçut la fourgonnette stationnée au milieu du terrain à demi vide. Il laissa au chauffeur un pourboire énorme, poussa la porte du restaurant, parcourut la salle du regard et ressortit.

— Ciboire. Sont déjà allés se coucher et je ne connais même pas leurs noms, murmura-t-il, désemparé.

Il resta un moment devant la porte vitrée, puis se retourna. La caissière l'observait, intriguée. Alors, poussant force soupirs, les traits crispés d'appréhension, il se dirigea lentement vers la réception, dont l'enseigne lumineuse brillait au bout d'une longue série de portes numérotées.

Penché au-dessus du comptoir, les lunettes sur le bout du nez et bougeant doucement les lèvres, un vieillard grassouillet était absorbé dans la lecture du *Courrier de Saint-Hyacinthe* et il était difficile de déterminer si son expression intense et appliquée venait de sa presbytie, du manque d'habitude qu'il avait de la lecture ou de l'intérêt que présentait l'article. Fisette se tenait devant lui, rigide, les bras le long du corps. L'homme leva enfin les yeux :

— Oui ?

— Je... je cherche à rejoindre des amis. Ils viennent de louer une chambre ici, mais j'ai oublié le numéro.

— Comment s'appellent-ils ?

— Heu... il s'agit d'un couple... Ils viennent tout juste de louer... ils avaient un peu bu.

— Leurs noms ? répéta l'homme, imperturbable.

— Heu... l'homme s'appelle Norbert. Norbert... tiens, c'est drôle, j'ai un blanc de mémoire.

— Oui, je vois, je vois, répondit l'autre, goguenard. Moi aussi j'oublie souvent le nom de mes amis. Parfois même, j'oublie celui de ma femme. Chambre numéro 16. Minute, pas si vite. Il faut d'abord que vous me payiez votre nuit. Oui, oui, votre nuit... c'est quarante-cinq dollars.

Il encaissa l'argent, puis :

— Dites-leur de ne pas faire trop de de saloperies. La femme de ménage n'aime pas ça.

Les jambes flageolantes, Fisette sortit et longea une série de portes. La chambre 16 se trouvait presque au bout. Son cœur battait si fort qu'il n'aurait pu prononcer un mot, tandis que son gland poisseux et gorgé de sang se pressait douloureusement contre sa braguette. Il s'arrêta devant la porte, écouta quelques secondes. Aucun bruit ne se faisait entendre. Il allongea lentement le bras, hésita, puis frappa deux coups. Un choc sourd le fit sursauter, mais il parvenait de la chambre voisine.

— Trois ! trois ! pas quatre ! lança la voix d'un homme en colère.

Il attendit encore un peu, puis frappa de nouveau, plus fort.

— C'est moi, réussit-il à articuler d'une voix tremblante.

La chambre demeurait silencieuse. Il frappa une troisième fois, appliqua son oreille contre la porte et entendit un faible ronflement. Il resta sur place un moment, appuyé de l'épaule contre l'embrasure, la jambe droite légèrement soulevée pour soulager sa cheville, puis s'éloigna lentement, les larmes aux yeux, maudissant sa poltronnerie.

Cinq minutes plus tard, il se retrouvait, rue des Cascades, assis sur un banc, les deux mains dans les poches, la mine déconfite et d'humeur à mordre un chien. La vitrine d'une beignerie brillait en face de lui, seul point d'animation dans la rue déserte. La faim le prit.

— Avec toutes ces niaiseries, j'ai oublié de souper, pensa-t-il tout à coup.

Il traversa la rue et entra dans l'établissement où flottait une odeur de cannelle et de café. Il soupa d'un potage aux légumes et de quelques beignes. De temps à autre, la serveuse, intriguée, le regardait à la dérobée, penché au-dessus de son assiette, les joues gonflées, le regard mauvais, frappant machinalement du talon contre le pied de son tabouret. Il paya et sortit.

— Tiens, s'étonna-t-il en s'éloignant sur le trottoir, ma cheville ne me fait presque plus mal. L'effet des beignes, sans doute.

Il frissonnait dans l'air piquant, l'estomac douloureusement distendu, sa colère tout à coup changée en abattement. Il s'arrêta sous un lampadaire :

— Dix heures moins quart, constata-t-il avec désespoir. Qu'est-ce que je vais faire du reste de la soirée ?

Il songea un instant à retourner au motel dans l'espoir d'y trouver ses compères réveillés, puis y renonça :

— Avec la quantité de rhum qu'ils se sont envoyée dans le système, on pourrait les traîner à plat ventre dans la rue sans qu'ils ouvrent un œil.

Il poursuivit sa flânerie sur des Cascades, jetant des regards distraits aux vieilles façades, perdu dans ses rêveries libidineuses et torturantes, dépassa le marché, qui avait encore fière allure malgré la fatigue des ans, et vit soudain devant lui l'enseigne de *La Bonne Affaire*. Une pensée lui traversa l'esprit et son cafard s'envola. Il revint un peu sur ses pas, remonta la rue Sainte-Marie, puis, tournant à droite, s'enfonça dans une étroite ruelle bordée à gauche par une vieille remise et une palissade à demi écroulée et, à droite, par deux garages qui appuyaient l'un sur l'autre leur incurable infirmité. La ruelle aboutissait dans une petite cour sans issue, où donnaient quatre ou cinq édifices, dont celui qui abritait *La Bonne Affaire*. Il était difficile d'imaginer un usage précis à cette cour vaguement rectangulaire, qui avait été grugée au fil des ans par la construction de différents appentis et annexes.

Le rez-de-chaussée qu'occupait Livernoche y avait accès par une porte bardée de fer, munie de deux verrous ; on distinguait à droite les traces d'une fenêtre, murée sans doute pour des raisons de sécurité. Fisette promena son regard autour de lui afin de s'assurer que personne ne l'observait, s'approcha de la porte et s'accroupit. Un sourire apparut sur ses lèvres. C'était le premier depuis des heures.

19

Debout devant la fenêtre du salon, Juliette regarda un moment Denis et son ami Yoyo creuser un trou dans la terre gelée pour y planter un pommier (ils tenaient absolument à creuser le trou immédiatement, même si on ne devait planter l'arbre qu'au printemps), puis elle se dirigea vers la salle à manger pour rappeler le propriétaire de *L'Oasis*. Mais le téléphone sonna avant qu'elle n'atteigne la pièce.

— C'est lui, j'en suis sûre, se dit-elle, le cœur battant. Qu'est-ce qu'il va bien m'annoncer ?

— Bonjour, chère madame, fit la voix joviale de Peter Jeunot au bout du fil. Ou plutôt : bon matin. Comment allez-vous ? Oui ? Formidable. Eh bien, chère madame, chose promise, chose faite ! Je m'étais engagé à vous trouver une seconde Adèle Joannette, puisque la première ne vous satisfaisait pas. Eh bien... je viens d'en trouver deux !

— Ah bon, remarqua froidement Juliette.

— Et, qui plus est, je vous les offre gratuitement ! Tel que promis ! Connaissez-vous un autre mot pour décrire mon geste que celui de *professionnalisme* ?

— Je n'ai pas tellement la tête à chercher des mots, monsieur Jeunot. Parlez-moi plutôt de vos découvertes.

— Oh ! j'ai bien l'impression que la première ne vous intéressera pas. Il s'agit d'une ancienne couturière qui vit à Terrebonne. Joannette est le nom de famille de son mari et elle est âgée de 78 ans, ce qui est un peu excessif dans les circonstances. Son nom de jeune fille est Tartelais.

— Vous avez tout à fait raison : elle ne m'intéresse pas.

— Je m'y attendais. Mais je vous avais promis de l'Adèle Joannette et je vous en donne. Pour la deuxième, c'est autre chose. Joannette est son véritable nom et elle a 32 ans.

Juliette tressaillit :

— C'est bien l'âge de ma nièce.

— Je me suis donné un mal de chien pour la retracer. Remarquez que je ne l'ai pas encore vue. Elle est missionnaire laïque au Honduras. J'ai deux pages pleines de renseignements à son sujet. Je vous lis l'essentiel. Elle est née à Bruxelles d'un père ingénieur qui est mort d'une complication de laryngite à 42 ans et d'une mère toujours vivante, actuellement dans un foyer de vieillards à Malines. En...

— Les parents de ma nièce sont morts tous les deux dans un accident d'automobile lorsqu'elle avait quatre ans, coupa Juliette d'une voix glaciale, et elle est née à Sorel. Vous aviez d'ailleurs noté tous ces renseignements lorsque j'étais allée vous voir à votre bureau. Monsieur Jeunot ?

— Oui, madame.

— Si jamais vous tombiez par hasard sur une autre Adèle Joannette, voudriez-vous me rendre un petit service ?

Le détective hésita une seconde, puis, d'un ton quelque peu méfiant :

— De quoi s'agit-il, madame ?

— Essayez de l'oublier. Et commencez tout d'abord par m'oublier moi-même. Vous ne pouvez savoir combien cela me ferait plaisir. Vous m'avez fait perdre de l'argent. Vous m'avez fait perdre du temps. Et, en ce moment, vous êtes en train de me faire perdre patience.

— Soyez sûre, madame, que je saurai me *confirmer* à vos désirs, répondit Jeunot avec un accent de dignité offensée.

Et il raccrocha.

Juliette poussa un soupir, consulta un calepin et composa le numéro de Marcel Vlaminck. Elle n'avait pas terminé qu'on frappait à la porte.

— Allons, grommela-t-elle en déposant le combiné, est-ce que je vais réussir à lui parler un jour, à celui-là ? Ah bon, c'est vous, Bohuslav ? Qu'est-ce qui vous amène ?

Le compositeur se troubla devant son expression ennuyée :

— Excusez-moi, je vois que je vous dérange. Je reviendrai tout à l'heure.

— Mais non, mais non. Restez. Je vous écoute.

— C'est que... voyez-vous, poursuivit l'autre, de plus en plus embarrassé, j'avais une question à vous poser, mais d'un ordre...

— Posez-la, mon cher, posez-la.

Il prit une inspiration, redressa les épaules et, la fixant droit dans les yeux :

— Eh bien, il s'agit... il s'agit de ce fameux merle des Indes. Avez-vous remarqué, madame, si Denis souffrait de... démangeaisons ?

— Non, s'étonna-t-elle. Il m'en aurait sûrement parlé.

— C'est que ce pauvre oiseau — remarquez que je m'y attache de plus en plus : il m'a sifflé deux fois une tierce, ce matin — est infesté de poux. Et je crains que la vermine ne se soit répandue dans l'immeuble. Je le porte chez le vétérinaire ce matin. Mais je tenais à vous en avertir. Et à m'excuser, si...

— Allons, allons, gardez vos excuses ! C'est Denis et Clément qui l'ont apporté ici. Ce sont eux les responsables. Votre appartement est infesté ?

— Je crois que oui.

— Si c'est le cas, je ferai le nécessaire. Allez en paix. Vlaminck, maintenant, fit-elle après avoir refermé la porte.

Elle se remit à composer le numéro.

— Oh ! mais c'est que vous venez tout juste de le rater, répondit sa femme d'une petite voix aigre et nerveuse qui s'efforçait d'être aimable. Puis-je savoir qui parle ?

Juliette se nomma.

— Vous pourrez le joindre au bureau dans dix minutes, madame.

Elle lui donna le numéro et raccrocha. Juliette alla s'asseoir à la table de la salle à manger, où traînaient les deux tomes du *Sans famille* d'Hector Malot et le magnifique pyjama, et les fixa d'un air maussade. Elle prit un tome et l'ouvrit. Une petite feuille en tomba. « À mon cher Denis, lut-elle, que j'ai dû abandonner malgré moi, mais qui retrouvera sa mère, comme Rémi l'a fait ».

— Et dire que la police surveille notre maison... Quelle farce ! Cette détraquée à turban fait tout ce qu'elle veut. Tout ! Elle pourrait s'amener avec un troupeau de phoques sans être dérangée, ma foi. Je vais aller leur dire un mot ou deux au poste, tout à l'heure.

Elle se leva :

— Pourvu que je puisse l'atteindre, cette fois-ci, soupira-t-elle en s'approchant du téléphone.

— Ah bon ! madame Pomerleau ! s'exclama joyeusement Marcel Vlaminck. Je suis content de vous parler. J'ai de bonnes nouvelles à vous apprendre. Est-ce que nous pourrions déjeuner ensemble, ce midi ?

Juliette rougit de plaisir :

— Oui, bien sûr... je... Est-ce que je peux vous demander tout de suite si...

— Je déteste discuter affaires au téléphone, madame. J'ai l'impression de parler les yeux bandés. Tout se passe d'une façon tellement plus agréable devant une bonne bouteille de vin...

Ils se donnèrent rendez-vous au *Saint-Malo*, rue Saint-Denis. Juliette se disposait à partir pour le poste de police lorsqu'on frappa de nouveau à la porte. Alexandre Portelance, une mallette à la main, vêtu d'un beau complet gris acier, sa chevelure clairsemée soigneusement lissée, se tenait devant elle, la gorge serrée, en proie à une sensation de vertige comme si le paillasson qu'il avait sous les pieds venait de s'élever à mille mètres dans les airs.

— Ah ! mon Dieu ! je vous dérange ! s'écria-t-il en faisant un petit pas en arrière, alarmé par l'expression ennuyée de la comptable. Oubliez-moi, je m'en vais, je m'en vais (il reculait lentement vers la sortie). J'avais pris une chance, c'est tout. Comme je viens de rencontrer une cliente à deux pas d'ici (ce mensonge lui fit détourner les yeux), j'ai pensé m'arrêter pour une jasette et vous demander si... Mais je vous téléphonerai, plutôt. Dites-moi seulement à quelle heure je...

Juliette lui sourit. Le désarroi du bonhomme avait dissipé un peu sa mauvaise humeur.

— De quoi vouliez-vous me parler ? lui demanda-t-elle avec une candeur cruelle.

Il ouvrit la bouche et, pendant un instant, une mouche qui bourdonnait tout près eut la tentation d'y entrer.

— Je... mais... c'était pour savoir, articula-t-il enfin, si vous vouliez toujours m'accompagner au...

— Ah oui ! au cinéma, le coupa-t-elle, prise de pitié devant sa détresse. Pour aller voir *Autant en emporte le vent*, c'est ça ?

— C'est ça.

— Eh bien, voyez-vous, j'ai reçu tellement de tuiles sur la tête depuis un mois que je ne sais pas si j'en aurai le temps. Mais entrez donc une minute, monsieur. Je vous tiens debout devant ma porte : ce n'est pas très poli.

Il s'avança :

— C'est plutôt moi qui manque de politesse, madame, reprit-il, sa jovialité revenue. Arriver comme ça chez les gens de si bonne heure, sans prendre la peine de s'annoncer... Je mériterais une pichenotte dans l'œil.

Elle le fit passer au salon, lui indiqua un fauteuil et prit place sur le canapé. Il déposa avec précaution sa mallette par terre, porta son poing fermé à la bouche et toussota avec un air de profonde gravité.

— Vous semblez avoir un très bel appartement, remarqua-t-il avec componction.

— Je l'aime bien. Est-ce que je peux vous offrir un rafraîchissement ?

— Non non non, ne vous dérangez pas. Je viens de déjeuner. J'ai pris un grand verre de jus d'orange. Je prends un verre de jus d'orange chaque matin. On dit que c'est bon pour la santé.

— Oui, paraît-il. Allons, animal, se dit-elle intérieurement, comment je vais faire pour me débarrasser de toi ?

— Avez-vous réussi à retrouver votre nièce ? demanda Portelance après une hésitation.

Le visage de Juliette se rembrunit :

— Non, monsieur. Et je me demande si je la trouverai jamais.

— Parfois, dans des cas comme le vôtre, soumit prudemment le représentant, les gens s'adressent à la section des personnes disparues... ou alors à une agence de détectives.

La comptable ne répondit rien.

— Eh bien, oui, figurez-vous donc, poursuivit le représentant qui sentit le besoin de changer de sujet, que je viens d'aller voir à deux pas d'ici une cliente qui avait des problèmes avec son balai mécanique. Alors, en sortant de chez elle, je me suis dit : « Il est presque dix heures. Tente ta chance, elle est peut-être à la maison. »

— Qui vous avait donné mon adresse ?

Il se mit à rougir :

— Le bottin, c't'affaire. J'avais déjà votre numéro de téléphone et je savais que vous demeuriez à Longueuil.

— Ah bon. Je comprends.

Il sourit, changea la position de ses mains, puis :

— Alors, vous n'avez vraiment pas le temps de m'accompagner au cinéma ce soir... ou demain ?

— Demain, c'est la veille de Noël, monsieur, fit doucement remarquer Juliette.

— Ouais, c'est vrai... Je n'avais pas pensé à ça. Hum... Le film quitte l'affiche demain soir, mais remarquez qu'il repasse le 27 ou le 28, quelque part par là.

La comptable se gratta l'épaule, puis un genou, et replaça un pli de sa robe, ne sachant trop quoi répondre. La candide bonhomie du représentant commençait à la toucher et même à lui plaire, tout en soulevant dans une lointaine partie d'elle-même, presque oubliée, un sentiment d'appréhension étrange et très particulier.

— Écoutez, dit-elle enfin, j'attends des nouvelles importantes aujourd'hui et je ne peux vraiment pas prévoir mon emploi du temps... Est-ce que je peux vous téléphoner ce soir ?

Alexandre Portelance eut un sourire de reconnaissance (il s'attendait à un refus), prit sa mallette et se leva :

— Certainement, madame. Je serai chez moi à partir de cinq heures... Remarquez, ajouta-t-il en rougissant de nouveau, que... qu'il y a beaucoup d'autres bons films à Montréal... Si jamais vous ne pouviez pas vous libérer aujourd'hui ou demain, on n'aurait qu'à remettre ça... à la semaine prochaine, par exemple ?

Elle le reconduisit à la porte et, avec un grand sourire :

— Je vous rappelle sans faute en fin de journée. Au revoir, monsieur.

— Imbécile, marmotta-t-il en s'éloignant sur le trottoir. Tu colles comme du mastic. Ce n'est pas la façon de gagner une femme. Elle ne te rappellera jamais.

De dépit, il se mit à balancer sa mallette au bout de son bras, lui fit faire un tour complet, mais en revenant à sa position initiale, celle-ci lui percuta le genou, l'obligeant à s'arrêter un moment pour reprendre haleine.

Juliette était retournée au salon, envahie par un bizarre mélange d'angoisse et de contentement. Le regard dans le vague, elle se voyait dans le hall du *Ouimetoscope*, bras dessus bras dessous avec le vendeur qui riait aux éclats et l'écrasait de compliments sur l'élégance de sa robe et la suavité de son eau de Cologne.

Elle se gratta machinalement une épaule, puis le ventre, puis l'épaule encore une fois.

— Miséricorde ! s'écria-t-elle. Est-ce que la maison serait envahie de poux d'oiseau ? Il ne manquerait plus que ça !

Son regard tomba sur le téléphone :

— Et ce damné Clément qui ne donne pas signe de vie... Chanceuse comme je suis, il est peut-être en train de prendre une bière avec Livernoche en se payant ma tête.

Elle consulta sa montre :

— Allons, j'ai tout juste le temps de me rendre au *Saint-Malo*. J'irai au poste de police cette après-midi.

* * *

Comme Juliette Pomerleau et Marcel Vlaminck ne s'étaient jamais rencontrés, ce dernier lui avait donné une description brève (et plutôt avantageuse) de sa personne, ajoutant qu'il porterait un complet couleur tabac et une cravate de soie vert émeraude. C'est le vert de la cravate, d'une profondeur et d'une onctuosité incomparables, qu'elle aperçut tout d'abord à son arrivée, luisant doucement au-dessus de la nappe blanche.

En voyant l'obèse, et malgré la description qu'on lui avait faite de son ampleur rhinocérienne, Vlaminck resta interdit une seconde, puis, voulant dissimuler sa surprise, il se dressa comme si le fond de sa chaise était devenu de braises ardentes, passa derrière elle et l'aida à s'asseoir avec des airs de galanterie pompeux qui semblaient sortis tout droit de ces manuels de bienséance qu'on donnait autrefois aux jeunes gens pour guider leur entrée dans le monde.

C'était un homme de taille moyenne, assez svelte, le cheveu rare, dans la cinquantaine avancée, avec un front bombé et un visage rubicond à la peau lisse et comme sans âge. Il avait cette expression à la fois joviale, satisfaite et un peu pincée qu'on retrouve chez certains ministres et entrepreneurs florissants.

Après s'être conformés à l'usage selon lequel, lors d'un repas d'affaires, on ne doit aborder l'objet de la rencontre qu'une fois le plat principal avalé et l'état de la température et de la circulation minutieusement analysé, ils posèrent simultanément les paumes de leur main sur la nappe, toussotèrent l'un après l'autre et se regardèrent avec un sourire interrogateur. Ce fut Vlaminck qui entra dans le vif du sujet.

— Eh bien, on peut dire que vous avez de la veine, vous, lança-t-il avec un petit rire. Figurez-vous qu'il m'est arrivé cette semaine une de ces histoires qui changent le cours d'une vie. Conséquence ? Le splendide manoir que j'habite depuis douze ans et où j'avais projeté de finir mes jours, eh bien, je me vois forcé de m'en départir...

Et il se mit à lui raconter que son frère aîné — à la tête depuis longtemps de la savonnerie paternelle à Schaerbeek près de Bruxelles — venait de succomber à une hémorragie cérébrale ; Vlaminck devait retourner dans son pays natal assurer la relève, car le conseil de famille avait refusé de céder l'entreprise à des étrangers. Quelque chose dans sa prolixité et sa bonne humeur donnait vaguement l'impression à Juliette qu'il mentait, mais elle s'en fichait éperdument. Elle revoyait les pièces où s'était écoulée son enfance et attendait avec appréhension le prix qui surgirait au bout de cette histoire d'hémorragie et de savon. Tout en écoutant son interlocuteur, elle frottait discrètement l'une contre l'autre ses jambes que la démangeaison, après s'être assoupie un moment, venait d'attaquer avec une vigueur redoublée.

— Vous vous demandez sans doute, poursuivit Vlaminck, à quelles conditions, étant donné les circonstances, je me résignerais à laisser aller ce petit château...

— Le petit château, comme vous dites, a bien souffert depuis vingt ans, fit remarquer Juliette en se grattant le coude. Et puis, il a perdu son beau jardin à l'arrière...

— Cela s'est fait avant moi, précisa l'autre. C'est une histoire navrante, je vous l'accorde, mais avouez qu'elle a son bon côté : cela m'a permis d'acheter — et peut-être de vous vendre — une propriété qui, avec son terrain original et compte tenu de la spéculation dans le secteur, était tout à fait hors de la portée de ma bourse — et probablement de la vôtre.

— Oh ! sûrement.

— Alors voilà. Il y a quelques jours, je vous avais parlé d'un prix de vente plutôt élevé — et d'ailleurs fort justifié. Mais aujourd'hui, je suis forcé de rabattre un peu, car on me pousse dans le dos et je dois être en Belgique au plus tard dans trois mois.

— Combien demandez-vous ?

Il piqua un morceau de tarte aux poires avec sa fourchette, le mâcha lentement, puis :

— Écoutez, si vous m'aviez posé la question en début de semaine, je vous aurais répondu que toute offre inférieure à trois cent cinquante mille dollars serait considérée comme une plaisanterie. Mais à midi, dans ce restaurant calme et agréable où l'on sert de l'excellente blanquette de veau et une tarte aux poires non moins succulente, je vous répondrais qu'une offre aux alentours de trois cent vingt mille dollars aurait ma bonne oreille.

— Trois cent vingt mille... c'est bien de l'argent pour une maison qui a tant besoin de réparations, remarqua Juliette en luttant contre une furieuse envie de se gratter les mollets et les cuisses.

— Quelles réparations, madame ? Ce manoir est quasiment indestructible, vous le savez autant que moi. Les fondations de pierre ont un mètre d'épaisseur et ne montrent pas une fissure, la brique est d'une qualité qu'on ne trouve plus depuis belle lurette, la couverture a été refaite à neuf l'été dernier, avec une garantie de dix ans, les planchers sont droits comme des allées de quilles et le fenêtrage, qui commençait à donner des signes de faiblesse à quelques endroits, a été restauré il y a trois ans par un excellent menuisier. Que reste-t-il ? La tuyauterie ? Mon prédécesseur l'a complètement renouvelée, et je me permets de vous faire remarquer qu'il s'agit de cuivre. Le câblage électrique ? Je puis vous montrer l'attestation d'un électricien sur son parfait état. Bon, je vous accorde que l'ensemble est un peu défraîchi et aurait besoin, ici d'un coup de plumeau, là d'un coup de pinceau, et que si vous désirez remettre le manoir dans son état originel, il faudra démolir quelques cloisons, car nous avons été forcés, ma femme et moi, de modifier quelque peu la vocation de l'édifice. Mais il s'agit de travaux plutôt mineurs et pour en revenir à ces cloisons — presque absentes du rez-de-chaussée — je tiens à préciser qu'en les faisant construire, nous avons pris le plus grand soin de respecter les boiseries d'origine — sauf, peut-être, dans une ou deux chambres à l'arrière — dans le but, justement, de faciliter une remise en état éventuelle de ce manoir que nous aimons beaucoup et dont je n'envisage pas de me séparer sans beaucoup de chagrin, croyez-moi.

Après cette avalanche verbale, Juliette garda le silence quelques instants, tripotant un morceau de pain, le regard posé sur la nappe, puis :

— Avant de vous faire une offre, je voudrais, bien sûr, visiter la maison de fond en comble en compagnie d'un spécialiste.

— Mais je suis à votre entière disposition, madame, fit Vlaminck avec une bonne grâce un peu condescendante. Amenez tous les spécialistes que vous voudrez : j'aurai le plaisir de voir confirmées ma bonne foi et l'exactitude de mes propos.

Le repas se poursuivit ; ils ménageaient maintenant leurs paroles, car la quantité de choses qu'ils avaient à se dire tirait à sa fin.

— Est-ce que votre frère était malade depuis longtemps ? demanda Juliette en agitant doucement sa cuillère dans sa tasse, résistant à l'envie d'ajouter du sucre.

Vlaminck prit une dernière bouchée de tarte, l'étala avec la langue contre son palais, ferma à demi les yeux, puis, l'ayant avalé :

— Non, un mois à peine. Mais il y a longtemps que la cervelle aurait dû lui sauter, affirma-t-il avec un accent de tranquille férocité. C'était un homme sénile et tyrannique qui refusait tous les conseils et menait depuis quelque temps l'entreprise de mon père à la ruine. Il nous sera bien plus utile six pieds sous terre.

Et il eut un sourire bonhomme qui donna la chair de poule à Juliette.

— Alors, reprit-il, quand nous amenez-vous votre spécialiste ?

— J'aimerais d'abord, si vous le permettez, jeter un premier coup d'œil sur les lieux aujourd'hui même.

— Mais bien sûr ! Tout de suite, si vous le voulez. Je dois retourner au bureau, mais mon épouse est à la maison. Vous n'avez qu'à vous présenter. Ou alors, si vous préférez visiter le manoir en ma présence — je suis plus à même de répondre aux questions d'ordre technique que mon épouse — venez-y vers cinq heures. Nous prendrons un verre de porto.

— Entendu. Je viendrai à votre *manoir* à cinq heures tapant, fit Juliette avec un sourire subtilement narquois. Sueur de coq ! s'écria-t-elle intérieurement, je pense que Bohu ne se trompait pas. Les poux sont en train de me dévorer !

Marcel Vlaminck demanda l'addition, en précisant un peu lourdement qu'il y en avait deux. Ils prirent une dernière gorgée de café, sortirent et se quittèrent devant le restaurant. Enfin seule, Juliette se gratta férocement les reins. Elle allait monter dans son auto lorsqu'elle aperçut un téléphone public au coin des rues Saint-Denis et Émery. Bien qu'elle fût à dix minutes de chez elle, l'envie la prit de parler tout de suite à Martinek. Se glissant péniblement dans l'abri circulaire de plexiglass sous l'œil rieur d'un groupe d'étudiants attablés à la terrasse toute proche du *Faubourg Saint-Denis* devant un régiment de bouteilles de bière, elle composa le numéro du musicien et reçut une avalanche de nouvelles :

— Ah ! madame Pomerleau ! je suis content que vous m'appeliez. Hélas, je ne m'étais pas trompé ce matin. Je me gratte comme un damné : la maison est réellement infestée de poux !

— Je sais, je sais, répondit Juliette

— Vous êtes incommodée vous aussi ? Ah ! c'est la catastrophe ! Il faut tout de suite appeler un exterminateur. Et, pour comble de malheur, il y a cinq minutes, au moment où je traversais le hall pour remonter chez moi après être allé porter ce malheureux oiseau chez le vétérinaire, votre sœur m'interpelle devant sa porte et m'annonce qu'il y avait de la vermine partout chez elle depuis la veille, qu'elle en connaissait fort bien la cause et que l'affaire se trouvait depuis midi entre les mains de son avocat. Soit dit entre nous, je me demande qui a bien pu la mettre au courant.

— Allons, vous savez bien qu'elle entend tout. Elle s'use les oreilles à longueur d'année contre les murs et les portes à espionner nos conversations.

— Je suis désolé de vous causer tous ces ennuis, madame Pomerleau. Bien sûr, je prends tous les frais à ma charge.

— Ne dites pas de bêtises. Ce n'est pas vous qui avez ramassé ce sac à poux dans la rue, c'est Denis et notre cher Clément Fisette. À propos, est-ce qu'il a téléphoné, celui-là ?

— Oui, il y a environ une heure. Pour me dire qu'il venait de vous envoyer une enveloppe par messager et que si vous n'étiez pas chez vous, il avait donné l'instruction qu'on vienne me la porter.

— Est-ce qu'il vous a dit ce qu'elle contenait ?

— Non. Il avait l'air pressé. Il a tout simplement ajouté qu'il vous rappellerait en fin de journée.

— Bon. J'arrive tout de suite.

— Ce n'est pas tout.

— Quoi encore ?

— Le dentiste Ménard est de retour. Il est venu frapper à ma porte tout à l'heure. Je ne sais pas ce qui lui est arrivé. Ses cheveux ont grisonné, on entend à peine sa voix : c'est presque un petit vieux. Il est venu se reposer quelques semaines.

— Se reposer de quoi ?

— Ah ça... En tout cas, je doute qu'il se repose beaucoup aujourd'hui, avec tous ces poux... Il se grattait en me parlant. Je n'ai pas osé lui parler de notre problème. Il avait l'air trop crevé.

Juliette raccrocha.

— Allons, pensa-t-elle en se dirigeant vers son auto, je ne risque pas de mourir d'ennui de sitôt.

Dix minutes plus tard, elle arrivait à Longueuil et enfilait la rue Saint-Alexandre. La fourgonnette d'une messagerie était stationnée en face de chez elle.

— Attendez ! cria-t-elle au messager qui grimpait chez Martinek. C'est pour moi.

L'employé redescendit en faisant claquer ses talons contre les marches et lui tendit une grande enveloppe jaune.

— Des photos ? se dit Juliette en la palpant.

Elle signait l'accusé de réception lorsque la porte d'Elvina s'ouvrit brusquement :

— Tu vas le payer cher, glapit la vieille fille, hors d'elle-même. Je sais que vous cherchez tous à me faire partir. Mais c'est *vous* qui partirez, je vous le jure !

— Allons, va te faire couler un bain d'eau tiède, répondit Juliette, la plume à la main, sans la regarder, et verses-y une bonne tasse de bicarbonate de soude, ça soulage les démangeaisons. Je m'occupe du reste.

— Ha ! je m'en suis déjà occupée, du reste, figure-toi donc, siffla l'autre, écarlate.

Le messager, un jeune bellâtre à peau jaune et fine moustache, la fixait d'un œil étonné, les bras ballants. Juliette sourit :

— Alors tant mieux, je te remercie. J'ai bien d'autres chats à fouetter.

— Fouetter, fouetter, oui, c'est ça ! bégaya Elvina, la bouche tordue de colère, et elle claqua sa porte.

— Merci, monsieur, fit la comptable en tendant un pourboire au jeune homme, qui souriait, un peu ahuri.

Elle entra précipitamment chez elle, referma la porte d'un coup de fessier, déchira l'enveloppe et poussa un cri. Ses doigts ne l'avaient pas trompée. Il s'agissait bien de photos. Il y en avait une demi-douzaine. Le regard vissé sur la première, elle s'avança vers le salon, prit place sur le canapé et les passa en revue, la main tremblante, le visage livide. Soudain, elles glissèrent sur ses genoux puis le long de sa jambe et atterrirent sur le tapis dans un léger bruissement ; les mains crispées sur son visage, elle pleurait.

Malgré des conditions difficiles, Fisette s'était bien acquitté de sa tâche. L'obscurité, la distance, la vitre qui le séparait de son sujet et le faible éclairage de la pièce n'empêchaient pas de voir les traits d'Adèle Joannette avec une remarquable netteté. Des traits un peu flétris et empâtés, qui n'avaient conservé que bien peu de leur radieuse beauté d'autrefois. Et ce restant de beauté était amoindri par l'angoisse qui dilatait les yeux et tirait les commissures des lèvres vers le bas, donnant au visage une expression traquée, un peu stupide, devant laquelle on ne pouvait ressentir que de la pitié et une certaine répulsion.

20

À six heures dix, Clément Fisette fut réveillé par son voisin de chambre qui s'était mis, semblait-il, à expectorer ses poumons par petits morceaux. Après un long moment passé à courir après son souffle, ledit voisin sauta de son lit en faisant vibrer une partie de l'étage et se rendit à la salle de bains. Un robinet gémit et l'eau circula dans les tuyaux en poussant une plainte déchirante. Tout en continuant de tousser avec une grande énergie, le voisin se brossa les dents, cracha, se racla la gorge, déposa avec force son verre sur le lavabo, puis il voulut se gargariser, mais une quinte de toux particulièrement violente le surprit au moment où il s'envoyait au fond de la gorge un demi-verre de gargarisme, et Clément Fisette crut qu'il allait rendre l'âme. Au bout de quelques minutes cependant, les choses finirent par se tasser ; le voisin retourna à son lit et alluma la radio en prenant soin de régler le volume très bas, geste louable en soi mais qui, dans les circonstances, avait perdu beaucoup de son utilité.

Appuyé au rebord de la fenêtre, le photographe contemplait depuis un moment le parcours capricieux d'une fissure dans le mur de plâtre en face de lui ; la fissure lui rappelait étrangement la tête d'une orignale vue de profil. Il consulta sa montre et trouva que la quinte de toux de son voisin ne pouvait s'être produite à un meilleur moment. Grâce à elle, il aurait le temps de s'habiller tranquillement, de déjeuner en toute quiétude, puis d'aller faire un tour en ville pour repérer un photographe capable de développer son film durant l'avant-midi, et tout cela pendant que Livernoche et sa maîtresse, tournant et se retournant dans leur lit avec force soupirs, tenteraient sans doute d'allonger